Most, John

Memoiren, Erlebtes, Erforschtes und Erdachtes

Most, John

Memoiren, Erlebtes, Erforschtes und Erdachtes

Inktank publishing, 2018

www.inktank-publishing.com

ISBN/EAN: 9783747795866

All rights reserved

MEMOIREN

ERLEBTES, ERFORSCHTES
UND ERDACHTES
VON
JOHN MOST.

Erster Band.

NEW YORK.
Selbstverlag des Verfassers John Most, 3465 Dritte Ave.
1903.

Aus meiner Jugendzeit.

Vorwort.

Oft und von vielen Seiten aus wurde schon an mich das Ansinnen gestellt, ich solle meine *Memoiren* schreiben und veröffentlichen, aber aus mancherlei Gründen vermochte ich mich bisher nicht dazu zu entschliessen.

Meiner bisherigen Ansicht nach kann es allerdings nicht schaden, wenn Leute, die mancherlei Interessantes erlebten, davon Aufzeichnungen machen, die *Veröffentlichung* derselben sollten sie — so dachte ich — aber *Anderen nach ihrem Tode* überlassen, welche auch bevollmächtigt werden sollten, etwa nothwendig erscheinende *Randglossen* daran zu knüpfen.

So weit ein Memoirenschreiber mit seiner *eigenen Person* in den zu schildernden Vorgängen verwickelt ist, wird es ihm schwer fallen, über die Klippen und Gefahren hinweg zu kommen, die sich einer durchweg *objectiven*, total *realistischen* Darstellung der einschlägigen Dinge in den Weg stellen. Entweder wird man leicht davor zurückschrecken, gelegentlich einer *Selbstkritik* neben den Licht- auch die *Schatten*-Seiten der eigenen Person hervor zu heben, was zu subjectiver *Schönfärberei*, wenn nicht gar zu prahlerischer *Aufschneiderei* aus-

5

arten kann. Oder man verfällt in das entgegen gesetzte Extrem und befleissigt sich einer *über-* resp. *untertriebenen Bescheidenheit.* In beiden Fällen kann kein eigentliches Portrait, sondern nur eine mehr oder weniger verzerrte *Karrikatur* zum Vorschein kommen. Selbst ein *Goethe* hat durch seine Autobiographie nichts Anderes geliefert, weshalb er sich denn auch schliesslich bemüssigt fand, dieselbe mit „Wahrheit und *Dichtung*" zu betiteln.

Ich für meinen Theil will es nun wenigstens *versuchen,* in den von mir erlebten und nun zu erzählenden Geschichten meine Person so auftreten zu lassen, wie sie im Spiegel meiner Selbsterkenntniss vor mir steht — ohne Abstrich und ohne Aufputz. In wie weit mir das gelingt — darüber mögen Mit- und Nachlebende urtheilen, die, sei es auf Grund persönlicher Erfahrungen, sei es durch Musterung des einschlägigen literarischen oder anderweitigen Materials, dazu berufen und im Stande sind.

Betreffs der Charakterzeichnung *anderer* Personen von Interesse, mit denen ein Memoiren-Schreiber im Laufe eines langen öffentlichen Lebens zusammentraf, ist die Aufgabe nicht minder schwierig. So gross da auch die Versuchung sein mag, Diesem oder Jenem gegenüber seinem Privat- oder Parteihass die Zügel schiessen zu lassen, oder so stark das Verlangen ist, Einem im Allgemeinen *sympathisch* erschienene oder erscheinende Personen hinsichtlich durch dieselben gemachten *Fehlern* ein Auge zuzudrücken und *Beschönigung* zu treiben — es *darf* einer solchen Verlockung nicht Folge geleistet werden. Andernfalls hat das diesbezüglich Geschriebene gar keinen praktischen Werth. Auch in dieser Hinsicht will ich mich daher befleissigen, mich strikt an die *Wahrheit* zu halten — so weit das eben menschenmöglich ist.

Mehr oder weniger *leicht* lässt sich mit guter Absicht und festem Willen diese Regel einhalten so weit es sich um Personen handelt, die todt sind oder sich aus dem öffentlichen Leben gänzlich zurückgezogen haben. Anders steht die Sache hinsichtlich Solchen, die noch immer auf dem Welttheater agiren oder gar in jener Sphäre hausen, in der man sich selber bewegt. Das öffentliche Leben bringt es einmal so mit sich, dass oft die intimste *Freundschaft,* die man heute zu Jeman-

6

dem hegt, morgen in bitterste *Feindschaft* — oft Bagatellsachen halber — umschlägt, oder auch das Umgekehrte mag
eintreten. Ja, es mögen diese Extreme wiederholt einander ab-
lösen. Welch' eine Schwierigkeit, unter solchen Umständen
ein *definitives und gerechtes* Urtheil zu fällen! Immerhin soll es
meinerseits auch nach *dieser* Richtung hin wenigstens am
wohlwollenden *Versuch* nicht fehlen.

Am leichtesten ist die Sache betreffs der *Schilderung von
Zuständen und Ereignissen*, die ein Erinnerungs-Aufzeichner
kennen gelernt und erlebt hat, namentlich wenn man sich
eines guten Gedächtnisses erfreut, wie ich mir schmeicheln
darf, von der Natur mit einem solchen begnadet worden zu
sein.

In dem ersten Bändchen meiner Memoiren, das ich zunächst herausgebe, kommen die meisten der obgedachten Be-
denken freilich nicht in Betracht; allein ich wollte mit meiner
auf vielseitiges Verlangen zu leistenden Erzählerei gar nicht
beginnen, ohne zuvor den von mir dabei einzunehmenden
Standpunkt klar gelegt zu haben.

Jugendgeschichten, namentlich solche aus dem *Proletarier*-
Leben, sind oft sehr uninteressant und gleichen sich, wie ein
Windei dem anderen. Meist bilden sie nur eine Reihe von
gleichartigen Gliedern an einer mehr oder weniger langen
Elendskette.

Meine Jugendgeschichte stellte nun allerdings auch eine
solche Kette vor, nur waren die einzelnen Glieder derselben
nichts weniger als egal, sondern äusserst *mannigfaltiger* Natur, so dass die Leser, wenn sie dieselben zur Besichtigung
vorgelegt bekommen, sich schwerlich dabei langweilen werden.

Häufig bewundert man meine „*eiserne Constitution*" oder,
wie sich Manche ausdrücken, meine „*Katzennatur*", welche
mir in meinem späteren Leben über alle erdenklichen Fähr-
lichkeiten, Schicksalsschläge und Strapazen hinweg geholfen
hat, ohne dass ich auch nur den ausgezeichneten Humor verloren hätte, der mir, wie es scheint, *angeboren* wurde.

Wenn man meine Jugendgeschichten gelesen hat, wird man
wissen, worin die Ursache davon bestand. Auf Vielen mag
des Schicksals Tücke schon in der Kindheit ähnlich herum

hämmern, wie sie es mir gegenüber getrieben hat. Von hundert gehen dabei aber neunundneunzig zum Teufel. Wer aber einmal aus solcher Schmiede, wenn auch nicht unversehrt, wohl aber lebendig hervor gegangen ist, der darf sich auch für hinlänglich *gestählt* halten, um selbst die schwersten Schläge, die das weitere Leben bringen mag, mit *Gleichmuth* zu ertragen.

Mit Gruss und Hand!

New York, 1903.

JOHN MOST.

I.

Meine Mutter war eine Gouvernante, sehr gebildet und freisinniger Denkungsart. Mein Vater, Sohn armer Leute, versuchte es, nachdem er der Volksschule entwachsen, zu „*studiren*", wobei er sich auf Stipendien verlassen und im Uebrigen durch sogenanntes Stundengeben einen kärglichen Lebensunterhalt verschaffen musste. Es dauerte aber nicht lange ehe er „auf dem Pfropfen" sass. Da er gut singen, Guitarre- und Zitherspielen konnte, vegetirte er sodann eine Zeitlang als „fahrender Sänger", später ging er zum Theater, hatte aber auch damit kein Glück. Schliesslich kehrte er wieder in die Heimath (Augsburg) zurück und bekam bei erbärmlichem Salair eine Advokaten-Schreiberstelle. Bald darauf lernte er meine Mutter kennen und beide gewannen einander binnen Kurzem so lieb, dass die Folgen davon nicht lange auf sich warten liessen, was meiner Mutter ihre Stelle kostete. Was nun? Heirathen konnten sie nicht, weil der Gemeinderath, der damals über solche Angelegenheiten zu entscheiden hatte, seine Zustimmung dazu verweigerte, da, wie sich die offiziellen Volks-Vormünder ausdrückten, so ein armseliges Schreiberlein ja doch keine Familie zu ernähren vermöge. Im „Concubinat" vermochten sie auch nicht zu leben, weil das erst recht strengstens verboten war. Mein Grossvater jedoch, der seinen einzigen Sohn sehr lieb hatte, wusste Rath zu schaffen. Er erbte kurz zuvor ein kleines Häuschen, wodurch seine sonst auch recht windigen Verhältnisse — er war Maurer-Pollier, d. h. Werkmeister — sich

9

etwas besserten. Der engagirte nun pro Forma meine Mutter als „Dienstmädchen", während sich mein Vater bei ihm gewissermassen als „Zimmerherr" einquartirte. Am 5. Februar 1846 kam ich zur Welt — wie man sieht, *polizeiwidriger Weise.* Zwei Jahre später, also anno 1848, als auch Baiern ein kleines Revolutiönchen erlebte (eigentlich war es nur ein *Bierkrawall* in Verbindung mit einer „moralischen" Protestbewegung gegen die Königsmaitresse Lola Montez), dämmerte es im Rathhaus von Augsburg so ein klein wenig und meine Eltern bekamen eine Heirathslizenz. Davon machten sie umso schleuniger Gebrauch, als der Zungenschlag böser Nachbarinnen nachgerade zu täglichen Scandalen Anlass gab. Immerhin feierte diese Sippschaft gerade am Hochzeitstage noch einen grossen Triumph, und Anlass dazu gab ich. Als Zweijähriger war ich nämlich schon gut auf den Beinen. Ich wollte partout in der Hochzeits-Kutsche zur Trauung mitfahren, was natürlich nicht anging. Während nun meine Grosseltern vom Fenster aus dem Gefährt nachsahen, war ich davon geschlichen und suchte hinter dem Wagen herzulaufen. Das war so recht ein „gefundenes Fressen" für die auf der Lauer liegende Umwohnerschaft, welche in ein schallendes Hohngelächter ausbrach, das nicht eher nachliess, als bis meine Grossmutter mir nachgeeilt war und mich in's Haus zurück gebracht hatte.

Dass ich nicht besonders verhätschelt werden konnte, verstand sich bei dem geringen Einkommen meines Vaters ganz von selbst — Schmalhans war da beständig Küchenmeister. Umso zärtlicher waren hingegen meine Eltern um meine *Erziehung* besorgt. So sehr und so erfolgreich bemühte sich ganz besonders meine Mutter nach dieser Richtung hin, dass ich bereits im Alter von fünf Jahren zu lesen und etwas Buchstaben zu kritzeln vermochte, weshalb ich auch schon in diesem Alter in die Volksschule aufgenommen wurde, in der ich jedoch wenig lernte, was mir nicht zuvor schon meine Mutter beigebracht gehabt hätte.

Neu war für mich nur der *Religionsunterricht*, doch „zog" derselbe nicht, denn was ich davon in der Schule durch einen zelotischen Kaplan zu hören bekam und zu Hause erzählte, das machten sowohl meine Mutter, als auch mein Vater,

10

welche total „*gottlos*" waren, dermassen lächerlich, dass der ganze Schwindel nur noch einen komischen Eindruck auf mich machte und niemals meinen Schädel inficiren konnte. Einschalten muss ich hier, dass zwar mein Vater in seinen alten Tagen einen kirchlichen Posten bekleidete — er wurde Verwalter des katholischen Friedhofs —, dass er innerlich aber ein Ungläubiger blieb bis an sein Lebensende. Seine Anstellung verdankte er auch keinesweges etwaigen Heucheleien religiöser Art, sondern dem Umstande, dass er ein guter Redner war und als solcher in den 60er Jahren einen anti-preussischen Ton à la „*Vaterland*"-*Sigl*, nämlich baierisch-*derb*, anschlug und in partikularistischen Vereinen wegen seines Agitations-Talentes einen beträchtlichen Einfluss — „Pull" würde man in Amerika sagen — hatte.

Obgleich mir unter solchen Umständen der Katechismus lächerlich vorkam, musste ich denselben später doch auswendig lernen, was ich allerdings nur papageiartig that, weil ich sonst „gottsjämmerlich" von obgedachtem Kaplan verhauen worden wäre, denn der hielt, so lange er im Schulraum verweilte, den Ochsenziemer so fest in Händen, als ob derselbe damit verwachsen wäre.

Ueberhaupt stand damals die *Prügel*-Pädagogie in vollster Blüthe. Es gab 6 Jahresklassen und 3 Schulmeister, so dass jeder derselben gleichzeitig je zwei Klassen, jede mindestens 150 Knaben bergend, zu „unterrichten" hatte. Einen solchen Haufen Kinder in Zucht und Ordnung zu halten, war natürlich keine Kleinigkeit — das ging noch über das Schafweiden und Gänsehüten. Deshalb mussten eben alle erdenklichen Züchtigungs-Instrumente einerseits und die Hände, Rücken, Podexe etc. der Kinder andererseits herhalten. Ein ganz besonderer *Hau*degen war Derjenige, welcher die Mittelklassen dirigirte und unter dessen Fuchtel auch ich im dritten Jahre meiner Schulzeit stand. Hinter seinem Katheder war eine förmliche *Sammlung* von Schlagwerkzeugen exhibirt: Ruthen, Riemen, Rohr- und Hasselnussstöcke, Ochsenziemer, zusammengeflochtene Bassgeigensaiten etc. Und so oft er Executionen vornahm, stand er erst eine Weile vor seinem Folterkasten, um zu erwägen, was wohl dem betreffenden „Sünder" gegenüber am „schlagendsten" wirken könnte.

11

Eine spezielle Marotte, die er hatte, war die folgende: Als Hausarbeit gab er unter Anderem tagtäglich vier Rechenexempel auf. So bald die Schule begonnen, wurden die mit Namen versehenen Aufgabenhefte eingesammelt. Hernach hatte ein Schulgehülfe die Aufgaben an der grossen Tafel laut zu lösen und anzukreiden. Dann wurden die Hefte beschnüffelt. Wer alle vier Rechnungen correct gemacht hatte, bekam sein Heft mit guter Note zurück. Die Uebrigen wurden, je nach der Anzahl der mathematischen Fehlgeburten, sortirt und in die vier Winkel der Schule gestellt. Wer nur eine Rechnung unrichtig löste, bekam vier Hiebe auf die Handflächen, für zwei Irrthümer setzte es acht, für drei zwölf und für vier sechszehn Hiebe. Dabei grinste der Prügelmeister ganz vergnügt in sich hinein und rief ein über's andere Mal: „Die Bosheit steckt tief in dem Herzen des Knaben, aber die *Zuchtruthe* treibt sie wieder heraus" — spricht der *weise Salomon.* — Mich selber traf freilich kein einziger Schlag, denn meine Mutter hatte mir nicht nur bei Zeiten das Einmaleins gehörig beigebracht, sondern revidirte auch täglich meine Schularbeiten, so dass mir nicht so leicht etwas Menschliches oder vielmehr Unmenschliches passiren konnte. Immerhin war es äusserst deprimirend, diese scheusslichen Prügeleien mit ansehen und das Jammergeheul der Opfer derselben vernehmen zu müssen. Diejenigen, welche die *meisten* „Tatzen", wie man die obgedachte Hiebsorte nannte, bekamen und am öftesten geprügelt wurden, schrien übrigens am wenigsten. Auf ihren Handflächen hatten sich förmliche Hornhäute gebildet!! — — Wie nicht anders zu erwarten war, endete dieser Schulmeister später im Irrenhause. —

Unter solchen Verhältnissen wurde ich nahezu acht Jahre alt, als ein Ereigniss eintrat, das nicht nur buchstäblich sehr schmerzlich für mich war, sondern auch für mein ganzes späteres Leben ausschlaggebend wirkte. Doch davon soll in dem folgenden Kapitel die Rede sein. Hier sei nur noch das Urtheil reproduzirt, welches damals die Meisten über mich fällten, mit denen ich in Berührung kam. Es lautete: „Dieser Hans ist ein recht netter und gescheidter Junge, aber doch ein bitterbösser Bub'!" — Hinter meiner Lebendigkeit witterte man Bosheit, hinter meinem Hang zu Spässen Ungezogenhe . Meine Eltern aber hatten ihre Freude an mir, so wie ich w

12

Das konnte mir genügen. Uebrigens brachte ich aus der Schule auch alljährlich einen *Preis* nach Hause.

II.

Ein Witzbold sagte einmal, meine Schüler seien weiter nichts, als die schiefgewickelten Jünger eines schiefmäuligen Propheten. Das war ein billiger Spott. Aber was war die *Ursache* meiner Schiefmäuligkeit? *Lombroso* nimmt an, dass ich damit zur Welt gekommen sei und knüpft an diese willkürliche Annahme die Folgerung, dass mein „anarchistisch-verbrecherischer Charakter" mir schon *angeboren* worden sei, wie man aus meiner Physiognomie ersehen könne. Andere faselten von einem erhaltenen buchstäblichen „*Eselsfusstritt*" und noch Andere führen mein entstelltes Gesicht auf die Folge eines *Experimentes mit Explosivstoffen* zurück. Die Wahrheit ist — hoffentlich fällt darob keine Temperenz-Schwester irgend welchen Geschlechtes in Ohnmacht! —, dass ich die Bescheerung dem lieben *Suff* zu verdanken habe.

In der Sylvesternacht von 1853 auf '54 hatte sich im elterlichen Hause eine kreuzfidele Gesellschaft eingefunden. Unter Anderem wurde auch *Punsch* getrunken. Ich bekam ebenfalls ein Gläschen voll davon ab. Das schmeckte entschieden nach *mehr*. Und weil ich so nichts mehr haben sollte, griff ich zur Selbsthülfe. Ich versteckte mich unter dem Tisch und stibitzte ein Gläschen nebst Inhalt nach dem andern von der Tafel bis ich einduselte. Als man mich entdeckte, brachte man mich in die Schlafstube, wo ich mir — es herrschte in jener Nacht ein bitterer Frost — eine böse sogenannte *Erkältung* zuzog. Morgens war meine linke Wange ganz furchtbar angeschwollen. Das war der Beginn einer fünfjährigen Krankheit, während deren Verlauf ungefähr zwanzig Heilkünstler aller Sorten, vom Obermedicinalrath bis zum ordinärsten Quacksalber, mich als Versuchs-Kaninchen zu allerhand verunglückten Experimenten verwendeten. Kalte und heisse Umschläge, Leberthran, Kräuterthee, süsse und bittere Medicinen, Pillen, Pulver, Salben etc. etc. wurden verordnet; diverse Zähne wurden gezogen; jeden Augenblick wurde eine

13

andere, aber niemals eine zutreffende Diagnose gestellt; schliesslich rieth man auf „*Krebs*" und erklärte das Uebel für unheilbar.

An drei verschiedenen Stellen bildeten sich von innen heraus garstige Geschwürwunden, welche Jahr ein, Jahr aus ganz entsetzlich eiterten. Obgleich ich beträchtliche Schmerzen auszustehen hatte, war ich nie viel bettlägerig, musste aber häufig, namentlich bei rauher Witterung, das Haus hüten. In Folge dessen wurde ich vom regelmässigen Schulbesuch abgehalten, was mir jedoch schwerlich etwas schadete, indem mir mein Vater die Elementarien ohne Zweifel besser beibrachte, als die schon gekennzeichneten Schulmeister zu thun vermocht hätten.

Während meiner Krankheit brachen aber noch *anderweite* Unglücksfälle über mein elterliches Haus herein. Im Jahre 1856 wüthete eine Cholera-Epidemie, welcher meine gute Mutter erliegen musste. Auch beide Grosseltern und eine meiner Schwestern wurden von derselben dahingerafft. Mich hingegen, der ich doch in jener Schreckenszeit so gut wie gar keine Pflege genoss und den nothwendigsten Bandagenwechsel selber besorgen musste, verschonte merkwürdiger Weise die Seuche. Wer denkt da nicht an das sprichwörtliche „Unkraut", welches nicht „verdirbt"?! —

Etwa nach Verlauf eines Jahres hat mein Vater sein Glück in der Ehe ein zweites Mal versucht und dabei eine ganz scheussliche *Niete* gezogen. Diese, ein ganz stockkatholisches Rabenaas und sonstiges dummes Luder, biss mir und meiner Schwester gegenüber die *Stiefmutter* heraus, dass ich fortan nicht nur körperlich, sondern auch psychisch ganz fürchterlich zu leiden hatte.

Endlich nahte sich hinsichtlich meiner Krankheit ein Erlöser und zwar in der Person eines geschickten und kühnen Operateurs Namens Dr. *Agatz*. Derselbe erkannte auf den ersten Blick, dass ich den *Knochenfrass* an der linken Hälfte des Unterkiefers hatte; auch erklärte er, dass dieses Uebel lediglich von jenen Doktoren verschuldet worden sei, welche mich sammt und sonders total eselhaft behandelt hatten. Gleichzeitig eröffnete er meinem Vater, dass nur eine Operation auf Leben und Tod *allenfalls* Rettung bringen könne,

14

während, wenn ein solcher Versuch nicht gemacht würde, ich höchstens noch drei Monate lang am Leben bleiben könne. Die Operation wurde am 18. März 1859 — ich war inzwischen 13 Jahre alt geworden — unternommen. Dieselbe nahm eine fünfviertelstündige Dauer in Anspruch und erheischte ein fünfmaliges Chloroformiren. Von der linken Schläfe bis in den Mundwinkel wurde eine Blosslegung des Kiefers bewerkstelligt, ein drei Zoll langes (total zerfressenes) Stück davon heraus genommen, dann der Kieferrest von rechts nach links dermassen verschoben, dass später eine Verknorpelung stattfinden konnte; endlich nähte der Operateur die zerschnittenen Fleischtheile wieder zusammen. Vier Wochen später lief ich, allerdings mit einem von rechts nach links zerschobenem Gesichte und „schiefmäulig", im Uebrigen aber ganz gesund, umher. Seitdem hat noch nie ein Doktor oder Apotheker von mir irgend einen Hülferuf vernommen.

III.

Ein „*Mädchen für Alles*" — wer diese Rolle kennt, der spielt sie heutzutage gewiss nicht gerne mehr; besonders wollen die städtischen Evatöchter nicht so leicht etwas davon wissen; sie haben ganze Büschel ausgeraufter Haare darin gefunden. In Amerika wird diese so hervortretende „Dienstbotennoth" nur noch dadurch gemildert, dass ländlich-sittliche Grünhörner ab und zu in die Netze schwimmen, während speziell in Californien die Chinesen einen mehr als ausreichenden Ersatz bieten.

Ich aber bin weder Chinese, noch weiblichen Geschlechts, noch war ich auch nur ausgewachsen oder sonst bei besonderen Kräften, als mich meine Stiefmutter nach dem Muster eines Thierbändigers durch Hunger und Hiebe zu einem „Mädchen für Alles" dressirte.

Schon während meiner Krankheit, mehr jedoch als ich gesund geworden war, in der Schulperiode, wie zur Zeit der Ferien, nahm dieses schauderhafte Weib jede wachende Minute, die mir zur Verfügung stand, in Anspruch. Ich musste alle

15

Schuhe und Stiefel wichsen oder schmieren, welche die Familie benützte. Ich hatte Holz zu hacken, Wasser zu tragen, Kleider zu reinigen, Feuer zu machen, Lampen zu putzen, Einkäufe zu machen, zu scheuern, zu waschen, abzustauben, Kinder zu wiegen oder herum zu schleppen u. s. w. u. s. w. Aufgestanden wurde schon um 5 Uhr Morgens; aufgeweckt wurde man durch die „Fabrikler", wie man verächtlich die Spinner und Weber nannte, die in aller Frühe buchstäblich zur Arbeit *galoppirten.* Deren Tagewerk begann nämlich Morgens um 5 Uhr und währte bis 7 Uhr Abends. Pferdebahnen oder dergleichen gab es damals noch nicht, und wenn es welche gegeben hätte, so wären sie von diesen Leuten sicherlich doch nicht benützt worden, denn ihr Wochenlohn belief sich höchstens auf 6 Gulden. Die meisten Fabriken befanden sich ausserhalb der Stadt, und da dieselbe zu jener Zeit noch von mittelalterlichen Festungsmauern umgeben war, so mussten Viele grosse Umwege machen, um zu den Thoren zu gelangen, daher der allgemeine Dauerlauf.

Wenn andere Kinder in den Schulpausen oder zur Ferienzeit spielten und sich ihres Lebens erfreuten, musste ich Dienstmädchen spielen. Nur am Sonntag, wo mich meine Zuchthexe zum Hochamt und zur Predigt in die Kirche schickte, konnte ich mich eine Zeitlang im Freien ergehen, weil ich zwar, um gesehen zu werden, jedesmal vorn durchs Hauptthor in die Kirche eintrat, aber durch eine Seitenpforte mich alsbald wieder davon schlich. Dieser Haussclaverei ist es denn auch zuzuschreiben, dass ich keine Gelegenheit hatte, mich im Schwimmen, Schlittschuhlaufen oder ähnlichen Jugendsports zu ergehen.

Dabei bekam ich niemals genug zu essen, so dass ich gezwungen war, bei Bäckern Brod zu betteln oder auch zu stehlen. War ich renitent, so setzte es Hiebe. Nur durch passiven Widerstand erzwang ich mir von Zeit zu Zeit etwas mildere Behandlung, nämlich, wenn ich davon lief, sozusagen Strike machte und ganz und gar von Bettelei, sowie Feld- und anderem Kleindiebstahl lebte, während ich mich zur Nachtzeit irgendwo, meist auf irgend einer Bodenkammer, wie ein Hund verkroch. Solch ein erbärmliches Leben hatte ich bis in mein fünfzehntes Jahr hinein zu führen, d. h. bis ich in ein

„Lehre" kam, während welcher, wie der Leser noch hören wird, ich wahrlich auch nichts zu lachen hatte. Mein Vater suchte freilich oft mich zu beschützen, aber er war ja den ganzen Tag nicht zu Hause. Von 8 bis 12 Uhr Vormittags und von 2 bis 6 Uhr Nachmittags arbeitete er als Bureauschreiber der Kreisregierung von Schwaben und Neuburg und von 1 bis 2 Uhr, sowie von 6 bis 8 Uhr Abends gab er Unterrichtsstunden, sonst hätte sein Einkommen nicht gereicht, eine Familie zu ernähren. Immerhin setzte es manchmal ganz gewaltigen Krach. Einmal war mein Vater nahe daran, das weibliche Ungeheuer zu erwürgen, ein anderes Mal stand er im Begriffe, ihm den Schädel einzuschlagen. So wurde meine früheste Jugendzeit mir gründlich verbittert. Und da ich so wenig der Liebe genoss, so entfaltete sich in meinem Herzen ein unbändiger *Hass* — damals gegen den weiblichen Haustyrannen. Und dieses Uebergewicht in der negativen Gefühls-Entwickelung scheint schon da so stark gewesen zu sein, dass es für das ganze spätere Leben massgebend blieb. Denn wo und wenn immer private oder öffentliche Tyrannen vor mir in Erscheinung traten — ich *musste* sie von ganzer Seele hassen.

IV.

Obwohl mein Besuch der Volksschule, wie gesagt, ein äusserst minimaler war, vermochte ich doch mit 12 Jahren das Aufnahms-Examen für die Real-, resp. Gewerbeschule zu bestehen. Die Herrlichkeit dauerte aber nicht lange, bald kam es zu allerlei Krach zwischen diversen Professoren und mir; denn wozu ich keine Neigung hatte, das liess ich mir auch nicht *einpauken* oder *eindrillen*. Mit Lust warf ich mich über Naturwissenschaft, Geschichte und Mathematik hei. Dagegen war mir alles Zeichnen, Malen und dergleichen, sowie das Studium fremder Sprachen ein Gräuel. Das führte zu Strafarbeiten, Karcer und Aerger aller Art, wofür ich mich durch Spottverse und allen eidenklichen Schabernak, den ich den betreffenden Lehrern anthat, zu rächen suchte. Das Ende vom Liede war *Relegation* wegen Inscenirung einer Niess-

17

Demonstration durch Vertheilung von Schneeberger Schnupftabak und Anzettelung eines Schülerstrikes wider den französischen Professor *Bourier*, der über die ganze Klasse eine
schwere Strafarbeit verhängt hatte.

Zu Hause brach das Ungewitter indessen erst 14 Tage
später über mich herein, denn ich entfernte mich täglich zwei
Mal von der Wohnung mit einem Bündel Bücher unter dem
Arme und gab mir den Anschein, als ob gar nichts besonderes vorgefallen wäre. Theils hatte ich Angst vor stief-
mütterlichen Hieben, theils dachte ich überhaupt nicht daran,
was nun aus mir werden sollte.

Eines schönen Sonntags Morgens, als ich noch im Bette
lag, kam aber der Unglücksrabe in Gestalt eines Klassenge-
nossen daher geflogen. Es war das der Sohn eines Bäcker-
meisters, der allmonatlich die Brodgelder zu collecten pflegte.
Zwischen diesem und der Stiefmutter entspann sich folgender
Dialog, den ich, obgleich er in der Küche geführt wurde,
leicht belauschen konnte.

„Aber was ist denn los mit dem Hans", sagte der Junge,
„sein Vater braucht ja nur zum Rector zu gehen, dann wird
Alles wieder gut".

„Was soll los sein?" antwortete sie ganz verwundert und
machte eine Beklommenheitspause, begleitet von einem mir
nur zu sehr bekannten pfauchenden Pusten.

„Na, er wurde doch zum Teufel gejagt".

„Wa—as? Unsinn! Er geht ja täglich zur Schule".

Er schlug eine helle Lache auf, während es *mir* nichts
weniger als lachhaft zu Muthe war. Dann sagte er: „Aber,
Frau M., das gibt's doch gar nicht. Der Hinausschmiss passirte ja schon vor zwei Wochen".

Nun hörte ich, wie das mir verhasste Satansweib bald die
Hände zusammenschlug, bald mit der Faust auf den Tisch
loshämmerte und dazwischen hinein das Blaue vom Himmel
herunter fluchte.

Ich fand es rathsam, aufzustehen und mich anzukleiden,
und zwar zog ich zur Vorsorge gegenüber allen üblen Even-
tualitäten drei Paar Unterhosen übereinander an. Doch erwies sich diese Massregel für überflüssig. Es flogen diverse

18

Thüren auf und zu. Ich hörte ein grosses Geschrei, das von einer Controverse zwischen meinem Vater und seinem Hausdrachen herrührte, von welcher ich aber nur die letzten Worte, die bei geöffneter Thüre gesprochen wurden, verstehen konnte. „Ich vergreife mich an dem Kerl nicht mehr", brüllte das rasende Weib, „mache jetzt du mit ihm was du willst; aber 'raus muss er aus dem Haus, der Lump, der Hund, der Taugenichts, aus dem im ganzen Leben nichts werden kann...."

Raus! — das stimmte eigentlich auch mit meinem eigenen Verlangen überein, obgleich ich keine Ahnung betreffs des Wohin u. s. w. hatte. Ich kniff mir den nöthigen Muth in die Hinterbacken und betrat das Schlafzimmer meines Vaters, in welchem sich obgedachtes Donnerwetter ausgetobt hatte.

Mein Vater sah leichenblass aus und zitterte am ganzen Leibe. Stumm und ernst musterte er mich einige Minuten lang, die mir jedoch wie kleine Ewigkeiten vorkamen. Ohne weitere Einleitung sagte er dann : „Ich habe dein Bestes gewollt — meine Geduld mit deinen losen Streichen ist erschöpft — ich werde dich deinem Schicksal überlassen". Pause! Ich spielte den verstockten Sünder. Dann kam der kathegorische Imperativ: „Du hast zu wählen, welches Geschäft du erlernen willst — drei Tage gebe ich dir Bedenkzeit. Dann kommst du in die Lehre, wo man dir deine Mucken sicher austreibt...."

Ohne weiteres Besinnen — wieso ich auf diese Idee kam, ist mir weder damals, noch später klar geworden — bemerkte ich: „Wie wäre es, wenn ich die *Buchbinderei* erlernte?"

„Buchbinder. So, so. Hast du bestimmte Gründe dafür?"

„Nicht besonders starke; aber ich denke, dass das Buchbinden nicht allzuschwer sein kann, wenigstens kam mir das beim Zuschauen so vor.... Uebrigens gehe ich später ja doch *zum Theater*!...."

So tragisch die ganze Scene war und so peinlich sie wohl hauptsächlich meinen Vater berühren mochte — er musste lachen, wurde aber bald wieder ernst und sprach das grosse Wort gelassen aus : „*Junge Schauspieler, alte Bettler*!"

19

Thatsächlich hatte ich schon damals den Bühnenvogel, der auch später nie gänzlich ausflog. Der gab mir die Courage, die Bemerkung hinzuwerfen: „Ja, *gewöhnliche* Schauspieler — die mögen wohl an den Bettelstab gerathen; ich aber werde es zur *Berühmtheit* bringen. Es steckt so 'was in mir, das *muss* zum Vorschein kommen...."

Mein Vater grinste und deutete nach einem Spiegel. „Da guck hinein", sagte er. „Solch' ein armseliges Gestell und ein total entstelltes Gesicht — das will zum Theater gehen — es ist zum Todtlachen."

Ich liess mich aber nicht irre machen, sondern bemerkte trocken: „Später wird sich das Alles noch verwachsen."

„Und legen," lautete die lakonische Antwort, womit die Zukunfts-Musik umsomehr ein Ende hatte, als das Giftweib auf der Bildfläche erschien und mir ein Paar gezogene Augen zeigte, welche glühende Pfeile auf mich zu schleudern schienen.

Als die Canaille von dem Buchbinder-Projekte hörte, war sie sofort mit dem Einwurf bei der Hand, dass das wohl hohes Lehrgeld kosten werde, das ich nie und nimmer werth sei. Man solle mich auf's Land schicken, dort einem Schneider oder Schuster überliefern — das koste gar nichts, u. s. w. Doch bestand mein Vater auf meinem Berufs-Wahlrecht.

V.

In der Gestalt des Buchbindermeisters *Weber* wurde bald einer jener „Krauterer" entdeckt, welche zur fraglichen Zeit, weil sie keinen Gesellenlohn zahlen konnten, hauptsächlich durch Lehrbubenschindung „ihr Leben machten", wie man hierzulande sich auszudrücken pflegt. Diese Lehrzeit beschrieb ich bereits in der Schrift „Acht Jahre hinter Schloss und Riegel". Da dieselbe anno 1886 im Gefängniss geschrieben wurde und aus demselben heraus geschmuggelt werden musste, erschien sie anonym, weshalb ich von mir selber in dritter Person sprach. Ich nehme dem einschlägigen Kapitel, knapp und präcise, wie es gehalten ist, das Folgende:

20

„Diese Lehrzeit gestaltete sich aber bald zu einer völligen Sclaverei. Obgleich der biedere Lehrmeister sich hundert Gulden Lehrgeld zahlen liess und verlangte, dass der Lehr- ling sein Bett mitbringe und für seine Wäsche aufkomme, beutete er sein Opfer bis zum letzten Blutstropfen aus. Im Sommer musste einfach von 5 Uhr Morgens bis zum Sonnen- untergang gearbeitet werden und im Winter dehnte sich die Schinderei oft gar bis 10 und 12 Uhr Nachts aus. Ausser den gewerblichen Arbeiten hatte der schwächliche Bursche noch Hausknechts- und Kindsmagds-Dienste zu leisten.

Dass er unter solchen Umständen seinen Beruf nicht lieben lernte, leuchtet wohl ein. Aber er betrachtete auch seine Lehrzeit nur als eine Warteperiode. Und worauf war- tete er wohl? Er sehnte sich den Augenblick herbei, wo er ausgewachsen sei und sich die Entstellung seines Gesichtes, wie er sich einredete, verzogen haben werde. Dann wollte er (wie bereits im vorigen Abschnitt angedeutet wurde) die Bretter beschreiten, welche die Welt bedeuten.

Das war eine Idee, für welche er Tag und Nacht schwärmte und von der ihn Niemand abzubringen vermochte, bis es endlich klar zu Tage lag, dass er körperlich theaterun- fähig sei.

Als Lehrling vermochte er Letzteres noch nicht voraus- zusehen; und er bereitete sich mit einer unverwüstlichen Hartnäckigkeit und allen Hindernissen zum Trotze auf seinen vermeintlichen späteren Beruf vor.

Wenn er fortgeschickt wurde, um fertige Waaren abzu- liefern, Rohmaterialien einzukaufen oder auch für die Mei- sterin Marktgänge zu thun, so pflegte er auf der Strasse — auswendig oder nach dem Buche — Gedichte oder ganze dra- matische Scenen zu deklamiren, was mitunter die Strassen- jugend zu förmlichen Zusammenrottungen veranlasste. Man- cher erwachsene Sachkenner aber, der den Knaben recitiren hörte, pflegte da zu sagen : „Schade um den Jungen, dass er nicht für's Theater ausgebildet werden kann."

Geld hatte der arme Bursche natürlich keines; wenn er also einer Theatervorstellung beiwohnen wollte, welches Ver- langen insbesondere an Sonntagen zu einem unwidersteh- lichen sich gestaltete, so musste er zusehen, dass das umsonst geschehen konnte.

21

Er schlich sich auf die Bühne oder ins Orchester und wusste für längere Zeit die daselbst dienstthuenden Geister durch allerlei falsche Vorspiegelungen in guter Laune ihm gegenüber zu erhalten.

Kaum hatte indessen der prosaische Buchbindermeister den Kunstenthusiamus seines Eleven entdeckt und ausgefunden, auf welche Weise der letztere die Musen belauschte, so gab er auch schon dem Theaterdiener und Orchesterfactotum diesbezügliche Winke mit dem Zaunpfahle. Johann wurde zum Tempel hinausgeworfen, so bald man ihn erblickte.

Das konnte ihn jedoch nicht entmuthigen, sondern spornte ihn nur dazu an, seinen Zweck, den feindlichen Gewalten zum Trotz, zu erreichen. Er wählte nun den sogenannten Schnürboden, einen Raum, welcher sich oberhalb der Bühne befindet, als seine Privatgallerie aus. Um sicherer dorthin gelangen zu können, pflegte er sich schon eine Stunde vor Beginn der Vorstellung, wo die Bühne noch ganz dunkel war, einzuschleichen und zu seinem Elysium emporzuklettern.

Sein spätes Nachhausekommen trug ihm fast an jedem Montag Morgens die schönsten Hiebe ein, aber am nächstfolgenden Sonntag waren dieselben längst verschwitzt, und die Schleichwege der Kunst wurden abermals beschritten.

Kam vollends eine berühmte Grösse, die vielleicht nur in 3—4 Vorstellungen, und zwar an Wochentagen, auftrat, nach Augsburg, so war für unseren jungen Theaterschmächtling schon gleich ganz und gar guter Rath theuer. Weder Geld, noch Zeit, noch Erlaubniss zum Theaterbesuch —, da gab es nur noch Eines, den Reissaus.

So oft ein Theater-Phänomen Gastrollen in Augsburg gab, brannte Johann seinem Lehrmeister durch und kam erst wieder, wenn die Kunstleistungen genossen waren. Da wurde am Tage Brod gebettelt und Nachts gleich auf dem Schnürboden, wo es warm war, geschlafen. Die obligaten Hiebe für die eine Desertion hinderten niemals eine anderweite, so bald sich nur das kritische Verlockungsobject zeigte.

So enthusiastisch Most in seiner Jugendzeit für's Theater schwärmte, so entschieden verabscheute er schon zu jener Zeit die Kirche und allen Religionskram. Wenn sein Lehrmeister ein Buch zu binden hatte, dessen Titel errathen liess,

22

dass es die Pfaffen angreife, so nahm Johann gewiss dasselbe in seine Dachkammer und las darin bis spät in die Nacht hinein.

Zu damaliger Zeit existirte aber in Baiern ein Gesetz, wonach alle jungen Leute bis zum vollendeten achtzehnten Lebensjahre an Sonntagen Nachmittags die sogenannte „Christenlehre" zu besuchen hatten, widrigenfalls ihnen der Polizei-Arrest offen stand. Diesem letzteren sollte unser Johannes bald entgegengehen.

Es war ihm zu albern geworden, alle sechs Wochen vorschriftsmässig zu beichten, und er blieb daher von der Sündenlosscheuerung fort; auch verleitete er mehrere andere Burschen seines Alters, ein Gleiches zu thun. Darob gab es am nächsten Sonntag eine wahre Kirchen-Sensation. Als der Pfaffe über die Beichten der Betreffenden keine Quittungen eingereicht bekam, zerrte er die verstockten Sünder bei den Ohren aus den Bänken und hiess sie bis nach der „Christenlehre" auf's Kirchenpflaster knien. Hernach schleppte er die Bockbeinigen nach seinem Zimmer, prügelte Einen nach dem Anderen tüchtig durch und zwang sie schliesslich, ihm augenblicklich zu beichten. Most verstand es jedoch, sich dieser geistlichen Nothzucht durch Flucht zu entziehen. Auch nahm er sich vor, künftighin gänzlich von der Christenlehre fern zu bleiben. Die Consequenzen seines diesbezüglichen Handelns bestanden in einer Vorladung zur Polizei.

Am 17. April 1862 klopfte es an der Thüre des Buchbinders. Das übliche „Herein!" war von Innen noch nicht ganz verklungen, als von Aussen auch schon im Feldschritt ein Polizist seinen Einzug bewerkstelligte.

„Ist hier nicht der Lehrling Johann Most?" fragte der Uniformirte, indem er eine Vorladung aus der Tasche zog. Und das verdutzte Gesicht des biederen Meisters hatte noch keine Antwort ahnen lassen, so schnarrte es unter dem kommissalen Schnurrbart auch schon weiter: „Der Lehrling Johann Most soll heute Nachmittag um drei Uhr zum Herrn Aktuar Schmidt kommen." Dann machte dieser Schutzengel noch klar, dass er vier Kreuzer Bestellgeld zu bekommen habe, sackte ein und zog ab.

Die Scene, welche zwischen Meister und Lehrling sich nun abspielte, kann der Leser leicht errathen, insbesondere,

23

wenn er selber einmal verdammt gewesen sein sollte, eine „Lehrzeit" zu bestehen.

Zur bestimmten Stunde wandelte das Bürschchen nach dem Polizeiamt.

Der Polizeiaktuarius, ein echter Mandarin, brannte dem armen Jungen 24 Stunden Polizeiarrest auf, welche er prompt abgesessen hat, und denen ausserdem noch diverse Schopfbeuteleien, Rohrhiebe und Grobheiten seitens des Lehrmeisters hinzugefügt wurden.

„Gebessert" haben diese Prozeduren aber den bösen Johannes keineswegs. Während seines Aufenthaltes im „Bürgerstübchen", wie der Arrest für kleine Vergehen genannt wurde, gelobte er sich vielmehr, von nun ab niemals mehr eine Kirche zu betreten; und er hat seinen Vorsatz getreulich gehalten, ohne dass das übrigens weitere schlimme Folgen für ihn gehabt hätte.

Wie gar oft zuvor schon, so kam es am 14. April 1863 zwischen Most und dem Meister zu einer jener Controversen, bei welchen das Ende vom Liede Prügel für den Schwächeren durch den Stärkeren sind.

Den Ausgangspunkt des Streites bildete ein angebrannter Leimpinsel, welcher den Tyrannen der Werkstatt dermassen in Wuth versetzte, dass er die Leimpfanne dem Jungen, welcher das Malheur verschuldet haben sollte, an den Kopf zu werfen suchte, welches Ziel er indessen glücklicher Weise verfehlte.

„Ich will Gott danken, wenn Du, Galgenstrick, erst einmal aus meinem Hause bist," rief das erzürnte Meisterlein.

„O," entgegnete der so Adressirte phlegmatisch „Sie brauchen mich ja nur freizusprechen. Meine Zeit ist ohnehin schon in sechs Wochen abgelaufen."

„Meinethalben gehst Du lieber heute wie morgen zum Teufel," brüllte der durch solche „Frechheit" noch mehr gereizte Zünftler.

Der Lehrbub aber nahm die Sache sehr wörtlich, wenn er auch in Bezug auf den Teufel glaubte, dass er bei demselben bisher gewesen sei, also ihn nicht erst aufzusuchen brauche.

24

25

Er nahm seine Mütze vom Nagel, huschte zur Thüre hinaus, schnürte in der Dachkammer sein Bündel und eilte nach Hause, um seinem Vater die überraschende Mittheilung zu machen, dass er nun „frei" sei."

VI.

Als ich meinen „Lehrbrief" in der Tasche hatte, fühlte ich mich nicht übel als *freier Mann"* und aus voller Brust rang es sich durch die Schwadronierritze: „Hinaus in die Ferne!" Weg von dem Schauplatz stiefmütterlicher Abfütterung und lehrmeisterlicher Stockhiebe — Flucht von einer „Heimath", die ich hasste! Sofort bewarb ich mich um ein „Arbeitsbuch", ohne welches damals kein „Handwerksbursche" von Ort zu Ort sich bewegen konnte, während es andererseits Vorschriften enthielt, die bei genauerer Besichtigung humorverderbend wirken mussten.

Da dieselben gleichzeitig zur Charakteristik der damaligen Polizeiverhältnisse und der Klassenlage der Arbeiter dienten, lasse ich im Nachstehenden einen Extrakt daraus folgen:

„Die betrügliche Verfertigung oder Verfälschung eines Arbeitsbuches, wie auch der wissentliche Gebrauch eines solchen gefälschten Arbeitsbuches wird mit Gefängniss von drei Monaten bis ein Jahr bestraft. Auch Handlungen dieser Art, bei welchen sich das obige Merkmal nicht findet, unterliegen polizeilicher Ahndung!! In den Fällen, wo die oben bezeichneten Handlungen in ein schwereres Vergehen oder Verbrechen übergehen, kommen die hierüber im Strafgesetzbuche enthaltenen Bestimmungen zur Anwendung. — Gesetz vom 11. September 1825, Gesetzblatt vom Jahre 1825, S. 52 u. 53.

* * *

Die Gesellen sind im Allgemeinen verpflichtet, an allen gewöhnlichen Wochentagen ohne Ausnahme der abgewürdigten Feiertage, die festgesetzten Stunden zu arbeiten, dem Meister Achtung zu beweisen und seinen Anordnungen in

25

Bezug auf die aufgetragenen Arbeiten und auf die häuslichen Einrichtungen Folge zu leisten.

Das Feiern der sogenannten blauen Montage und das Arbeiten für eigene Rechnung bleibt den Gesellen durchaus verboten. Gegen Meister, welche dieses dulden, wird mit Strafe eingeschritten.

* * *

Die Gesellen können die Arbeit ohne vorgängige Aufkündigung verlassen, wenn sie von dem Meister thätlich misshandelt wurden, derselbe den versprochenen Lohn oder die sonstigen Gegenleistungen ohne genügenden Grund vorenthält; ferner, wenn sie durch schwere Krankheit zur Fortsetzung der Arbeit unfähig werden; endlich wenn schwere Krankheit oder der Tod eines der Eltern den Austritt erfordert.

Gegen Handwerksgesellen, welche ausser den in § 28 angeführten Fällen aus dem Dienste gehen, oder nach § 27 entlassen werden, hat neben geeigneter Bestrafung auch eine fortgesetzte Polizeiaufsicht — nach Umständen die Verweisung in die Heimath einzutreten.

Gesellen, welche sich der Arbeit an den dazu bestimmten Tagen entziehen, sind augenblicklich in die Werkstätte *zurückzuschaffen* und zu bestrafen.

Gegen die Verabredung mehrerer Gesellen zum Austritte aus der Arbeit aus Trotz oder Ungehorsam gegen die Obrigkeit, oder in der Absicht, das Zugestehen einer von ihnen gemachten Forderung zu erzwingen, ist nach Massgabe der bestehenden Strafgesetze *unnachsichtlich einzuschreiten.*

* * *

1. Jeder Handwerksgeselle, welcher an unerlaubten Gesellen- und andern Verbindungen, Gesellengerichten, Verrufserklärungen und dergleichen Missbräuchen Antheil nimmt, wird nach Massgabe der bestehenden Gesetze und Verordnungen strenge bestraft und nach Abnahme des an die Heimaths-Behörde zu sendenden Arbeitsbuches mit gebundener Reiseroute in seine Heimath gewiesen.

Verordnung vom 14. Januar 1841.

26

2. Wandernde Handwerksgesellen, welche nicht über vollkommen zureichendes Reisegeld sich ausweisen können, werden zur Rückkehr in die Heimath angehalten.

3. Die Verordnung vom 28. November 1816 Bettler und Landstreicher betr., wird auch auf wandernde Handwerksgesellen angewendet, welche auf dem Bettel oder vagirend betroffen werden, und insbesondere die Heimlieferung solcher Individuen jedesmal verfügt werden.

4. Die während der Wanderschaft wegen Uebertretungen verfügten Strafen sind in das Arbeitsbuch einzutragen.

5. *Das Reisen der Handwerksgesellen in die Schweiz ist verboten.*

Verordnung vom 2. März 1845.

6. Der allgemeinen Militärkonscription ist jeder Baier unterworfen und zwar in jenem Jahre, in welchem er sein ein und zwanzigstes Lebensjahr zurückgelegt.

Mit dem ersten Januar des darauffolgenden Jahres tritt jeder Konscriptionspflichtige in die Militärpflichtigkeit und hat sich in dem gesetzlichen Termine bei seiner Konscriptionsbehörde zu melden, §§ 5, 6 und 20 des Heers-ErgänzungsGesetzes vom 15. August 1828.

7. Hinsichtlich der Visirung der Arbeitsbücher im Inlande gelten folgende Bestimmungen:

a. Jeder Handwerksgeselle ist verpflichtet beim Antritte der Wanderschaft sein Arbeitsbuch der betreffenden Distriktspolizeibehörde zur Visirung vorzulegen.

Die Distriktspolizeibehörden dürfen den ihnen selbst als ordentlich oder verlässig bekannten oder als solche von zuverlässigen Personen empfohlenen und mit genügenden Reisemitteln versehenen Handwerksgesellen beim Antritte der Wanderschaft auf Ansuchen das Visa unmittelbar bis an den Ort, an welchem sie Arbeitsgelegenheit erweislich erhalten oder doch wahrscheinlich finden werden, ertheilen.

Bei den zu Fuss Wandernden ist es dem Ermessen der Distriktspolizeibehörden anheimgestellt, die Erholung eines Zwischenvisa an einem von dem Wandernden zu berührenden Amtssitze vorzuschreiben, falls das vor-

27

28

läufige Reiseziel jedenfalls erst nach vier Tagen erreicht werden kann.

b. Denjenigen Handwerksgesellen, welche beim Antritte der Wanderschaft ein bestimmtes vorläufiges Reiseziel nicht zu bezeichnen vermögen, sondern überhaupt Arbeit suchen wollen, darf auf Ansuchen unter geeigneter Berücksichtigung der vorliegenden Aufschlüsse über den Leumund, dann der Reisemittel, des erforderlichen Reisegepäckes und des ganzen Aeussern des Wandernden das Visa für zwei bis drei Tagsrouten ertheilt werden.

c. Die Bestimmungen unter Lit. a und b finden gleichmässig Anwendung auf die an einem Orte in Arbeit gestandenen und nunmehr ihre Wanderschaft fortsetzenden Handwerksgesellen.

d. Handwerksgesellen, welche beim Antritte oder bei Fortsetzung der Wanderschaft die unter Lit. a angeführten Voraussetzungen in ihrer Person nicht vereinigen, jedoch aus irgend einem Grunde von der Wanderschaft nicht gänzlich ausgeschlossen werden können, beziehungsweise zur zwangsweisen Verweisung in ihre Heimath nicht geeigenschaftet sind, wird im Falle des Wanderns zu Fuss das Visa nur für kürzere Distanzen ertheilt, und nach Umständen zur Pflicht gemacht, bei jeder Distriktspolizeibehörde, deren Sitz sie berühren, das Visa zu erholen.

e. Der reisende Handwerksgeselle ist verpflichtet, von jeder beabsichtigten Aenderung seines Reisezieles oder seiner Reiseroute der nächst gelegenen Distriktspolizeibehörde Anzeige zu machen. Derselbe ist ferner verpflichtet, jede mehr als einen Tag betragende Unterbrechung seiner Reise vor Erreichung des durch das letzte Visa bezeichneten Reisezieles der nächst gelegenen Distriktspolizeibehörde zur Anzeige zu bringen.

f. Abgesehen von den hier bezeichneten Fällen ist der reisende Handwerksgeselle verpflichtet, bei der Distriktspolizeibehörde desjenigen Ortes, auf welchen sein letztes Visa lautet, behufs der Erlangung des Visas zur Fortsetzung seiner Reise sich zu melden.

28

29

8. Gegen eigenmächtige Abweichungen von der Reiseroute oder auffallende nicht gerechtfertigte Verzögerungen
der Reise findet strenge Einschreitung statt.

9. Nach der Verordnung vom 12. Juli 1812 wird jeder
wandernde inländische Handwerksgeselle, welcher das ihm
blos auf das Inland ausgestellte Arbeitsbuch zum Wandern
in das Ausland missbraucht oder das ihm auf *bestimmte* ausländische Staaten beschränkte Wandern unbefugt auch zum
Wandern in andere Länder ausdehnen würde, im ersteren
Falle mit sechswöchentlichem, im letzteren mit dreiwöchent-
lichem Arreste bestraft.

Wer *über* die gestattete Zeit im Auslande bleibt, hat ebenfalls eine sechswöchentliche Arreststrafe zu gewärtigen.

* * *

Inhaber erhält hiermit die polizeiliche Bewilligung zum
Wandern in den deutschen Bundesstaaten bis Ende Oktober
1867, sowie in den k. k. österreichischen Staaten auf die Dauer
von drei Jahren mit dem Auftrage von seinem jeweiligen
Aufenthaltsorte halbjährig sichere Nachricht anher gelangen
zu lassen.

Zugleich wird derselbe auf das Verbot des Eintritts in
fremde Kriegsdienste ohne allerhöchste landesherrliche Ge-
nehmigung hiermit ausdrücklich aufmerksam gemacht.

Augsburg den 20. April 1863.

Stadtmagistrat.

Der I. Bürgermeister:

FORNDRAN.

* * *

Ausgestattet mit solcher ,,Legitimation" und ausgerüstet
mit einer mässig bepackten Tasche, zog ich, begleitet bis zum
Thore von meinem Vater, der mich mit 15 Gulden Reisegeld
versehen hatte, am 21. April 1863 zum Städtle hinaus —
hinein in eine feindliche Welt, in der ich nun mein ,,Glück"
suchen, leider aber nicht finden sollte.

29

Ich war ein recht kleines, mageres Kerlchen, das knapp 75 Pfund an Gewicht und keine besonders einladende Visage aufzuweisen hatte. Trotz alledem fühlte ich mich „stolz wie ein Spanier" und wanderte fürbass. Schon der Gedanke, jetzt kein buchstäblicher *Prügel*-Knabe mehr zu sein, machte mich jauchzen und singen, und der Himmel hing mir voller Bassgeigen.

VII.

Die erste Exkursion führte mich nach Frankfurt am Main, wo ich am 27. April eintraf. Was mich nach dort gezogen hatte, war die damals noch „bestandene" freie Reichsstadt — die „Republik", hinter welcher ich ein wirklich freies Leben witterte, welche Illusion mir bald genug ausgetrieben wurde.

Im Gastzimmer der Buchbinderherberge war auf einer grossen schwarzen Tafel zu lesen, dass bei Ewald Arbeit zu bekommen sei. Während ich den Mann aufsuchte, fühlte ich arge Herzbeklemmung. Nach dreitägiger Wanderfreiheit (beschränkt durch Polizeiaufsicht) sollte ich wieder ins Herrenjoch. Ich empfand, wenn auch nur ganz dunkel, dass ich mein eigener Sklavenhändler sei, und obendrein mich zu einem Preise werde losschlagen müssen, der nicht meinen Wünschen entsprechen dürfte.

Der fragliche Buchbindermeister musterte mich mit Kennerblick, und nachdem er Einsicht in mein Arbeitsbuch genommen und daraus ersehen hatte, dass ich soeben erst der „Lehre" entrann, gab er mir zu verstehen, dass er es mit mir „probiren" wolle. Betreffs Arbeitszeit, Lohn etc. werde ich alles Nähere aus den Zunft-Vorschriften ersehen, die ich nun einzuholen und dafür mein Arbeitsbuch beim Obermeister zu hinterlegen hatte. Zuvor aber musste ich zum Stadt-Chirurgen, welcher mich „untersuchte" und durch ein Certificat bestätigte, dass ich „hautrein" sei. Dieser Schein war auf der Polizei abzugeben, wo ganze Rudel von Handwerksburschen Stunden lang zu warten hatten, bis Einer nach dem Andern abgefertigt wurde. Endlich kam auch ich an die Reihe und

30

31

ein grosser Stempel wurde in mein Arbeitsbuch geprägt. Darauf war zu lesen: „Kann in Arbeit treten", womit gesagt sein sollte, dass meine Papiere in Ordnung seien, kein Steckbrief gegen mich vorliege etc.

Das Zunftbuch enthielt ähnliche mittelalterliche Bestimmungen, wie das im letzten Kapitel gekennzeichnete Arbeitsbuch, nur waren dieselben noch unverschämterer Natur. Als Normalarbeitszeit waren 14 Stunden per Tag vorgesehen. Der Minimallohn sollte einen Gulden per Woche nebst Kost und Quartier betragen, u. s. w.

In der That gingen meine Einkünfte über solche Minimalität nicht hinaus, und die Beköstigung liess an Einfachheit nichts zu wünschen übrig. Ein Leib Kommissbrod aus der preussischen Kaserne hatte als Frühstück einer ganzen Woche zu dienen, nur wurde täglich eine Tasse schwarzer Kaffee ohne Zucker hinzugefügt. Mittags gab es regelmässig dünne Suppen, billiges Gemüse und ein wenig total ausgekochtes Fleisch; Abends drei Scheibchen Wurst und Pellkartoffeln. Geschlafen wurde in einer Dachkammer voller Wanzen mit einem anderen Gesellen zusammen in einem armseligen Bett, dessen Leintücher höchstens alle sechs Wochen gewechselt wurden. Morgens um halb sechs Uhr kletterte der biedere Zünftler schon die Bodenstiege empor und hämmerte so lange auf die Kammerthüre bis wir aufstanden. Abends um neun Uhr wurde das Haus geschlossen und das Lager bezogen. An ein Ausgehen wäre bei solchem Lohn ohnehin nicht zu denken gewesen. Höchstens langten die paar Kreutzer zum Besuch eines Kaffeehauses am Sonntag, wo man bei geringem Verzehr eine beliebig lange Zeit verweilen und Zeitungen lesen konnte.

Uebrigens war mein Fall keineswegs ein ausnahmsweise schlechter, vielmehr behandelten die Zunftmeister der „freien Stadt" ihre Gesellen durchschnittlich nicht viel besser. Höchstens brachten es die bestqualifizirten derselben auf 2—3 Gulden Wochenlohn und Naturalverpflegung. Und, füge ich hier schon im voraus ein, während meiner ganzen fünfjährigen Handwerksburschen-Epoche habe ich in ganz Mitteleuropa—Deutschland, Oesterreich, Schweiz etc. — ähnliche Verhältnisse angetroffen, was sich namentlich Diejenigen merken

31

sollten, welche nie müde werden, von der „guten alten Zeit"
Glückseligkeits-Fabeln zu erzählen.

Mein Ausbeuter war aber nicht nur ein solcher pure and
simple, sondern er war auch ein unverschämter Cränk, dem
nichts recht gemacht werden konnte, weshalb es fast täglich
Radau zwischen ihm und mir setzte. Nach Verlauf von vier
Wochen kündigte ich, um in weiteren 14 Tagen mein Bündel
zu schnüren. In mein Arbeitsbuch trug der Obermeister ein:
„Stand hier mit gutem Betragen in Arbeit".

VIII.

Situation No. 2 fand sich für mich in Bornheim, jetzt zu
Frankfurt gehörig, bei einem Contractor eines amerikanischen
Exporteurs von Leder-Galanteriewaaren. Auch damit war
Naturalverpflegung verknüpft, doch erwies sich deren Qualität
als etwas besser. Der Geldlohn betrug anderthalb Gulden per
Woche, die tägliche Arbeitszeit 12 Stunden. Auch war die
Arbeitsart, weil für mich neu und mannigfaltig, reizvoller.
Im Ganzen waren da 18 Arbeiter beschäftigt und setzte es all-
täglich viel unterhaltliches Geschwätz, das freilich häufig in
blossen Quatsch ausartete, wie es leider auch heutzutage
noch bei der Werkstatt-Conversation oft vorkommt.

Die deutsche Arbeiterbewegung steckte damals noch
nicht einmal in den Kinderschuhen, sondern lag in Windeln,
importirt aus der Schweiz und Frankreich. Es gab ausser
katholischen Gesellenvereinen und evangelischen Jünglings-
bünden nur Organisationen sogenannter „fortschrittlicher"
Tendenz, welche sich an der Krone des „Königs im sozialen
Reich", wie Schultze - Delitzsch genannt wurde, sonnten:
Arbeiterbildungs-, Spar-, Konsumvereine und dgl. Ueber die
daraus erspriessende Phraseologie ging demgemäss auch die
Weisheit der meisten Handwerksburschen nicht hinaus, wenn
sie auch Buchbinder waren, welche sich, nebenbei bemerkt,
einredeten, was „Bildung" betraf, Anderen „über" zu sein.

Ich war natürlich keine Ausnahme. Zwar hatte ich keine
Achtung vor Gott und keine Furcht vor dem Teufel,
schwärmte für die Republik (obgleich mir die von Frankfurt

32

wahrlich keineswegs Respekt einflösste) und hasste alle Spiess- und Mastbürger, die ich Gesellenschinder nannte; aber der eigentliche Sozialismus war mir eben doch nur ein spanisches Dorf. Selbst die Agitationen Lassalle's, welche damals sich abzuspielen begannen und sogar zum Theil im nahen Frankfurt in Szene gingen, liessen mich kalt, zumal ich sie nur aus den bürgerlichen Blättern kannte, welche so irreleitend wie möglich wirkten. Ich fand zwar aus, dass die Geschichte auf Errichtung von Produktivgenossenschaften durch Staatshülfe, erzielt durch das allgemeine Wahlrecht, hinauslaufen sollte, hielt aber dafür, dass das eine mattherzige Illusion sei, was ich übrigens später erst recht glaubte.

Immerhin besuchte ich öfters die Versammlungen eines Arbeiterbildungsvereins und entnahm Bücher aus der Bibliothek desselben; aber die Vorträge, welche ich da genoss, konnten mir durchaus nicht imponiren. Allerhand Professoren, Schulmeister, Zeitungsschreiber und dergl. fackelten bald von der „Freiheit durch Einheit", bald von der „Freiheit durch Bildung", dann wieder vom Sparen (siehe die bereits charakterisirten Lohnverhältnisse!); dann und wann malträtirte Einer populäre Astronomie, die alten Griechen oder den „gesunden und kranken Menschen". Das Resultat war meist ein sachter Gähnkrampf oder sanfter Schlummer.

Eigentliche Gewerkschaften gab es, abgesehen von diversen Gesellenzünften, die sich später zu solchen entwickelten, in jener Zeit noch nicht in Deutschland, doch fehlte es nicht an gelegentlichen Reibungen zwischen Meistern und Gesellen, bei welchen aber in der Regel die Letzteren zu kurz kamen und polizeilich gemassregelt wurden. Auch ich erlebte eines Tages einen solchen Rummel, meinen *ersten „Strike"*.

Es war sehr heisses Wetter und Jeder hatte starken Durst. Der Prinzipal war „liefern" gegangen. Die „Disciplin" war lax. Da kam Einer auf den Einfall, dass die vier Jüngsten im Geschäft einem damals herrschenden Unfug entsprechend, ihren „Einstand" bezahlen sollten. Jedem wurden vier grosse Krüge voll Apfelwein abverlangt. Alsbald war das edle Nass von der unterhalb der Werkstatt gelegenen Wirthschaft herauf geholt und die Becher machten die Runde. Rasch zeigte sich die Wirkung, mehr und mehr wurden Alle „angeraucht". Da erschien der „Alte", selber gehörig „geladen".

3 *

Er protestirte gegen das Zechgelage, wurde aber ausgezischt und sandte nach der Polizei. Das war das Signal zur allgemeinen Arbeitseinstellung.

Ein reitender Schandarm und ein Dorfpolizist, bekannt unter dem Spitznamen „der dicke Simon", erschienen auf der Bildfläche, wurden aber mit Hohngelächter empfangen. Das Ende vom Liede war, dass sich die ganze Gesellschaft nach der Kneipe vertagte, die beiden Ordnungswächter ebenfalls zur „Sitzung" heranzog und dieselben nicht eher von dannen gehen liess, als bis sie sternhagelvoll und raportunfähig waren. Beschlossen wurde ein dreitägiger „Blauer", um dem „Alten" seinen Ruf nach Polizei gehörig einzutränken. Auch wurde demselben kund und zu wissen gethan, dass er dafür keinen Lohnabzug machen dürfe, widrigenfalls überhaupt nicht mehr geschafft werde. Da gerade Arbeitermangel in der Portefeuiller-Branche herrschte, blieb ihm nichts Anderes übrig, als in den sauren Apfel zu beissen.

Aehnliche Affairen spielten sich auch anderwärts oft genug zu jener Zeit ab. Namentlich leisteten die Hutmacher, Handschuhmacher, Schneider und Schuster „Einiges" in diesem Genre; aber der Ausgang der betreffenden Meister-Zwiebelungen war nicht immer von solch gemüthlicher Art. Gewöhnlich griff sich die Polizei den einen oder anderen „Rädelsführer" heraus und transportirte ihn per Schub nach seiner Heimath, wo es ihm, namentlich im Widerholungsfalle, passiren konnte, dass man ihn in ein Korrektionshaus sperrte.

Zehn Monate lang hielt ich's in Bornheim aus; dann aber packte mich wieder der Wandertrieb, der von da ab sich mehr und mehr zu einer förmlichen Vagabundir-Manie entwickelte, was allerdings allerlei spezielle Gründe hatte.

IX.   •

Mein Plan bestand darin, von einer Grosstadt zur anderen zu pilgern, mich aber überall nur so lange aufzuhalten, als nöthig sein möge, die Sehenswürdigkeiten an Sonntagen kennen zu lernen; ausserdem wollte ich, namentlich zur Sommerzeit, Naturschönheiten besichtigen. Das „Recht auf Arbeit"

34

lag mir wenig im Sinn, sondern ich pochte auf mein Recht auf Lebensgenuss. Nicht dass ich an und für sich besonders faul gewesen wäre ; aber ich hielt dafür, dass es sich nicht lohne, für breite Bettelsuppen und ein armseliges Trinkgeld Spiessern die Mittel zum Schoppenstechen zu verschaffen und sich noch obendrein von denselben wie ein Untermensch behandeln zu lassen ; vielmehr gedachte ich solcher „Ordnung" durch Kaffern - Ausbeutung ein Schnippchen zu schlagen. Und da das nur durch periodisches Vagabundiren bis zu einem gewissen Grade möglich war, so gedachte ich mich einfach schlecht und recht durchs Leben zu „fechten".

Da ich übrigens bereits zu jener Zeit ein ziemlich guter Deklamator war und leidlich singen, auch Couplets improvisiren konnte, so lief das „Gefechte" nicht immer auf blosse Schnorrerei hinaus, sondern hatte einen Beigeschmack von Minimalkunst, der sich nach Angebot und Nachfrage richtete.

Bald stellte es sich noch obendrein heraus, dass ich nicht immer Beschäftigung bekommen konnte, wenn ich solche aus bestimmten Gründen — gründlichere Inspektion irgend einer Grossstadt, Erneuerung des Schuhwerks, der Kleidung etc. — dringend wünschte. Bald gab man mir zu verstehen, dass ich bei meiner Schwächlichkeit schwerlich genug leisten könne ; bald gefiel mein „reducirtes" Schalwerk, wie es eine längere Zigeunerei mit sich brachte, diesem und jenem nicht ; oft genug sagte man mir aber geradezu, einen Menschen mit verschobenem Gesicht und schiefem Maul könne man nicht gebrauchen. Mehrmals hiess es, die Meisterin sei schwanger und könnte sich an mir „versehen". Die Kunden des Geschäfts könnten sich an einem Menschen mit solchem Aussehen „stossen", sagten Andere Manche nannten mich einen „Krüppel", der ins Incurabelhaus gehöre.

Wenn ich darob aufbegehrte, drohte man mit Polzei oder warf mich zur Thüre hinaus. Jedesmal, wenn ich solche Erfahrungen machte, erfasste mich eine grenzenlose Wuth — mitunter dachte ich an Selbstmord — oft beschlich mich allgemeiner Menschenhass — zuletzt resignirte ich immer, mich als Vagabund zu behaupten. Und es ist sehr wahrscheinlich, dass es für immer dabei sein Bewenden gehabt hätte, wenn ich nicht bei Zeiten in den Strudel der Ar-

35

beiterbewegung hinein gerissen worden wäre — so sehr, dass ich förmlich von derselben absorbirt wurde. — — —

Immerhin dauerte die Epoche der Zigeunerei zirka fünf Jahre lang — bis zum Jahre 1868 — insofern ich während dieser Zeit grösstentheils eigentlich planlos, aber keineswegs ganz genuss- oder zwecklos, die Länder durchstreifte und nur dann Arbeitspausen machte, wenn durch die Winterkälte das Reisen zu Fuss jeden Reiz verlor.

Ich war nie ohne Reisetaschenbücher, Landkarten und andere Informations-Instrumenten, die mir es erleichterten, meinen Wissensdrang und Naturschönheitssinn zu befriedigen. Unverfrorenerweise folgte ich ausserdem, wo und wann es immer sein konnte, Touristen-Gruppen, welche mit Führern und Explicatoren versehen waren, gleichviel ob es sich um den Besuch von Museen, Gallerien, Höhlen, Grotten etc., oder um die Besteigung hoher Berge handelte. Dass ich, wenn auch nur in den „höheren Regionen" Theatervostellungen beiwohnte, so oft sich Gelegenheit dazu bot, wird dem Leser ganz von selber einleuchten, wenn er sich an das früher über meinen platonischen Liebesdrang gegenüber den Musen Gesagte erinnert.

Ganz ohne Geld war ich nämlich selten oder nie. Einen gewissen Betrag musste ich schon der Polizei wegen mit mir führen, weil sie mich sonst Angesichts meiner ausgedehnten Excursionen wegen „Landstreicherei" eingesteckt und auf den Schub gebracht hätte. Beim „Fechten" erwischte sie mich nur ein einziges Mal, nämlich in Giessen (Hessen), liess es aber bei einer mir auferlegten 24stündigen „Sitzung" bewenden. Allerdings kann ich nicht verhehlen, dass ich stets scharfen Ausblick nach Allem hielt, was nach Bettelvogt schillerte. So oft am Horizont die Spitze eines Schandarmeriehelms erblitzte, schlug ich mich in die Gebüsche.

Meine „Fechterei" war schon deshalb erträglich, weil sie, wie gesagt, gelegentlich singend oder deklamirend von Statten ging; auch war ich an und für sich ein „dufter Kunde", wie es im Handwerksburschen-Jargon heisst; ich „focht, dass der Stock schwitzte" und ertheilte weniger erfahrenen armen Teufeln, die ich oft halb verhungert antraf, sogar „Fecht-Unterricht".

36

Alle diese „Stromereien" auch nur annähernd zu beschreiben, müsste allein ein dickes Buch erheischen, das namentlich Solche interessiren könnte, welche selber „Bruder Straubinger" spielten; allein das würde weit über den gesteckten Rahmen dieses Werkchens hinaus greifen, keineswegs alle und jeden Leser befriedigen und mehr Zeit und Verlagsmittel erheischen, als mir zur Verfügung stehen. Demgemäss sei hier nur generell auf die Wege hingedeutet, die ich damals wandelte. Einzelne besonders charakteristische Episoden sollen spezielle Berücksichtigung erfahren.

Von Frankfurt am Main ging es nach Darmstadt, die herrliche Bergstrasse entlang nach Heidelberg und Mannheim, von da nach Stuttgart und Tübingen, wo eine Arbeits-Pause von zwei Wochen gemacht wurde. Hernach folgte eine ununterbrochene, höchst polizeiwidrige, aber abenteuer- und genussreiche Landstreicherei von sechs Monaten. Besichtigung des Schwarzwaldes, Abstecher nach Strassburg, durchs Elsass den Rhein hinauf bis Basel — kurzer Blick ins Alpenland — Bern, Luzern, Umschreitung des wunderbaren Vierwaldstättersees, Besteigung des Rigi, Zürich, Schaffhausen, St. Gallen, Bodensee. Weiter per Dampfer nach Lindau — hinein nach Vorarlberg und Tyrol mit seinen wildromantischen Bergen und Thälern. Von Innsbruck über den Brenner nach Botzen, Trient und Roveredo — hinein ins sonnige Italien.

Das war mein eigentliches Reiseziel, denn ich hatte es mir — wohlverstanden, als 18jähriger Bengel ohne Moneten — in den Kopf gesetzt, Rom, Neapel und Venedig zu sehen. Leider gelangte ich aber nur bis Rom, wo ich dermassen abgebrannt ankam, dass ich den Plan, weiter nach Süden vorzudringen, aufgeben musste und in Eilmärschen gen Venedig steuerte.

Italien — welch' herrliches Land; welch' eine Fülle von monumentaler Inkarnation alterthümlicher, mittelalterlicher und moderner Zivilisationen — welch' ein *armes Volk*, das in diesem Paradiese haust! Weder stillt der blaue Himmel den Durst, noch kann man vom Anblick schöner Landschaft sich sättigen, noch ersetzen die interessantesten Ruinen den Mangel an Obdach. —

37

38

In diesem Lande als Fremder betteln gehen — der reinste Ulk! Man wird selber, wenn man auch noch so „abgerissen" aussieht, auf allen Wegen und Stegen angeschnorrt. Klopfte ich irgndwo an, so hiess es: Niente! Maledetto Cujono! Avante! (Frei übersetzt: Nichts da! Verfluchter Lump! Mach', dass du fortkommst!) Besonders war jeder Deutsche verhasst, dem noch extra ein „Maledetto Tedesco!" (Verdammter Deutscher!) mit auf den Weg gegeben wurde, wenn er auch nur um einen Schluck Wasser bat. Höchstens setzte es in Klöstern ekelhaft aussehende Küchenabfälle oder Polenta, dick eingekochten, ungesalzenen und ungeschmalzenen Maismehlbrei. Dabei herrschte eine drückende Juli-Hitze, welche es bewirkte, dass ich mich, wie eine Schlange, häutete.

Von Venedig aus, wo ich mich .trotz alledem, wenn auch fast verhungernd, drei Tage lang aufhielt, um wenigstens die bedeutendsten Kunstwunder zu beschnarchen, fuhr ich mittelst einer von der Polizei erschwindelten Freikarte per Dampfer nach Triest. Von da neue Kreuz- und Quersprünge über Stock und Stein unter einem Völkergemisch, das alle erdenklichen südslavischen Zungenschläge kauderwälschte, so dass meist per Pantomime operirt werden musste, was mitunter zu den komischesten Missverständnissen führte. Immerhin — ich liess nicht locker — wollte ich doch unbedingt nach Adelsberg, um die dortige berühmte Tropfsteinhöhle zu besichtigen.

Weiteres Reiseziel war Wien, das ich über Cilly, Marburg und Graz mittelst ausdauernder Par-Force-Märsche verhältnissmässig bald erreichte. In der sogenannten „Kaiserstadt" ging es so fidel her, dass ich gerne in Arbeit getreten wäre, aber ich stand keinem „Meister" zu Gesicht. Fort musste ich. Der schönen blauen Donau entlang führte der Marsch nach Linz. Dann packte mich wieder das Verlangen, Prima-Natur zu kneipen. Es wurden Gmunden und Ischl aufgesucht und das reizende Salzkammergut bestrichen, endlich über Salzburg nach München die Schritte gelenkt.

Hier traf ich mit zwei ehemaligen Collegen Bornheimer Angedenkens zusammen. Dieselben hatten ein Engagement als „wilde" Flossknechte angenommen, um sich auf der Isar und Donau nach Wien gondeln zu lassen. Ohne mich weiter

3⁸

zu besinnen, suchte und fand ich eine gleiche Gelegenheit. Die Fahrt nahm eine volle Woche in Anspruch, da nur Tags das Flössen riskirt werden kann, und es wurde unterwegs unendlich viel Allotria getrieben. Abends ging es ganz besonders hoch her, wobei ich immer als Komiker die Hauptrolle spielte und dafür natürlich weder Hunger, noch Durst zu leiden brauchte.

In Wien war es hinsichtlich Beschäftigung abermals Essig, daher Aufbruch über Brünn und Prag nach Breslau — quer durch Schlesien nach Sachsen, von Dresden nach Leipzig — weiter, immer weiter, durch ganz Thüringen, den Spessart etc. — neuerdings nach Frankfurt am Main — endlich Wiederaufnahme der Arbeit in Bornheim, die ich nahezu sieben Monate zuvor verlassen hatte. Das war am 8. November 1864. Ich wurde mit Hurrah! aufgenommen.

X.

Von vornherein constatire ich, dass ich es diesmal aussergewöhnlich lang im Frohndienst aushielt, nämlich bis zum 15. Dezember 1865. Meine Lohnverhältnisse verbesserten sich — ich brachte es zu 2½ Gulden Baarlohn per Woche — und meine Neigungen zur sogenannten Liederlichkeit entwickelten sich dementsprechend. Ich schloss mich diversen Geselligkeits-Vereinen an, in denen ich bald als Deklamator, Soloscherzer etc. eine „grosse Rolle" spielte. Ausserdem fing ich an, mich bis zu einem gewissen (lohnverhältnissmässig-limitirten) Grade dem *Spielteufel* zu ergeben, nämlich „Herz-Scat" zu klopfen. Das führte indessen bald dahin, dass gewöhnlich schon am Sonntag keine Spur vom Wochenlohn mehr zu entdecken war.

Darob befiel mich eines schönen Tages ein gewaltiger moralischer Katzer. Ich schwor bei allen meinen guten und schlechten Eigenschaften aller Karterei ab und, was mehr besagen will, habe diesen Schwur von da ab auch stets *eingehalten*, so sehr, dass ich mich heutigen Tages sogar noch ärgere, wenn ich *Andere* spielen sehe. Gleichzeitig will ich beifügen, dass ich auch niemals mit Billard- oder Kegelspiel

39

40

mich befasste ; ebensowenig habe ich jemals getanzt, was mich bei „Damentouren" mitunter stark in Verlegenheit brachte. Ich will damit nicht gesagt haben, dass das einer besonderen Tugend zuzuschreiben war und ist, ich konnte und kann solchem Treiben einfach nichts Reizvolles entnehmen.

Abgesehen von den Vereinsabenden zog ich mich um jene Zeit nach beendetem Tagwerk gewöhnlich in die Schlafkammer zurück, obgleich es da im Winter sehr kalt und im Sommer sehr heiss war, und las — las Alles durcheinander, was mir in die Hände fiel. Immerhin bevorzugte ich Klassiker, Geschichtswerke und Naturwissenschaftliches, während ich der Roman-Literatur wenig Geschmack abgewinnen konnte. Sonntags frequentirte ich in der Regel den „Jucheh" des Frankfurter Theaters, das nicht ganz mittelmässiger Natur war und viel Abwechselung bot.

Während der Saison konnte Jeder bei einer Entlohnung von sechs Kreuzern per Stunde über Feierabend und Sonntags arbeiten so lang er wollte — alle Anderen schufteten auch darauf los, als ob sie solchermassen ihr Glück machen konnten — nur ich *schloss mich davon aus.* Mein Prinzipal wollte das gar nicht verstehen und redete mir häufig zu, ebenfalls an *Mehrverdienst* zu denken, wie er das nannte. Ich lehnte aber immer ab und meine Motivirungen liefen in Summa-Summarum auf Folgendes hinaus : „Die Zeit, während welcher ich arbeiten muss, um meine Existenz zu sichern, ist mir schon viel zu lang. Jede sonstige Stunde brauche ich für mich, um mich *als Mensch* zu fühlen, wenn ich auch nur wenig Genussmittel mir verschaffen kann. Arbeit für einen Meister bedeutet Sklaverei . . . ." Der also Abgefertigte brummte etwas, wie „Dummes Zeug !" „Verrückt !" u. s. w. in den Bart hinein, ich aber liess mich nicht überreden. Ohne es so recht zu begreifen, steckte ich auf solche Weise bereits den Streber nach individueller Freiheit und Sozial-Rebellen heraus.

Meine damalige Condition erreichte auch auf Grund solcher Prinzipien ihren Abschluss.

Der „Alte" war am 15. Dez. „liefern" gegangen und kam erst kurz nach sieben Uhr Abends aus der Stadt zurück. Alle Arbeiter hatten bereits zu schanzen aufgehört, fingen aber, als sie ihren „Herren" im Comptoir bemerkten, wieder frisch

40

zu schuften an — nur ich setzte mich ostentativ auf den
Werktisch und muckte über das hündische Gebahren auf, was
bald einen gelinden Radau zur Folge hatte. Kirschroth im
Gesicht, erschien nun die hohe Pricipalität auf der Scene:
„Herr Most". sagte der Patentspiesser, „haben Sie nichts
zu thun?" und mass mich von Kopf zu Fuss.
„Massenhaft", lautete die Antwort.
„Aber Sie arbeiten ja nicht."
„Werde mich hüten, es ist doch Feierabend."
„Sie haben auch noch die Anderen von der Arbeit abhal-
ten wollen. Das ist schändlich. Uebrigens bemerkte ich
genau, dass Sie schon *vor* 7 Uhr nichts mehr thaten und
das . . ."
Ich wurde ärgerlich und liess den Schwadroneur nicht
ausreden, sondern rief mit lauter Stimme: „Das ist nicht
wahr, ich habe bis Punkt Sieben gearbeitet!"
„Das haben sie *nicht!"*
„Das habe ich *wohl!"* Und dabei schlug ich mit der
Faust auf einen Schärfstein (eine Solenhofer Steinplatte),
dass es einen Sprung setzte.
„Jetzt ist's aber genug!" brüllte der Andere. „Eine
solche Aufführung lasse ich mir von keinem Arbeiter gefallen.
Da müssen Sie sich schon um einen Principal umsehen, der
solches duldet. Verstanden?"
„Na, wenn's weiter nichts ist", entgegnete ich, dann
geht's ja noch. Ich habe die Rackerei ohnehin schon lange
dick." Sprach's und schritt zur Thüre hinaus, die ich heftig
hinter mir zuschlug.
Zum Nachtessen erschien ich nicht, sondern kaufte mir
in der nächsten Kneipe einen „Affen."
Am anderen Morgen, als ich gerade mein Bündel schnürte,
kam der Lehrling auf die Kammer, der mir zureden und zum
Bleiben ermuntern sollte. Es sei ja nicht so bös gemeint
gewesen, habe der Meister gesagt, und was der Redensarten
mehr waren. Ich aber blieb fest, forderte den rückständigen
Lohn und schob ab.
Eigentlich wollte ich noch bis zum nächsten Frühjahr in
Arbeit bleiben, denn es herrschte eine bittere Kälte; der
Main war zugefroren und die Spatzen krepirten in der Luft

41

42

vor Frost. Dabei hatte ich keinen Ueberrock und war auch sonst mit Kleidungsstücken nur sehr mangelhaft versehen, während meine Baarschaft nur aus zirka fünf Gulden bestand. Aber mein stark ausgeprägtes Ehrgefühl — Andere nannten das Trotzköpflerei — machte mein Bleiben zur Unmöglichkeit.

XI.

Schon um mich warm zu halten, schritt ich während der nun folgenden Reise, die allerdings nur von kurzer Dauer war, aus, wie ein von Schandarmen verfolgter Justizflüchtling. Erst galoppirte ich auf „Schusters Rappen", wie die Stiefel im Handwerksburschen - Lexikon verzeichnet sind, nach Mainz. Von da aus marschirte ich rheinabwärts bis Köln. Wäre es Sommer gewesen, so hätte ich wahrscheinlich gejauchzt vor Freude über das herrliche Panorama, welches die Rheinufer gerade dieser Strecke bieten — namentlich wenn man es mitunter durch die richtigen Gläser (gefüllt mit Wein) mit Muse betrachten kann. So aber klapperte mein Gebein vor Kälte und die Landschaft war grösstentheils mit Eis und Schnee bedeckt, die Gebirgszüge und deren Ruinen durch finsteres Gewölk verhüllt. Da war der Naturgenuss nur ein sehr mässiger.

Düsseldorf, Barmen - Elberfeld, Solingen — nirgends Arbeit — Fechtübung von magerem Ertrag — hundsgemeine Situation! Hinein nach Westphalen — Beschäftigung in Bochum, einem zweiten Krähwinkel. Geldlohn ein preussischer Thaler per Woche — Arbeitszeit 12 Stunden — Werkzeug und Arbeitsmethode mittelalterlich — Dachkammer zum Schlafen, in einem Bett, d. h. auf einem Strohsack, mit dem Lehrbuben zusammen — Kost grob, aber reichlich, namentlich viel Pumpernickel, Wurst und Speck, dazu täglich zwei Mal Schnaps.

Am Sonntag machte mich die Meisterin darauf aufmerksam, dass es Zeit zum Kirchgang sei — in meinem Arbeitsbuche war ich nämlich als „katholisch" deklarirt. Ich ging zur *Kneipe*, welche aber erst nach dem „Hochamt" frequen-

42

tirt wurde, und wo ich wegen meiner vorzeitigen Einkehr förmlich als Kuriosität betrachtet wurde. Unter den später kommenden Gästen befanden sich diverse Arbeiter, die sich bald mir gegenüber als Mitglieder des katholischen Gesellen-Vereins vorstellten und mir nahelegten, demselben gleichfalls beizutreten. Ich dankte bestens, fing an „gotteslästerliche" Reden zu führen und entging mit knapper Noth dem Hinausschmiss.

Einige Tage später suchte mir der Meister, dem mein sonntägliches Abenteuer brühwarm gemeldet worden war, auf indirektem Wege *Mores* zu lehren. Seiner langen Rede kurzer Sinn war dieser:

„Ich hatte einmal einen Gesellen, der glaubte nicht an Gott. Da sagte ich ihm, dass es mir zwar leid thäte, wenn ihn früher oder später der Teufel hole, dass ich ihn aber nicht zwingen wolle, sein Sünderleben aufzugeben. Da jedoch meine Kunden es sich nicht gefallen liessen, dass ich so gottlose Leute beschäftige, so müsse ich darauf dringen, dass er, wenn auch nur pro Forma, Sonntags zur Kirche gehe und seine ungläubigen Schrullen für sich behalte." Nach einer kleinen Kunstpause setzte er hinzu: „Lange hat er es hier nicht ausgehalten. Er ging nach Münster, wo ihn die Strafe des Himmels bald erreichte; er ist nämlich an Syphilis im Spital gestorben."

Ich stand gerade im Begriffe, meinerseits über den angeblichen Gesellen eine Ansicht kund zu geben, als die Thüre aufging und ein „fremder Buchbinder" nach Beschäftigung fragte. Er wurde kopfschüttelnd abgewiesen. Als er fort war, sagte ich: „Weshalb stellten Sie denn den Mann nicht ein? „Habe ja Sie", erwiderte der Meister. „Aber schwerlich lange", lautete mein lakonischer Einwurf. „Wieso denn?" „Weil ich auch so bin, wie jener Geselle, der nicht an Gott glaubte, und in diesem frommen Nest nicht auf die Dauer leben möchte." Tableaux mit etwas Spektakel — Abzug!

In Hannover traf ich auf der Herberge einen Mann, der mich für eine Buchbinderei in *Herrmannsburg* engagirte, wo es mir, wie er meinte, sicherlich sehr gut gefallen werde. Da er mir Reisegeld gab, beschloss ich, wenigstens eine Inspektion der betreffenden Bude vorzunehmen. Mit der Eisenbahn

43

hatte ich bis nach der Station Unterliss, mitten auf der Lüneburger Haide platzirt, zu fahren — zwei Stunden Wegs davon lag Herrmannsburg.

Als ich ausstieg, bemerkte ich, dass die ganze Station eigentlich nur aus einer kleinen ländlichen Schenke bestand, in welche ich natürlich alsbald eintrat, umso schleuniger, als ein fürchterliches Schneegestöber herrschte. An einem Tische sassen zwei schwarz gekleidete junge Leute mit urblöden Gesichtern. Der Wirth stand am Ofen. Ich bestellte heissen Grog.

„Wann kommt hier die Postkutsche für Herrmannsburg durch?" inquirirte ich den Kneiphalter.

„Postkutsche? — na so was — Sie müssen ja recht gut bei Groschen sein — zu meiner Zeit wäre es keinem Wanderburschen eingefallen, an eine Postkutsche auch nur zu denken. Uebrigens gibts hier so was überhaupt nicht."

„Auf welche Weise bekommen denn aber die Leute ihre Postsachen zugemittelt?"

„O, die besorgt jeden zweiten Tag der Landpostbote per Handwagen."

„Das muss ja ein allerliebstes Kaff sein — dieses Herrmannsburg" rief ich ärgerlich, trank meinen Steifen und bestellte einen zweiten.

„Oho, Mann, schneiden Sie sich nur nicht in die Finger. Da ist eine grosse *Missionsanstalt....*"

„Heiliger Bimbam! Also ein Muckernest!"

„Die beiden Jünglinge schlugen die Augen empor, wie „arme Seelen, welche der Teufel in den Hintern zwickte. „Ja, sprach der Eine davon salbungsvoll, da werden die Gnadenmittel der Kirche reichlich verabfolgt."

„Worauf aber Unsereiner gern verzichtet, ergänzte ich zum nicht geringen Verdruss der zwei Schwarzen, denen auch der Wirth durch Grimmassen beipflichtete. Ich machte, dass ich fortkam, tappte lange im Schnee umher, und es war nahezu dunkel geworden, ehe ich Herrmannsburg erreichte, wo ich nach vielem Suchen mein Domizil endlich fand — eine in einem Bauernhofe untergebrachte Buchbinderei, in der indessen beständig drei Arbeiter beschäftigt waren.

44

Die Sache war nämlich die : So ziemlich im Zentrum der Lüneburger Haide, einer Gegend von unsäglich und buchstäblich trockener Beschaffenheit, auf welcher ausser den Haideschnucken, verkrüppelten Schafen, welche sich, ähnlich den Ziegen aller Länder, sogar von armseligem Laubwerk zwerghaften Gestrüppes — dort Haidekraut geheissen — zu ernähren vermögen, und Bienen, welche klein, aber emsig sind und demgemäss selbst das kleinste Blüthchen besagten Krautes so intensiv belutschen, dass der daraus erspriessende Honig sogar eine gewisse Berühmtheit erlangte, nur Zweihänder von geradezu mondkälblicher Qualität gedeihen (wenigstens verhielt es sich damals so), liegt Herrmannsburg.

Ein gewisser Pastor Harms, der dort „Seelen'' hütete, gerieth auf den schnurrigen Einfall, in diesem Haidedorf eine Brutanstalt für Missionäre zu errichten, mittelst welcher südafrikanischen Negern das Christenthum in den Leib gerieben werden sollte. Da der grösste Blödsinn, wenn mit Raffinement herausgesteckt, in der Regel, wenigstens eine Zeitlang, den stärksten Anklang findet, so gingen die Gimpel auch rasch auf diesen Leim.

Ein Bauer gab Haus und Hof her, Geld regnete es nur so herein, und an Vagabunden, welche Missionäre werden wollten, fehlte es auch nicht. So blühte das Geschäft famos. Es wurde ein grosses Gebäude errichtet, in welchem die Negerbekehrer beim Dutzend so schnell zugestutzt wurden, dass alljährlich 50 derselben auf die unglückseligen „Wilden'' losgelassen werden konnten. Alsbald richtete man auch eine Druckerei ein und gab ein Missionsblatt heraus, das binnen Kurzem 20,000 Abonnenten musterte. Und da jeder Missionär eine Bibliothek mit auf den Weg bekam, so brauchte man auch Buchbinder an Ort und Stelle.

Da sollte nun ein Mensch, wie ich, sein Dasein fristen. Ich suchte und fand in dem etwa 1,000 Einwohner zählenden Dorfe sieben „fremde'' Arbeiter, die ich mir alsbald insofern „kaufte'', als ich sie vom Kirchenbesuche abwendig machte und veranlasste, gemeinsam mit mir an Sonntagen in den beiden Wirthshäusern des Ortes so viel Leben in die Bude zu bringen, dass noch nach vielen Jahren mit Entsetzen davon gesprochen wurde. (Im Jahre 1878 erhielt z. B. ein Berliner

45

Pastor noch eine lange Epistel von dem Sohne des obgedachten Pastor Harms, worin meine „Schandthaten" aufgezählt
wurden, und die der Berliner Herrgotts-Agent in einer grossen
Volks-Versammlung — allerdings zum unerwarteten Gaudium
derselben — vorlas.)
Uebrigens war die Sache verhältnissmässig harmloser
Natur. Z. B. —: Eines Sonntags war grosse Abendpredigt
zu Missionszwecken anberaumt, zu welcher die Bauern aus
fünf Meilen im Umkreis herbei geströmt waren. Ich machte
den Nachtwächter besoffen, nahm dessen Alarmhorn ab und
blies weit und breit das Feuersignal, während meine Kum-
pane aus Leibeskräften „Feuer!" schrieen bis die ganze
Kirchenversammlung von einer Panik erfasst wurde und aus-
einanderstob. Wir verzogen uns in unsere resp. Quartiere.
Am nächsten Morgen aber fand man den Wächter der Nacht
unter einem Baume, fest entschlafen, das Horn so umgehängt,
dass dessen spitzes Ende oberhalb des Schädels, wie der Zin-
ken eines Nashorns, hervorragte.
Allgemein hatte man so einen Animus betreffs der Urhe-
ber des Skandals, konnte aber nichts beweisen. Zur Vorsorge
wurden aber die Wirthe bewogen, uns keinen Schnaps mehr
zu verkaufen.
Als die Frühlingssonne des Jahres 1866 zu scheinen begann, ward ich „des trocknen Tones satt", und im April flog
der Vogel aus.

XII.

Zunächst führte mich mein Weg nach *Bremen*. Dort
packte mich Europamüdigkeit ; und da ich hörte, dass man
sich bei herrschendem Ueberfluss an Geldmangel, damals
mehr denn je meine schwächste Seite, nach Amerika „hinüber
arbeiten" könne, so klopfte ich alsbald diesbezüglich bei
einer Agentur an. Der Abfall war ein gründlicher. „Was für
ein Geschäft?" Das war die Hauptfrage ; und als die Antwort „Buchbinder" lautete, hiess es : „Bei uns gibt's nichts
zu kleistern." — Ich schlich betrübt von dannen ; heute weiss
ich, dass meine damalige Zurückweisung von der Emigration

46

nach der „Neuen Welt" von einschneidenster Bedeutung für mein späteres Leben wurde. Denn in Amerika wäre ich zu jener Zeit wohl bald, wenn nicht physisch, so doch sicher moralisch caput gegangen.

Hamburg — 14tägige Arbeits-Gastvorstellung in Möllen (Lauenburg) — Lübeck — Uebertritt ins Mecklenburgische, wo es damals für Fechtbrüder noch Trittmühle setzte, Erwischung natürlich vorausgesetzt, welcher ich jedoch entging. Aber schon die Visir-Scheerereien grenzten ans Lallenburgische. Hier ein paar Beispiele aus meinem Arbeitsbuch: „Auf der Chaussee über Wismar nach Rostock in 4 Tagen. Dassow, den 17. Mai 1866" — „Mit dem gesetzlichen Reisegeld versehen, gut nach Neustrelitz. Neubrandenburg, den 21. Juni, 1866." — „Ueber Fürstenberg, Gransee, und Oranienburg nach Berlin. Uebernachtete hier. Neustrelitz, den 22. Juni, 1866."

In Tessin unweit Rostock fand ich Beschäftigung bei einem wirklich gemüthlichen Kumpan. Ich ging da förmlich in der Familie auf, rauchte den ganzen Tag aus Meisters Beutel, ass sehr gut wie er, trank mit ihm auf seine Kosten um die Wette, und bei der Arbeit riss sich Keiner von uns Beiden die Beine aus, während den ganzen Tag Schnurren erzählt wurden. Hinter dem Hause befand sich ein hübscher Garten, da spielten wir Abends Schach oder lasen. Kurzum, es gefiel mir einigermassen, weil ich keinen Kommandeur merkte, und ich wäre am Ende lange dageblieben, wenn nicht der preussisch-österreichische Krieg der Idille ein jähes Ende bereitet hätte. Schon als derselbe im Anzuge war, stockte das Geschäft, nach dessen Proklamation stand es total still. Es wollte kein Mensch mehr Ausgaben machen, die nicht absolut nothwendig waren. Als ich mich verabschiedete, setzte es ein gewaltiges Trankopfer, sowie eine gefüllte Feldflasche und einen ganzen Beutel voll Esswaaren auf den Weg.

Dieser Krieg wirkte überhaupt förmlich lähmend auf allen und jeden Geschäftsgang. In Berlin, wohin ich zunächst pilgerte, und wo zuvor 3,500 Buchbinder in Arbeit standen, waren davon noch 36 beschäftigt. Aehnlich sah es überall aus. Trotz alledem steckten die Preussen, auch die Handwerksburschen dieser Spielart, einen „Patriotismus" heraus,

47

48

dass es für einen „Landesfeind", gleich mir, mitunter gefährlich wurde, sich nicht davon imponiren zu lassen. Das musste
ich am 30. Juni in Potsdam erfahren, wo mich eine Rotte
preussischer Landstreicher todtgeschlagen hätte, wenn ich
nicht wie ein Jagdhund geflohen wäre, die ganze Bande hinter mir d'rein, weil ich vom König von Preussen per
„Kartätschenprinz" sprach und Bismarck einen Staatsstreich-
ler nannte. In Quedlinburg entging ich aus ähnlichen Gründen mit knapper Noth einer Denunziation und Anklage
wegen „Majestätsbeleidigung."

Ich hielt es für rathsam, unter solchen Umständen aus
der preussischen Machtsphäre so rasch wie möglich mich zu
drücken. Das war jedoch leichter geplant, als ausgeführt, denn
wo ich immer hinkam, hatten zuvor schon die Preussen ihre
Eroberer-Proklamationen angeschlagen — so im Hannöver-
schen, Kurhessischen, in Frankfurt a. M., in Hessen-Darmstadt u. s. w. Andere Kriegsspuren waren freilich in den von
mir durchstreiften Gegenden nicht fühlbar, nur klagte Jedermann über hundsschlechte Zeiten; und für die Handwerksburschen fiel umso weniger ab, als sie auf allen Wegen und
Stegen förmlich wimmelten. Mancher wäre damals froh gewesen, wenn man ihn eingelocht hätte, aber das geschah nur
selten, weil die Bettelvogteien ohnehin schon total überfüllt
waren.

Immerhin liess ich es mir nicht nehmen, den Harz nach
allen Regeln des Touristenbuches zu bereisen. Den Brocken,
die Rosstrappe und jeden sonstigen bedeutenderen Höhen-
punkt musste ich besteigen und wenn ich unterwegs von wilden Beeren leben sollte, die zum Glück allenthalben im Ueber-
flusse wucherten.

Clausthal, Kassel, Frankfurt a. M. waren die nächsten
Reisestationen. In letzterer Stadt, wo ich am 20. Juli eintraf,
sah es sehr belagerungszuständlich aus, und die sonst so
stolzen Bürger liessen die Ohren gewaltig hängen. Alle Häuser waren mit Proklamationen der Preussen beklebt, welche
äusserst frechen Inhalts waren. Sechs Millionen Gulden
Kriegskontribution hatten die Frankfurter bereits bezahlt,
weit mehr noch sollten sie herausrücken. Der Bürgermeister
hatte sich darob aufgehängt. Alle Häuser waren mit Zwangs-

48

49

Einquartierung belegt und es war vorgeschrieben, dass jedem Soldaten u. A. täglich eine Flasche Wein, ein Pfund Fleisch und acht Cigarren zu verabfolgen seien, welch' letzterer Posten übrigens einem gelungenen Witz Geburtshülfe leistete. Im Theater wurde nämlich „Der Kaufmann von Venedig" gegeben. Shylock ruft : „Mein Pfund Fleisch will ich haben." „Und acht Cigarren!" tönt es von der Gallerie herab. Riesiges Gelächter belohnte solchen Galgenhumor. Mir selber passirte alsbald auch eine komische Geschichte.

Von Frankfurt nach Darmstadt reiste ich in Gesellschaft eines anderen Buchbinders Namens Block, welchen ich später zu New York als Reporter der „Volks-Zeitung" vorfand. Die Landstrasse führte durch einen Wald. Hoch zu Ross kam von der entgegengesetzten Richtung ein preussischer Officier nebst Diener daher geritten.

„Die fechten wir an", sagte ich. „Du bist verrückt," bemerkte der Andere. Die Reiter kamen indessen nahe genug, dass ich es für gut befand „klar zum Gefecht" zu machen. Hut ab! „Entschuldigen Sie, zwei arme Reisende!" Der Offizier hielt an. „Landsleute?" inquirirte er. „Schlesinger und Provinz Sachsen", log ich. „Na, da seid Ihr doch in Feindes Land", schnarrte der Reiter, welcher übrigens keinen Kleinen sitzen hatte ; „verlegt Euch doch aufs Requiriren!"

„Thun wir ja, kriegen aber nichts, wie's scheint."

„Ein paar gelungene Knoten", sagte der Offizier lachend zu seinem Begleiter; mach' mal die Fouragetasche auf! Darin befanden sich diverse belegte Butterbrode, die bald in unseren Brotbeuteln verschwanden, im nächsten „Krug" jedoch verzehrt und mit Aepfelwein begossen wurden. Das machte uns debattirsam. Schliesslich war die Rede von den Pfaffen; und weil ich dieselben in den Erdboden hinein verwünschte, während sie Block vertheidigte, bestand das Ende vom Liede in einer solennen Keilerei, bei welcher mein bisheriger Partner eine Niederlage erlitt und von dannen zog. Vergessen hat er aber die Hiebe nicht, vielmehr erinnerte er sich an diese zu allererst als er meiner — notabene 16 Jahre später! — in New York ansichtig wurde.

Genug der Einzelnheiten! Weiter ging es, immer weiter, ohne Rast noch Ruhe, ohne Ziel, Ein- oder Aussicht. Durch

49

Baden, nach der Schweiz, Tyrol, das baierische Hochland nach München — Bestreichung von Augsburg, ohne das elterliche Haus zu betreten — Ulm, Stuttgart, wo im Dezember Quartier bezogen und auf drei Monate der Kleisterpinsel geschwungen wurde.

XIII.

Neuerdings zog es mich nach der Schweiz und nach diversen Umhertreibereien trat ich zu *Locle*, Kanton Neufchatel, bei einem gewissen Rothfuss als Etuimacher (in der dortigen Gegend florirt die Uhrenindustrie) in Arbeit. Das war im März 1867. An diesem Orte sollte sich mit mir insofern eine bedeutende Wendung zum Besseren vollziehen, als ich daselbst meinen ersten Schritt in die Arbeiterbewegung hineinthat, indem ich mich dem am Platze existirenden „Deutschen Arbeiter-Bildungsverein", kurzweg „Deutscher Verein" genannt, anschloss und alsbald eine Art agitatorische Wirksamkeit darin entfaltete.

Solche Vereine existirten zu jener Zeit in der Schweiz fast an allen halbwegs bedeutenderen Orten; sie waren in einem Landesverband föderirt und besassen ein Monatsblatt als Organ, das obligatorisch eingeführt war und den bezeichnenden Titel „*Felleisen*" führte. Die Tendenz dieser Gesellschaften war eine ziemlich verschwommene. Schultze-Delitzsch war vom ganzen Verband zum „Ehrenmitglied" eines jeden einzelnen Vereins gemacht worden und ein diesbezügliches mit Porträt versehenes Dokument prangte in jedem Versammlungslokal unter Glas und Rahmen. Beigefügt mag hier werden, dass kurze Zeit darnach dieser Götze mehr und mehr in Verschiss erklärt wurde und dass man dann die betreffenden Ehrenmitgliedstafeln umgekehrt an den Wänden der Vereinsräume hängen sah. Oberflächliche Bildungsmeierei, Geschwärme für deutsche Einigkeit, Lirumlarum-Singsang und „Fragekasten" bildeten das Durcheinander-Programm des Vereins. Namentlich förderte das letztgenannte „Aufklärungs"-Instrument die schönsten moralischen Häringssalate und kautschuckmännischen Verrenkungen seelischer

50

Gymnastik ans Lampenlicht. Fragen, durch welche Auskunft über die Entstehung der Filzläuse, das Ziel der grossdeutschen Partei, die wohlfeilste Kurirung von Tripper-Behafteten, Deutschlands unmittelbare Zukunft, die Beseitigung von Hühneraugen, den Nutzen kommunistischer Colonieen, die Zubereitung von Kleiderreinigungs-Essenzen, Lassalle's Leben, Streben und Ende, die Gründe der Brechruhr, die Bedeutung der damaligen Pariser Weltausstellung, das Hornberger Schiessen oder den augenblicklichen Stand der naturwissenschaftlichen Forschung geheischt wurde, purzelten kalaidoskopisch daher und fanden häufig Beantwortungen, welche jeden Hartleibigen ohne Bittersalzeinguss von seinem Leiden befreien konnte.

Ich war den Uebrigen an Mutterwitz auch nicht gerade besonders überlegen ; aber so viel hatte ich in der Daseins-Schule doch schon aufgeschnappt, dass ich solche Quatschologie für äusserst beschämend halten musste und daraus auch ganz und gar kein Hehl machte. Ebensowenig vermochte ich dem üblichen Gesinge einen besonderen Haut-gout abzugewinnen. Man hörte fortwährend von der „lieben Heimath", in der es „schön" sein sollte, von einem „Brunnen vor dem Thore", von der „heiligen Nacht", vom „lieben Gott", der „durch den Wald" geht, und ähnlichem Schnickschnack dermassen gröhlen, dass man leicht begreifen konnte, warum und wieso sich die Vereine gegen Thierquälerei rapid vermehrten. Ich fühlte instinktiv, dass ein Arbeiter-Verein einen ganz anderen Beruf haben sollte, als die Pflege von geleiertem Gefasel und gefaseltem Geleier; ich deutete das auch an, wusste aber selbst nichts Rechtes vorzuschlagen bis ich vermöge eines zu *La Chaux de Fonds*, einem etwa eine Wegsstunde von Locle entfernten Grossdorf von damals 40,000 Einwohnern, stattgehabten grossen Arbeiterfeste, zu dem auch viele Auswärtige, so z. B. die Mitglieder des Locler Vereins, erschienen waren, den richtigen Pusch ins correkte Fahrwasser erhielt.

In La Chaux de Fonds war einige Zeit zuvor eine Sektion der „Internationalen Arbeiter-Association" entstanden und zwar jene, welche später den Kern der anarchistischen „Jura-Föderation" bildete. Aus derselben gingen alsbald diverse feurige Redner hervor, welche es verstanden die moderne Ge-

51

sellschaft drastisch zu geisseln und mit Begeisterung die soziale Revolution zu herolden. Dieselben benützten auch den guten Besuch des obgedachten Arbeiterfestes dazu, gehörig die Pauke zu schlagen, was Manchen zum Denken, mich zur Selbsterkenntniss brachte.

Was ich da hörte, vermochte ich ohne Weiteres zu indossiren. Das war ja Alles ganz logisch, das stimmte auffallend, passte klipp und klar in einander. So oder ähnlich fuhren mir zuvor schon gar manche Gedanken durch den Kopf ; ich wusste sie nur nicht in correkten Zusammenhang zu bringen, zu systematisiren. Und diese einfache Lehre nannten die Redner Sozialismus. Mir wurde es auf der Stelle einleuchtend, dass auch ich Sozialist sei, längst zuvor war, ohne es zu wissen. Immerhin kaufte ich mir diveise Broschüren, deren Inhalt ich alsbald verschlang und daraus erst recht die Ueberzeugung schöpfte, dass der Gedankengang der Sozialisten in der Hauptsache mir zuvor schon kein fremder war.

Die Art und Weise, wie derselbe vorgetragen wurde, berauschte mich aber — namentlich wurde ich bei der Lektüre diverser Lassalle'scher Broschüren förmlich begeistert, obwohl sie mich heute, wo diese Schriften veraltet sind, schwerlich erwärmen könnten. Ich fühlte mich angespornt, nicht nur ein Anhänger dieser Lehren zu werden, resp. zu bleiben, sondern Propaganda dafür zu machen.

Im Verein wurde ich lauter und lauter ; den seichten Schwätzereien in den Discussionsstunden machte ich mehr und mehr ein Ende. Ich wühlte auch ausserhalb des Vereins, zog neue Mitglieder heran und brachte binnen sechs Monaten die Zahl derselben von 17 auf 72. Bald wurde ich zum Sekretär ernannt und setzte mich als solcher mit auswärtigen Gleichgesinnten brieflich in Verbindung, was wiederum zu weiterer Schärfung der Argumentations-Fähigkeit und des Agitations-Eifers führte.

Von da ab fühlte ich mich eigentlich erst als Mensch ; es schwebte mir endlich ein Lebenszweck vor Augen, der über den blossen Kampf ums Dasein und die Befriedigung augenblicklicher individueller Bedürfnisse hinaus ging ; ich lebte mich ins Reich der Ideale hinein. Es beseelte mich ein gewisser Drang nach Erfüllung einer höheren Mission. Der

52

Privatmensch schrumpfte sozusagen graduell in mir zusammen; was noch von einer Philister-Seele in mir gewohnt haben mochte — es vertrocknete. Die Sache der Menschheit war fortan meine Sache. Jeder Fortschritt, den dieselbe zu verzeichnen hatte, erfüllte mich auch persönlich mit hoher Freude; jedes Hinderniss, das ihm reaktionäre Gewalten bereiteten, erregte in mir bitteren Hass gegen die Schuldigen und die von denselben repräsentirten Institutionen.

Mein Feuereifer für die Förderung der sozialen Revolution hat mir, wie noch zu erzählen bleibt, gar viele Unannehmlichkeiten bereitet; und vielfach haben Freunde daraus den Schluss gezogen, dass ich mich für Andere „geopfert" hätte, während Menschenfeinde und Alltagsnullen meinten, ich sei verrückt. Beide Ansichten sind grundfalsch, wie ich zum besseren Verständniss meiner späteren Lebensschicksale schon jetzt ausdrücklich betonen will. Weder habe ich bisher je ein Verlangen darnach getragen, ein Märtyrer zu werden, noch fühlte ich mich als selbsterkorenes Opferlamm; ich handelte, dachte, redete, schrieb etc. einfach nach meinen inneren Impulsen und fand darin meine Befriedigung, meinen höchsten Lebensgenuss.

XIV.

Je mehr ich zu Locle für den Arbeiter-Verein und sonstwie agitatorisch thätig war, desto weniger Interesse hatte ich an der Fabrikation von Uhrenfutteralen zum Vortheil eines spiessbürgerlichen Ausbeuters. Dieser fand, dass ich durch mein Verweilen im Verein bis in die späte Nacht hinein am Tage nicht mehr die rechte Arbeitslust entwickelte und fing darob mit mir zu krakehlen an, was meinerseits nicht unerwidert blieb. Die „Harmonie zwischen Kapital und Arbeit" ging täglich entschiedener in die Brüche und bald kam es zum definitiven Krach. Und da an Ort und Stelle keine anderweite Beschäftigung zu erlangen war, so musste eben wieder zum Ziegenhainer gegriffen werden. Das trug sich Ende November 1867 zu.

53

Im Zickzack lenkte ich meine Schritte nach Zürich — en route mich in herkömmlicher Weise durchfechtend, Abends aber auch mitunter in Arbeiter-Vereinen, namentlich wenn sich dieselben als Schlafmützen-Herbergen erwiesen, etwas Leben in die Bude bringend. Denn wenn ich damals auch noch nicht im Stande war, eigentliche Vorträge zu halten, so vermochte ich doch schon recht lebhaft zu debattiren („schwadroniren", sagten phlegmatische Brüder und Solche, die an Blutwärme-Mangel litten). In Zürich trat ich in Arbeit — nicht aus besonderer Zuneigung zu derselben, sondern weil dieses nothwendige Uebel nicht zu umgehen war, wenn ich an Ort und Stelle verweilen wollte, wie es aus anderen Gründen sehr stark der Fall war.

Nahezu ein Jahr lang schlug ich mich mit diversen Krauterern herum. Schliesslich versuchte ich es sogar, unter die Fabrikanten zu gehen. Ein vacirender Hutmachergeselle und ich bildeten nämlich eine Compagnie behufs Hutfabrikation originellster Art.

Wir mietheten ein mit einem Waschkesselheerd versehenes Kellerloch, stellten statt Werktischen etliche Packkisten auf und kauften Pelzabfälle, aus dessen Haaren wir Filzhüte produzirten, welche zwar nicht besonders schön, aber dauerhaft und billig waren und daher einen ziemlichen Absatz fanden. Meine Thätigkeit beschränkte sich allerdings darauf, die Haare von den Fellfetzen zu schneiden, sowie Futter, Einfassung und Bänder um- und aufzunähen; dafür besorgte ich aber den Verkauf per Hausirhandel. Trotz alledem war bei der ganzen Geschichte auf keinen grünen Zweig zu kommen, weshalb nach Verlauf von vier Monaten Liquidation erfolgte.

Was mich an Zürich fesselte, das war der dortige Arbeiter-Verein „Eintracht", welcher heute noch besteht, aber nicht immer seinem Namen so viel Ehre machte, wie zur Zeit, von der hier die Rede ist.

Dieser Verein hatte eine sehr beträchtliche Mitgliederzahl, geräumige Lokalitäten und eine gute Bibliothek aufzuweisen, und es herrschte in demselben ein recht brüderliches Verhältniss. Eine ausgesprochen sozialistische Tendenz herrschte zwar nicht vor, drang aber immer entschiedener in

54

denselben hinein. Die ehemaligen Vereinsgrössen, Dr. *La-dendorf* und Professor *Wislicenus*, welche radikale Demokratie paukten und freireligiöse Predigten hielten, kamen durch die immer häufiger und eifriger gepflogenen Discussionen über die soziale Frage, resp. den Sozialismus, mehr und mehr ausser Cours. Ein ganz besonders revolutionär auftretender Agitator war damals *H. Greulich*, der Redakteur der „Tag-wacht", eines kleinen, aber ungemein schneidig gehaltenen Blattes, dessen Geist am besten durch seine Titelvignette gekennzeichnet war, indem dieselbe einen Arbeiter mit auf-gestreiften Hemdärmeln vorstellte, welcher Alarm trommelte. Seitdem ist dieser Mann leider immer konservativer geworden und bekleidet nun schon seit vielen Jahren das Amt eines staatlich besoldeten Arbeitersekretärs von geradezu amerika-nischer Qualität. Damals spieb er gewissermassen Feuer und redete Schwerter. Was mir an Enthusiasmus für das neue Evangelium allenfalls noch fehlte, das schöpfte ich aus seinen Haranguen; und so weit es in meinen Kräften stand, suchte ich ihm zu secundiren.

Wie in verschiedenen anderen schweizerischen Städten, existirte schon damals (wie heute noch) im Schoosse des ob-gedachten Vereines eine Art Konsums - Kommune, die sich vortrefflich bewährte. Drei gemeinsame Mahlzeiten wurden täglich im Vereinslokale eingenommen. Man bezahlte sieben Franken per Woche und konnte essen, so viel man wollte. Wein wurde zum Selbstkostenpreis, d. h. weniger als halb so theuer, wie in Wirthshäusern, geliefert. Die Speisezettel hat man allmonatlich durch die Generalversammlung dermassen vereinbart, dass den verschiedensten Geschmäckern Rechnung getragen wurde. Sonntags brach nach dem Mittagsmahl ge-wöhnlich die ganze Gesellschaft auf und unternahm — die Sänger an der Spitze — einen Ausflug, wobei es gewöhnlich äusserst fidel herging, aber auch nicht selten propagandistisch gewirkt wurde.

Zu einer komischen Situation führte das Küchenpersonal, bestehend aus zwei Köchinnen, die im Vereinsgebäude wohn-ten. Da die liebe Nachbarschaft schnell mit der Behauptung bei der Hand war, dass die Moral unter einen solchem Zustand bedenklich in Gefahr sei, so wurde den Vereins-Statuten ein. Amendement beigefügt, nach welchem kein Mitglied befugt

55

sein sollte, mit einer Köchin ein „Verhältniss" anzuknüpfen, ansonsten entweder die Küchenfee entlassen oder deren Galan von der Vereinsliste gestrichen werde. „Ausgehen" konnte man zwar, wie noch beigefügt war, mit einer Köchin, jedoch nicht öfter als drei Mal hintereinander und nicht ohne vorherige Meldung beim Verwalter!! — — Man kann sich natürlich denken, dass es mit der Einhaltung dieser Paragraphen nicht sehr genau genommen wurde. Andererseits kann ich mich nicht erinnern, dass besondere Klatschereien oder gar Eifersüchteleien wegen der Köchinnen zu Tage traten. Entweder waren die Meisten ungeheuer moralisch oder es herrschte stillschweigend freie Liebe pure and simple — ich für meinen Theil verstand damals übrigens von der Sache nicht viel, weil ich mir einredete, dass mir das ewig Weibliche wegen meiner verschobenen Visage nicht hold sei, und demgemäss den Spiess umdrehte und den „Weiberfeind" herausbiss, was freilich in späteren Jahren mich nicht vor dem (allerdings total unberechtigten) Vorwurf, ein „Don Juan" zu sein, zu schützen vermochte.

Wie im Sommer die gemeinsamen Spaziergänge sehr beliebt waren, so waren es im Winter die geselligen Abende und Theatervorstellungen, welche die „dramatische Sektion" veranstaltete. Man kann sich denken, dass ich unter den Mitgliedern derselben zu finden war und nicht den Passiven spielte.

Einmal — es handelte sich um eine Wohlthätigkeits-Vorstellung zum Besten Derer, welche unter einer in Ostpreussen ausgebrochenen Hungersnoth litten — verstiegen wir uns zur Aufführung des dramatischen Gedichtes „Milthiades" von Seume. Ich war Inspicient, Garderobier, Requisiteur und Theaterdiener. Ausserdem hatte ich noch den „blinden Epicelos" darzustellen. Eine schnurrigere Tragi - Komödie ist wohl noch nie über die Weltenbretter marschirt, als diese. Die Deklamation liess sich zwar noch hören, obgleich der „Archon"-Darsteller einmal die Nachwelt in eine Nachtwelt verwandelte; was aber Dekoration und Garderobe anbelangt — in dieser Beziehung war die Travestie geradezu ideal. Wir „Mimen" erschracken förmlich vor uns selbei und hatten eine Höllenangst vor dem Massen-Auspfiff eines total ausverkauften Hauses; indessen — unglaublich, aber wahr! — das Publi-

56

kum bemerkte gar nichts und applaudirte wie besessen. Ein
Schulmeister, der sich einredete, aus dem ff in den „alten
Griechen" beschlagen zu sein, kam sogar hinter die Coulissen,
um uns mit überschwenglichem Pathos dazu zu gratuliren, dass
wir uns an solch' klassischen Stoff herangewagt. Es fehlte
nur noch ein Lorbeerkranz.

Im Laufe des Jahres 1868 hatte ich mich auch als „Mili-
tärpflichtiger" zu „stellen", wurde aber selbstverständlich für
„dauernd militäruntauglich" befunden, hatte jedoch nichtsdestoweniger für den „Freischein" zehn Gulden zu entrichten.
Das heisst, bezahlt hat sie mein Vater, denn ich kam total
„blank" nach Augsburg.

Nach der Abstellung kehrte ich nach Zürich zurück,
ohne indess noch viel Sitzleder zu verspüren. Mein Schädel
war voll vom Verlangen, mich an einen Ort zu begeben, wo
ich Gelegenheit haben könnte, mich so recht in den vollen
Strudel der Arbeiterbewegung zu stürzen. Das schien mir in
Wien möglich zu sein.

XV.

Die Niederlage, welche bei Königsgrätz über die schwarz-
gelbe Zopfregierung hereingebrochen war und das ganze
österreichische Kaiserreich bis in seine morschen Grund-
festen hinein total erschüttert hatte, brachte den Burgtroddel
von Wien auf die Idee, es einmal mit einer „liberalen Aera"
zu versuchen, und das ehemals „allerunterthänigst oppositio-
nelle" Advokatengeschmeiss kam an's Ruder.

Sogenannte „Grundrechte" (hübsch geschriebene Ver-
fassungssächelchen) wurden proklamirt, und im Ausland gab
es bald Einfaltspinsel genug, welche in der Presse von einer
„Freiheit, wie in Oesterreich" fackelten.

Immerhin liefen die Dinge eine Weile ziemlich glatt.
Insbesondere durften die Arbeiter, denen zuvor nur katholische Gesellen-Vereine und zünftlerische Zwangsgenossen-
schaften offen standen, daran denken, sich zu organisiren und
öffentliche Agitationen zu betreiben.

Das Jahr 1867 sah daher plötzlich auf österreichischem

57

58

Boden eine sehr lebhafte Arbeiter-Bewegung eistehen, wie sie sich kurz zuvor noch der hoffnungsvollste Optimist nicht hätte träumen lassen. Die Arbeiter-Vereine schossen überall wie Pilze aus der Erde. Und, was das Diolligste war: Regierung und Bourgeoisie waren darüber hoch erfreut. Sie glaubten nämlich, diese organisirten Arbeiter würden leicht dazu verwendet werden können, im Kampfe zwischen den Feudal-Klerikalen und den Liberalen zu Gunsten der Letzteren den gedankenlosen Chorus zu bilden.

Allerlei Schulmeister und Literaten warfen denn auch ihre Angeln aus, an denen Spar-Würmer und Bildungs-Maden als Lockspeise befestigt waren. Arbeiterfeste wurden nicht selten von Reichsraths-Abgeordneten ja sogar von Ministerñ besucht, und die Arbeiterfreundlichkeit der Repräsentanten des Kapitalismus war ganz ungeheuer gross. Die Leutchen sahen im Geiste den Schultze-Delitzschismus in österreichischer Auflage. Sie hatten die Rechnung ohne jene Arbeitei gemacht, welche schon vor Beginn einer polizeilich erlaubten Arbeiter-Bewegung in aller Stille Sozialisten geworden waren.

Diese Elemente bemächtigen sich bald der Volksversammlungs-Tribünen und machten Denen, die im Trüben fischen wollten, das Leben verdammt sauer. Binnen Jahresfrist waren diese Klopffechter völlig lahm gelegt, und die ganze Bewegung hatte einen sozialistischen Charakter, ja, sie war sogar revolutionärer Natur, auch insofern, als in den Kreisen der daran Betheiligten nicht nur ziemlich unverhohlen, sondern sogar in sehr derber Weise einer möglichst baldigen allgemeinen Volkserhebung das Wort geredet wurde.

Die Organisation der Arbeiter entsprach diesem ihrem Geiste. Sie war föderalistisch, also freiheitlicher Natur.

Für mich konnte es keine passendere Sphäre geben, wie diese Bewegung. Ich stürzte mich dermassen in dieselbe hinein, dass ich gänzlich darin aufging.

Obwohl ich bei geringem Verdienst vom frühen Morgen bis zum späten Abend arbeiten musste, lief ich nach vollbrachtem Tagwerk und an Sonntagen von einer Arbeiter-Versammlung zur anderen.

Ich vermochte zwar zu jener Zeit noch keine eigentlichen Vorträge zu halten, vielmehr geizte ich darnach, die Reden

58

Anderer zu hören; wohl aber pflegte ich oft und gern das Wort in der Debatte zu ergreifen.

Dieses mein Thun war jedoch grundverschieden von jener Quatsch-Krankheit, welche sich heutzutage in gar vielen Arbeitervereinen bemerkbar macht und die mitunter den armen Zwangszuhörer zur Verzweiflung treiben könnte. Wenn ich das Wort ergriff, so hatte ich stets auch irgend etwas von Interesse zu sagen, und das Stereotyp der Nachschwätzer: „Wie bereits der Vorredner schon erwähnt hat" kam nie über meine Lippen.

Meine Ansprachen waren zwar nicht ganz ohne oratorischen Schmuck, doch entbehrten sie jeder Eigenschaft, sie als parlamentarische Schönreden zu qualifiziren. Sie waren aber drastisch, volksthümlich, originell, vor Allem aus vollem Herzen kommend und darum auch nie und nirgends in Arbeiterkreisen ungern gehört.

Diese meine Thätigkeit in Verbindung mit meinem geselligen Wesen, demzufolge ich unter den Arbeitern allenthalben „umherkugelte", machte mich bald zu einem der populärsten Männer in der Wiener Arbeiterschaft, obwohl ich niemals irgend eine Stelle als Parteibeamter oder dgl. bekleidete, nicht einmal Mitglied irgend eines Committees werden mochte.

Die Regierung sah schliesslich ein, dass sie sich in den Arbeitern getäuscht hatte, und nahm die treibenden Kräfte der Bewegung unter scharfe Ueberwachung, aus welcher nicht viel später die eigentliche Verfolgung derselben hervorgehen sollte.

Einer der Ersten, die an die Schattenseiten des „Bürgerministeriums" Giskra und Consorten glauben mussten, war ich.

Am 30. Mai 1869 war auf der „Schönen Ansicht" zu Fünfhaus (Vorstadt von Wien) eine Volksversammlung im Freien abgehalten worden, zu der sich etwa 10,000 Arbeiter eingefunden hatten.

Unter den Sprechern befand auch ich mich. Meiner längeren Rede kurzer Sinn war der: Der Liberalismus ist Schwindel, die Pfaffen sind Betrüger, die Bourgeoisie schneidet uns die Hälse ab, die Polizei und das Militär stehen

59

Wacht dabei, und die Regierung sagt, das Alles sei eben gerade in der Ordnung. Am anderen Tage hatte die Presse in dieser Rede ein Haar gefunden und dementsprechend den „frechen Buchbindergesellen" heruntergerissen. Insbesondere zog das „Neue Wiener Fremdenblatt", welches als halbofflzielles Organ der Regierung galt, ordentlich vom Leder und verlangte direkt die Einsperrung des Sprechers.

Diese wurde auch sofort beschlossen, wenn auch erst zwei Monate später durchgeführt, weil ich, da mich mein Arbeitgeber auf obgedachten Zeitungs-Artikel hin entlassen hatte, in Wien gesucht wurde, während ich mich in Vöslau befand.

Am. 30. Juli kehrte ich, nichts Arges ahnend, nach Wien zurück. Als ich daselbst meine frühere Wohnung aufsuchte, schloss sofort der Hausmeister das Thor und schickte nach der Polizei, die mich unter ihre Fittiche nahm.

Nachdem mir ein Polizei-Commissär klar gemacht, dass eine Anklage, lautend auf „Störung der öffentlichen Ordnung", vorliege, transportirte man mich in's Untersuchungs-Gefängniss.

Da jedoch am folgenden Tage noch ein anderer Redner Namens Brüshaver den Prozess gemacht bekam, so nahm man den soeben eingelieferten Sünder auch gleich vor, so dass wenigstens die sonst häufig übliche langwierige Untersuchungshaft in Wegfall kam.

Das Resultat der Gerichts-Comödie war, dass ich einen Monat „strengen Arrest" aufgebrannt bekam.

XVI.

Die Gefangenschaft, von der zuvor die Rede war, liess sich ertragen. Man hatte zu damaliger Zeit in Oesterreich noch humane Anwandlungen politischen Gefangenen gegenüber. Ich wurde in einer sogenannten Literatenzelle untergebracht. Dieselbe war ein ziemlich geräumiges Zimmer, das die nöthigsten Möbel, wie Bett, Tisch, Stuhl und dgl. enthielt und mit einem grossen, freilich über Manneshöhe angebrachten und wohlvergitterten Fenster versehen war. Die Thüre wurde nur Nachts verschlossen. Am Tage konnten die Bewohner solcher Zellen im Garten des Verwalters oder auf dem Vorplatze promeniren oder auch sich gegenseitig besuchen. So ungefähr wird es meines Wissens auch in dem für Presssünder bestimmten Pariser Gefängniss „La Pelagie" gehalten.

Essen und trinken konnten die Gefangenen dieser Abtheilung auf eigene Kosten, was ihr Herz begehrte. Sie durften rauchen und Licht brennen, so lange es ihnen beliebte, waren auch im Aufstehen u. s. w. an keine Hausregeln gebunden, wie sie überhaupt keiner eigentlichen Disciplin unterworfen waren. Bücher, Zeitungen und Schreibmaterialien waren ihnen in unbeschränkter Menge gestattet; und wie sie sich beschäftigen wollten, das war ihre Sache. Es verstand sich von selbst, dass ihre Freunde der Aussenwelt sie jederzeit sprechen konnten. Endlich waren auch die Beamten in ihrem Umgang mit diesen Gefangenen ganz gemüthlich, was freilich viel mit erhaltenen oder erwarteten Trinkgeldern in Zusammenhang stand.

Sogar der Hauspfaffe zeigte sich als ein ganz jovialer Geselle. Er kam oft, jedoch nicht, um Bekehrungsversuche anzustellen, sondern um mit den Gefangenen Karten zu spielen und Bier zu trinken.

Ich benutzte übrigens die mir gewährte kurze Sitzung wesentlich zum Lesen nützlicher Bücher. Und die ganze Affäre war jedenfalls für mich weder qualvoll, noch überhaupt nachtheilig. Sonderbarer Weise sollte hingegen der Tag meiner Entlassung ein wirklicher Busstag werden.

Man rief mich am 31. August Morgens um 8 Uhr nach dem Verwaltungs-Bureau, wo die Entlassungs-Formalitäten vollzogen wurden. Nach einigen unwesentlichen Redensarten fragte der amtirende Beamte: „Wer übernimmt Sie?"

Ich lächelte, und dachte: Welch' eine Neugier! Der Bureaukrat jedoch wurde ungeduldig und drang auf prompte Antwort.

„Ja, wer soll mich denn übernehmen?" erwiderte ich etwas schnippisch. „Ich bin doch nun frei und mein eigener Herr."

„Thut mir leid", hiess es auf der anderen Seite, „aber Sie müssen von irgend Jemandem übernommen werden, das ist

61

gesetzliche Vorschrift, andernfalls muss ich Sie der Polizei
zur Verfügung stellen."

Ich verlor die Geduld und wurde grob. Das Schluss-
Tableau bildete mein Transport nach dem Hauptpolizeiamt.
Dort herrschte ein anderer Ton als im lustigen Flügel des
Landesgerichts-Gefängnisses. Ein roher Büttel schob mich,
aller meiner Protestationen ungeachtet, in einen engen, dun-
keln, stinkigen Raum, worin sich allerlei zerlumpte Gestalten
beiderlei Geschlechtes befanden, lauter entlassene Sträflinge,
die auch das Unglück hatten, von Niemandem übernommen
zu werden.

Nach längerem Warten wurden die Leute einzeln vor den
Commissär für das Schubwesen gerufen. Endlich drang auch
der Name Most an mein Ohr.

Dieser Commissär liess auf den ersten Blick erkennen,
dass er ein Flegel erster Klasse sei.

„Sie übernimmt also Niemand?" rief er dem Eintreten-
den entgegen ; und ohne eine Antwort abzuwarten, fügte er
brüllend hinzu: „Man wird Sie mithin einfach als Vagabund
behandeln und in Ihre Heimath schaffen."

Ich hatte mir die Sache inzwischen überlegt und mein
Adressen-Gedächtniss nach einem etwa passenden Menschen
durchstöbert, der mich etwa (pro forma) „übernehmen"
könnte. Ich erinnerte mich eines Parteigenossen, der eine
kleine Buchbinderei betrieb. Diesen nannte ich nun und
setzte die Nothlüge hinzu, dass ich bei demselben in Arbeit
treten könne.

„So, so", schnauzte der Commissär, „weshalb haben Sie
das nicht gleich gesagt? Uebrigens wohnt ja dieser Mann im
Distrikt Neubau, ergo werden Sie zunächst nach dem dortigen
Polizei-Commissariat gebracht."

Weiteres Reden wäre da ganz unnütz gewesen. Es wurde
ein Glockenzug gezerrt und ein dienstbarer Geist trat ein,
welcher nach Empfangnahme eines Aktenheftes und nach
gehörter mündlicher Instruktion mich nach der Polizei-
Wachtstube brachte, von wo aus ich in Begleitung eines
Sicherheitswächters, wie in Wien die Büttel heissen, nach
dem Commissariat Neubau durch diverse Strassen pilgern
musste.

62

Nach einigen Empfangsgrobheiten bequemte sich der dortige Polizei-Commissär, einen „Vertrauten" (Detectiv) nach dem fraglichen Buchbinder zu senden. Bis zu dessen Rückkehr wurde ich in das allgemeine Arrestloch gesteckt, wo die frisch eingelieferten Bettler etc. provisorisch untergebracht zu werden pflegten und wo er von Schmutz starrte und von Ungeziefer wimmelte.

Der Buchbinder war unglückseliger Weise gerade auf einige Tage auf's Land gegangen. Der Commissär liess vor Wuth wahre Donnerwetter los. Nachdem sich der Sturm etwas gelegt hatte, wurde neuerdings das fatale·Problem aufgeworfen: „Wer übernimmt Sie?"

Ich verfiel nun auf einen anderen Gedanken. „Wenn ich auch momentan nicht weiss, wer mich übernimmt", sagte ich, „so habe ich doch Subsistenzmittel." Dabei zog ich einige Guldenzettel aus der Tasche.

Ueber das commissarische Gesicht zog die Dämmerung eines lichten Augenblicks. Wenn ordinäre Creaturen Geld sehen — viel Geld oder wenig Geld, aber immerhin Geld — so schiesst ihnen gleich ein gewisser Respekt in die Gesichtshaut.

„Hm, hm", entmurmelte sich nun ein werdender Gedanke dem Barte des Polizeiers. „In welchem Distrikt haben Sie früher gewonnt?"

„In der Alservorstadt."

„Transportiren wir sie nach der Alservorstadt."

Das alte Lied wurde repetirt. Gezogene Schelle, informirter Dienstgeist, stinkende Wachtstube, uniformirter Schutzengel — „vorwärts, marsch!"

Auf dem Commissariat der Alservorstadt wurde selbstverständlich zunächst wieder ein Zwangsbesuch des Hallunken-Stübchens vollzogen. Hernach hatte hier der Herr Schubagent etwas zu inquiriren.

„Wer übernimmt Sie?"

Wie ein herrenloser Hund starrte diese nachgerade unlösbare Frage mir entgegen. Wer sollte mich wohl „übernehmen"? Meinen Quartiergeber von früher konnte ich nicht nennen, denn er hatte, als er merkte, wie sehr die Polizei sich für mich interessire, dermassen den Schlotter bekom-

63

men, dass er sicher die wenn auch nur formelle Uebernahme verweigert und so dem Uebel die Dornenkrone aufgesetzt hätte.

Mein Besinnen gefiel dem gestrengen Bezirkskönig ganz und gar nicht. „Wenn Sie jetzt nicht augenblicklich sagen, wer Sie übernimmt", unterbrach er die peinliche Gesprächspause, „dann gehen Sie mit dem nächsten Schubtransport nach der Westgrenze."

Diese angenehme Alternative machte meinen Gehirn-Mechanismus in rascherem Tempo reagiren. Wie eine Rakete sauste mir ein letzter Hülfsgedanke durch den Kopf.

In der Alservorstadt gibt es ein Gasthaus zum „Schwarzen Adler". Dort hatte eine Filiale des Wiener Arbeiterbildungsvereins ihr Quartier aufgeschlagen. Der war zwar, wie alle Bierhändler, bei denen Arbeiter verkehren, nur zum Schein „für die Sache", allein seine Kundschaft, zu der auch ich gehörte, legte ihm doch genugsam die Verpflichtung auf, derselben im Nothfalle eine kleine Gefälligkeit zu erzeigen. Den nannte ich als den Mann der „Uebernahme."

Man schubirte mich nach dem „Schwarzen Adler", und ich war frei, nachdem ich von Morgens 8 Uhr bis Abends 4 Uhr zwischen Furcht und Hoffnung geschwebt.

XVII.

Die österreichische Regierung merkte bald, dass sie durch das Einsperren diverser Volksredner ihr Ziel, die Hemmung der Arbeiterbewegung, nicht erreichen konnte, sondern dass solche Verfolgungen nur dazu angethan waren, den Verurtheilten die allgemeine Sympathie des Publikum zu sichern und die Opposition gegen die herrschende Klasse zu verstärken. Aus dieser Erfahrung zog sie jedoch durchaus nicht die Lehre, dass gegen neue Ideen mit Gesetzesknitteln nicht erfolgreich gekämpft werden könne. Sie wurde vielmehr den Arbeitern gegenüber immer kratzbürstiger. Giskra erklärte die Bestrebungen der Sozialdemokratie für „staatsgefährlich" und gab der Polizei die Weisung, überall den Sozialisten energisch in den Weg zu treten.

64

65

Es regnete nun Verbote und Auflösungen von Versammlungen und Sperrungen von Vereinen. Ebenso wurden gegen die „Volksstimme", das damalige Parteiorgan der österreichischen Sozialisten, diverse Pressprocesse angestrengt.

Alle diese Scherereien so ganz geduldig hinzunehmen, dazu hatte man in den Kreisen der organisirten Arbeiter, deren Zahl sich zu jener Zeit auf nahezu 30,000 belief, keine Lust. Es wurde zunächst eine Protest - Demonstration beschlossen.

Dieselbe ward im Geheimen systematisch vorbereitet und am 13. Dezember 1869 in grossartiger Weise ins Werk gesetzt.

An diesem Tage (es war ein Montag) sollte der Reichsrâth — das österreichische Parlament — eröffnet werden. Dieser edlen Volksvertreter-Sippschaft gedachten die Arbeiter in Massen mit einer sogenannten Sturmpetition auf den Leib zu rücken und darin das Verlangen zu stellen, dass augenblicklich Rede-, Press- und Versammlungsfreiheit durch unzweideutige Beschlüsse garantirt würden.

Wie abgemacht, verliessen die Proletarier um neun Uhr Morgens die Fabriken, Bauplätze und Werkstuben, um in geschlossener Colonne nach dem Paradeplatz, wo sich das Parlamentsgebäude befand, zu marschiren. Einem jeden Unzufriedenen musste das Herz im Leibe lachen, als er diese Schaaren von allen Richtungen her anrücken sah, um in militärischer Ordnung den Gesetzgeber-Tummelplatz zu umzingeln.

Die Polizei war in voller Stärke auf den Commissariaten versammelt, ebenso stand die ganze Garnison unter Waffen in den Kasernenhöfen. Ein Befehl zum Einschreiten gegen die Arbeiter wurde jedoch nicht gegeben. Vielleicht war sich die Regierung ihrer Sache nicht mehr ganz sicher, als sie hörte, dass sich an dieser Demonstration 50—60,000 Personen betheiligten. Jedenfalls wollte sie es abwarten, ob die Arbeiter zuerst zur Gewalt schreiten würden, was jedoch nicht der Fall war. Ausserdem hatte die Regierung insofern den Demonstranten ein Schnippchen geschlagen, als sie die projektirte erste Parlamentssitzung im letzten Augenblick für den Montag heimlich absagen und auf den Dienstag ansetzen liess.

65

Das ürsprüngliche Programm der Demonstration konnte demgemäss freilich nicht ausgeführt werden, doch wollte man keineswegs wieder abziehen, ohne vorher in irgend einer Weise die Forderungen des Volkes den Regierern zu Gemüthe geführt zu haben.

Es wurde ein Committee ernannt, welches aus folgenden Männern bestand: Hartung, Baudisch, Pfeifer, Berka, Schäftner, Eichinger, Schönfelder, Dorsch, Hecker und Gehrke. Dieselben hatten die Aufgabe, zum Ministerpräsidenten zu gehen, die Sturmpetition einzureichen und auf Antwort zu pochen.

Dieser saubere Patron, Graf Taaffe, der schon längst als ein aalglatter Höfling bekannt war, liess sich nach einigem Parliren darauf ein, die Mitglieder des Committee's zu empfangen, jedoch stellte er die bezeichnende Bedingung, dass die Leute keine Stöcke mit in's Zimmer bringen sollten.— Hartung, Baudisch und Pfeifer rückten nun vor. Der Minister war sehr höflich, aber auch nichtssagend. Seiner langen Rede kurzer Sinn lief etwa auf Folgendes hinaus :

„Die Regierung hat die Förderung der Arbeitersache ernstlich im Auge und sie wird gewiss Alles thun, was in ihren Kräften steht, um Ihren Forderungen gerecht zu werden. Ich allein kann doch aber nicht entscheiden, sondern muss erst eine Ministersitzung einberufen und sodann dem Reichsrathe das Weitere überlassen, da wir ja in einem konstitutionellen Lande leben. Uebrigens rathe ich Ihnen davon ab, zur Erreichung ihrer Ziele, solche Wege zu beschreiten, wie Sie heute gethan haben. Das streift an Revolution."

Während die Deputation bei Taaffe war, wurden auf dem Paradeplatz seitens anderer Agitatoren Ansprachen gehalten, welche von vielen Dingen handelten, nur nicht vom Lobe der Regierung, Polizei u. s. w. Unter diesen Sprechern befand auchich mich ; ich war übrigens schon bei Vorbereitung dieser Demonstration mit ganz besonderem Eifer thätig.

Die Versammelten waren durch die gehörten Reden gerade in die richtige Stimmung versetzt worden, um, als die Deputation die faulen Ausflüchte des Grafen Taaffe vermeldete, in einen wahren Sturm der Entrüstung auszubrechen.

Ein Umzug durch die Hauptstrassen der Stadt und eine Protestversammlung beim „Zobel", in der Vorstadt Fünf-

66

haus, wo es sehr heiss herging, endete die Demonstration, welche von Morgens bis in die Nacht hinein ganz Wien in der grössten Aufregung erhalten hatte. Das Resultat folgte etwas später, war aber keineswegs von der gewünschten Qualität.

Fünf Tage nach diesem Ereigniss, also nachdem der Schlotter sich aus den Kniekehlen der Parlamentariei etwas verzogen hatte, stellten im sogenannten Herrenhaus etliche Fürsten, Grafen und sonstige Raubritter die Interpellation, weshalb die Regierung diese Demonstration nicht verhindert habe und was sie zu thun gedenke, wenn nochmals etwas Derartiges passire?

Graf Taaffe versprach, binnen fünf Tagen zu antworten. In der Nacht vom 4. auf den 5. Tag liess er die Mitglieder jenes Committees verhaften, welches von den Demonstranten zum Ministerpräsidenten geschickt worden war. Nur Einer, nämlich Hartung, vermochte sich durch schleunige Flucht der Einsperrung zu entziehen. Die Uebrigen wurden unter der Anklage, die Regierung „gefährlich bedroht" zu haben, auf unbestimmte Zeit in Untersuchungshaft geschickt.

Wieder verstrichen etliche Wochen, als der Staatsanwalt des Wiener Landesgerichtes — Schmeidel hiess die edle Seele —, der nun das Weitere zur Rettung der Gesellschaft zu besorgen hatte, sich vornahm, die „wahren Rädelsführer" aufzuspüren, da die Verhafteten, wie er sich ausdrückte, nur vorgeschobene und verführte Leute seien.

In einer Nacht wurden bei mehreren hundert Arbeitern gründlichste Hausdurchsuchungen vorgenommen, um „Material" zu dem Schmeidel'schen Zwecke zu erlangen. Auch ich war unter den gründlichst Beschnüffelten, jedoch wurde ausser Zeitungen und Broschüren nichts bei mir gefunden.

Trotz alledem wurde ich — und gleichzeitig mit mir Oberwinder, A. Scheu, Pabst und Perin — am 2. März 1870 unter der Anklage auf Hochverrath in Haft genommen.

XVIII.

Als ich innerhalb der Pforten des Landgerichtsgefäng-
nisses angelangt war, konnte ich sofort bemerken, dass die
Beamten ganz andere Gesichter hatten, wie ehedem. Ich
kam ja als ein „Rückfälliger" und war obendrein des
„schwersten Verbrechens" beschuldigt. Insbesondere machte
der Kerkermeister — wegen seiner kurzen Gestalt und riesigen
Nase von den Gefangenen „Schusterhammer" genannt — ein
Gesicht, als hätte er Drahtstifte verschluckt.

Ich Sünder wurde zunächst völlig ausgezogen, damit
jedes Kleidungsstück bis in die Nähte hinein genau inspizirt
werden konnte. Die Kopfbedeckung und alle Geräthschaften,
wie Messer, Notizbuch u. dgl., wurden innebehalten. Dann
ging es durch diverse eiserne Thüren und finstere Gänge nach
der Zelle No. 25, welche ich fortan als Wohnung benutzen
sollte.

Die Zellen des Wiener Untersuchungs-Gefängnisses sind
für je vier Personen eingerichtet; damals waren aber gerade
der Frau Justitia so viele kleine Spitzbuben ins Garn gelaufen,
dass durchschnittlich die doppelte Anzahl hineingepfercht
werden musste, wenn Alle Platz finden sollten.

Jeder Gefangene hatte einen zerlegenen Strohsack und
eine Art Pferdedecke zum Nachtlager zugetheilt bekommen.
Die vier ältesten Insassen konnten auf einer sogenannten
Pritsche, welche die rückwärtige Hälfte der Zelle einnahm,
sich betten; die Uebrigen mussten sich auf dem Fussboden
lagern.

Unter solchen Umständen wurden die Nächte häufig
schlaflos verbracht, zumal ausser diesem Zigeunerwesen noch
diverse Parasiten störend wirkten. Die Decken waren Brut-
stätten für Läuse, die Wände wimmelten von Wanzen, und
auf den Strohsäcken hüpften unzählige Flöhe um die Wette.

Zur Reinigung gab es einen hölzernen Eimer, in dem sich
Einer nach dem Anderen waschen konnte, nur durfte Keiner
zu viel Wasser verbrauchen, da sonst zum Trinken von der
dargereichten Ration nichts mehr verblieben wäre. Wer Geld

68

69

hatte, konnte sich übrigens auch andere Getränke verschaffen, gleichwie man sich auf eigene Kosten beliebig zu ernähren vermochte, doch musste Alles beim Restaurateur des Gefängnisses gekauft werden. Ebenso konnte man rauchen. Dagegen waren Zeitungen, Bücher und Schreibmaterialien strengstens verpönt. Die „Hochverräther" konnten auch mehrere Monate lang keinen Besuch empfangen. Man wollte sie mürbe machen.

Ich verlangte vom Kerkermeister, dass diese Uebelstände abgestellt werden und pochte dabei auf meine Eigenschaft als politischer Gefangener. Da hiess es: „In Untersuchungshaft gibt es keine politischen Gefangenen, sondern nur verdächtige Leute, welcher Art dieselben sind, das muss erst die Verhandlung lehren. Wenn Sie einmal verurtheilt sind, dann kann man Ihnen Begünstigungen zukommen lassen, eher nicht."

Diese Logik wollte mir nicht in den Kopf. Ich bombardirte immer und immer wieder mit Beschwerden. Der Kerkermeister wurde grob, ich schlug auch über Knigge's Complimentirbuch; ein Wort gab das andere; zuletzt offerirte ich eine Einladung à la Götz von Berlichingen, welche der Oberriegelschieber aber nicht acceptirte, sondern zum Anlass nahm, den „störrischen Burschen", wie er sich ausdrückte, auf 24 Stunden in den Dunkelarrest zu stecken.

Hier war also weder in Güte, noch auf derbe Weise etwas zu erzielen. Es blieb nur noch der Galgenhumor zum Trost.

Derselbe fand auch bald eine gute Gelegenheit, munter zu sprudeln. Unter meinen sieben Mitgefangenen befand sich Einer, der für den Gefängnisswärter allerlei freiwillige Dienste verrichtete. Er reichte Wasser umher, theilte Brod aus, holte den Kehricht aus den Zellen, räumte das Zimmer des Büttels auf u. s. w. Bei seinen Rundgängen traf er mit ähnlichen Hülfsgeistern anderer Stationen zusammen, hatte also Gelegenheit, Manches auszukundschaften. Diesem Mann liess ich Tabak zukommen, wofür der Erstere die Verpflichtung übernahm, auszuforschen, wo die übrigen „Hochverräther" internirt waren, und aus der Stube des Wärters Schreibmaterialien zu verschleppen.

69

Binnen Kurzem war denn auch eine wunderschöne Verbindung zwischen allen politischen Gefangenen hergestellt, theilweise sogar mit einer Schnurpost versehen. Es hatte sich nämlich herausgefunden, dass sich über meiner Zelle, welche im ersten Stockwerke des Gebäudes plazirt war, der Arrest Hecker's und über diesem Berka's Klause befand. Aus Strohsackfasern wurden nun Schnüre gedreht, an welche man Strümpfe band. In die letzteren that man einige Kieselsteine, die während des täglichen halbstündigen Spazierganges im Hofe aufgelesen werden konnten, um so der eigenthümlichen Postkutsche das nöthige Gewicht zu verleihen. Abends, wenn die Hausuhr Acht schlug, senkten sich die Postbeutel vom dritten nach dem zweiten und von da nach dem ersten Stock. Man leerte und füllte und berichtete sich gegenseitig, was man auf dem Herzen hatte, wobei fast durchgängig ein recht heiterer Ton angeschlagen wurde.

Um den Jux zu vervollständigen, verfiel ich sogar auf die Idee, eine Gefängniss-Zeitung herauszugeben. Dieselbe erschien allerdings nicht periodisch, sondern nur wenn genug Schreibmaterial zu erhalten war; auch konnte natürlich nur ein Exemplar von jeder Nummer hergestellt werden, welches sodann circulirte. Geschrieben wurde in Chiffern, zu denen ich allen meinen Leidensgefährten den Schlüssel gegeben hatte.

Der Titel dieses Blattes war „Nussknacker". Und Nüsse waren ja da genug zu knacken.

Etwa sechs Wochen lang nahm dieses Vergnügen seinen ungestörten Fortgang, als es plötzlich durch rauhe Hände gestört wurde. An einem schönen Sonnabend Nachmittags wurde zu gleicher Zeit, so dass keine Warnungssignale gegeben werden konnten, in den Zellen, wo „Hochverräther" lagen, von Gerichtsbeamten gründliche Visitationen vorgenommen. Bei Dreien fand sich je eine Nummer des „Nussknacker" und bei Oberwinder der Schlüssel zur Geheimschrift vor.

Wie sich später herausstellte, hatten nichtpolitische Mitgefangene den Verkehr, welchen die „Hochverräther" unter einander pflogen, verrathen.

Sofort wurden die Letzteren ausquartirt und nach anderen Zellen versetzt. Sie haben später neuerdings Verbindun-

70

gen unter einander hergestellt, jedoch so vollkommen, wie die zuvor geschilderten, waren dieselben nicht, auch wurden sie durch häufiges Umquartieren der fraglichen Leute wiederholt unterbrochen.

So waren drei Monate verstrichen, ohne dass ich je vor einen Richter gebracht oder sonstwie vernommen worden wäre. Endlich liess mich der Leiter dieser Prozesssache, Landesgerichtsrath Nebenführ, rufen, um mit mir drei Tage lang ein Verhör abzuhalten.

Zunächst wurden mir die einschlägigen Strafgesetz-Paragraphen vorgelesen, welche recht angenehm klangen.

Hochverrath, hiess es da — so ungefähr —, oder versuchter Hochverrath ist an den Ränelsführern mit dem Tode durch den Strang zu bestrafen. Liegen Milderungs-Umstände vor, so soll auf 10—20 Jahre und bei ganz besonderen Milderungs-Umständen auf 5—10 Jahre schweren Kerkers erkannt werden. Wer solche Geständnisse macht, dass auf Grund derselben andere des Hochverraths schuldige Personen zur Bestrafung gebracht werden können, der soll straffrei ausgehen.

Wie man sieht, war die Vorlesung auf Aengstigung und Verlockung zugleich berechnet. Ich kann aber constatiren, dass die gewünschte Wirkung in der einen, wie in der anderen Hinsicht, bei keinem der Inhaftirten hervorgebracht wurde.

Die Fragen, welche an mich gestellt wurden, bezogen sich auf alle erdenklichen Dinge und hatten den Zweck Antworten zu entlocken, die sich etwa als Material verwenden lassen könnten. Die Antworten entsprachen aber augenscheinlich den Wünschen des Inquisitors wenig; denn er hatte fortwährend ärgerliche Bemerkungen dazwischen zu werfen.

Auch der „Nussknacker", den man vermittelst des vorgefundenen Schlüssels dechiffrirt hatte, befand sich bei den Akten, weil daraus die wahre Gesinnung des Angeklagten zu ersehen sei. Im Uebrigen bewies das Verhör deutlich genug, dass ausser der revolutionären Gesinnung überhaupt den Angeklagten nichts nachgesagt werden konnte. Und da

71

selbst in Oesterreich die Gesinnung, das Denken, strafgesetz-lich zollfrei sein und bleiben musste, so wären von Rechtswe-gen die Gefangenen sofort frei zu lassen gewesen. Es kam aber anders.

XIX.

Es wäre nun die Verhandlung des *Hochverraths-Prozesses* zu beschreiben. Da dies aber in eingehender Weise und ver-sehen mit den nöthigen Kommentaren zu geschehen hat, so wird sich damit und mit Allem, was daraus erfolgte, der zweite Theil beschäftigen.

Hier lasse ich nur noch folgen, was an Literarischem aus meiner Untersuchungshaft in Wien hervorging, resp. was ich davon für reproduktionswürdig halte, wenn auch nicht gerade dem literarischen Werthe gemäss, wohl aber zur Charakteristik meiner damaligen Denk- und Gesinnungsart.

Merkwürdiger Weise fangen die meisten Proletarier, so bald und so weit sie sich berufen fühlen, ihre Gedanken und Gefühle zu Papier zu bringen, zu „dichten" oder vielmehr zu „reimen" an, statt sich in Prosa zu versuchen. Mir ging es nicht besser. Doch habe ich später, wenn ich auch noch ab und zu Verse schmiedete, die zum Theil dem Leser vorgelegt werden sollen, eingesehen, dass ich eigentlich keine poetische Ader habe, und gab die „Dichterei" auf.

Von den nachstehenden Reimereien — sammt und son-ders mit Bleistift auf die nächsten besten Papierfetzen ge-schrieben und bei Gelegenheit von Besuchen in zusammen-geknülltem Zustande heraus geschmuggelt — hat das Lied: „Die Arbeitsmänner" wohl die meiste, ich möchte sagen all-gemeine Verbreitung gefunden. Es wurde in andere Sprachen übersetzt und wird heute noch in Arbeiterkreisen weit und breit gesungen, obgleich es keine originale Melodie hat. (Spätere Compositionen durch Dr. Douai und Jost haben nur in sehr gemässigtem Grade Anklang gefunden.)

Zunächst wurde das Manuskript davon an H. Greulich in Zürich gesandt, der es — anonym in die von ihm redigirte „Tagwacht" setzte — ein Umstand, der später fanatische

72

73

Partei-Hämmel und neidische Verkleinerungs-Lümmel veranlasste, in der Welt herum zu stänkern, dass das Liedchen gar nicht von mir herrühre. Andere, gleichqualifizirte Verleumdungsbestien, behaupteten mit zäher Hartnäckigkeit, dass Andreas Scheu der Verfasser sei. Da jedoch sowohl Greulich, als Scheu, noch leben, kann sich Jeder bei denselben selbst erkundigen, was Wahres oder Falsches an den betreffenden Gerüchten ist.

Ich bin nicht bescheiden genug, mir dieses mein literarisches Erstlings-Produkt streitig machen zu lassen, und betone dies umsomehr, als es in viele Gedichtsammlungen — zum Theil in sehr verstümmeltem, abgeschwächtem Zustand — übernommen wurde, ohne dass man mir Kredit gegeben hätte.

Hier die Kinder meiner damaligen Muse:

Die Arbeitsmanner.

Wer schafft das Gold zu Tage?
Wer hämmert Erz und Stein?
Wer webet Tuch und Seide?
Wer bauet Korn und Wein?
Wer giebt den Reichen all' ihr Brod
Und lebt dabei in bitt'rer Noth?
Das sind die Arbeitsmänner, das Proletariat.

Wer plagt vom frühen Morgen
Sich bis zur späten Nacht?
Wer schafft für And're Schätze,
Bequemlichkeit und Pracht?
Wer treibt allein das Weltenrad
Und hat dafür kein Recht im Staat?
Das sind die Arbeitsmänner, das Proletariat.

Wer ward von je geknechtet,
Von der Tyrannenbrut?
Wer musste für sie kämpfen
Und opfern oft sein Blut?
O, Volk erkenn' dass Du es bist,
Das immerfort betrogen ist!
Wacht auf, Ihr Arbeitsmänner, auf Proletariat!

Rafft Eure Kraft zusammen,
Und schwört zur Fahne roth!
Kämpf muthig für die Freiheit!
Erkämpft Euch bess'res Brod!
Beschleunigt der Despoten Fall!
Schafft Frieden dann dem Weltenall!
Zum Kampf, Ihr Arbeitsmänner! Auf Proletariat!

Ihr habt die Macht in Händen,
Wenn Ihr nur einig seid!
D'rum haltet fest zusammen,
Dann seid Ihr bald befreit.
Eilt *Sturmschritt vorwärts!* in den Streit,
Wenn auch der Feind Kartätschen speit.
Dann siegt Ihr Arbeitsmänner! Das Proletariat!

74

Der Zeitgeist.

Ein rother Faden zieht sich hin
Durch's ganze Buch der Zeiten,
Der Leser findet nichts darin,
Als nur des Volkes Leiden.
Nur rohe Macht und Pfaffentrug
Herrscht' stets in allen Reichen,
Und Jeden man zu Boden schlug,
Der Bess'res wollt' erreichen.
Der Geist, der hehre, ward gedrückt
Durch wilde, rohe Schaaren,
Die speichelleckend und geblickt
Despotenknechte waren.
Vor Alters schlug man immerdar
An's Kreuz die grossen Denker,
Und jede Rede, frei und wahr,
Verfiel sofort dem Henker.
Gehaust ward später wild und hart
Mit Schwert und Feuerflammen,
Mit Folterqualen aller Art
Um Geister zu verbannen.
Doch fruchtlos war dies allezeit;
Der Geist konnt' nie erliegen,
Er lebet fort in Ewigkeit
Und wird auch schliesslich siegen.
Er dringt stets weiter vor mit Macht
Rings auf der weiten Erden,
Verschwinden muss die finst're Nacht
Und Morgen wird es werden. —
Gar Mancher, der geherrscht bis jetzt
In weiten, grossen Reichen,
Denkt schon mit Bangen, dass zuletzt
Sein Nimbus wird erbleichen.
D'rum sind Ideen ihm verpönt,
Er sinnt nach neuen Ränken;
Doch ach, der Zeitgeist seiner höhnt
Und ihn kann er nicht henken.
Man ist fürwahr sehr übel d'ran
Und weiss sich nicht zu retten;
Und schlägt aus reiner Ohnmacht dann,

75

Personen wohl in Ketten.
Ja, Ohnmacht ist's, wer die Ideen
Bekämpfen will, bestreiten,
Weil solche niemals untergeh'n
Und stets nur vorwärts schreiten.
D'rum nur den Kampf nie ausgesetzt
Ihr Denker aller Landen!
Befreit die Menschheit endlich jetzt
Von ihres Geistes Banden!

Die Macht der Bajonete.

O Fluch der Welt! O Schmach der Zeit!
Was kann da noch erretten,
Wenn alle Völker weit und breit
Sich selber schmieden Ketten?
Sie leisten knechtisch ihren Schwur
Und fröhnen um die Wette
Als feige Sklavenseelen nur
Der Macht der Bajonete.

Die scheusslichste Tyrannenbrut,
Vereint mit tück'schen Pfaffen,
Vermochte stets durch Ströme Blut
Sich Herrschaft zu verschaffen.
Sie knechtet längst die Völker all',
Um ihres Thrones Stätte
Zieht sie von Eisen einen Wall,
Die Macht der Bajonete.

Die Reichen, die durch Trug und List
Sich Geld und Gut erwarben,
Erzittern, wenn die Rede ist
Von andrer Noth und Darben.
Sie sorgen immer ängstlich, wie
Man ihre Schätze rette;
D'rum stützen gern und freudig sie
Die Macht der Bajonete.

Von früh bis spät die Arbeitskraft
Des Volkes sich bewähret,
Doch Alles, was sie zeugt und schafft,
Ist Andern nur bescheeret.
Der Hunger ist des Volkes Lohn,
Die Noth sein hartes Bette;
Und murrt es — zeigt sich, wie zum Hohn
Die Macht der Bajonete.

77

Wie lange soll dies dauern noch?
Wie lang' das Faustrecht walten?
O Volk, erkenne endlich doch
Der Räuber keckes Schalten!
Ja, Räuber sind es, die gejagt
Man schnell zum Teufel hätte,
Wenn man nur erst zu stürzen wage
Die Macht der Bajonete.

Weg mit der Furcht, und Muth gefasst!
Schaart Euch, ihr Millionen,
Um *eine Fahne* ohne Rast,
Der Fahne aller Zonen!
Dann kommt der längst ersehnte Tag,
Dann bricht der Völker Kette:
Zertrümmert wird mit einem Schlag
Die Macht der Bajonete.

———————

Des Volkes Wille.

Verzaget nicht, Ihr wackern Brüder,
Harrt aus in dem gerechten Kampf!
Ist man dem Streben auch dawider
Und droht man gar mit Pulverdampf,
Erhebet üb'rall Eure Stimme
Für Alles, was die Freiheit bringt!
Damit Allort's das Feuer glimme,
Damit's in alle Herzen dringt.
Geht vor im Sturm! Steht nimmer stille!
Zuletzt siegt doch des Nolkes Wille.

Zeigt, dass Ihr keine feigen Memmen:
Wenn Euch auch finst're Mächte droh'n.
Durch kräftiges Entgegenstemmen
Erringt Ihr nur des Kampfes Lohn.
Feudale mögen sich verbinden
Mit Pfaffen und Geldprotzenthum;
Der Zeitgeist wird dereinst verkünden
Den Sieg der Arbeit, — Arbeit's Ruhm.
Geht vor im Sturm! Steht nimmer stille!
Zuletzt siegt doch des Volkes Wille.

Verbindet Euch, wie Stahl und Eisen!
Steht fest zusammen, wie ein Mann!
Dann könnt Ihr jedem Feind beweisen,
Was Eure Kraft erringen kann.
Als einzeln stehende Gestalten
Seit Ihr der Feinde eitles Spiel;
Nur kräftiges Zusammenhalten,
Nur Einigkeit, führt Euch zum Ziel.
Geht vor im Sturm! Steht nimmer stille!
Zuletzt siegt doch des Volkes Wille.

79

Wohl wird man Euch noch oft verkünden,
Dass Euer Streben nutzlos sei;
Und Vieles giebt's zu überwinden,
Bis endlich kommt der Sieg herbei.
Wohl wird sich List und Trug stets rühren
Und Alles, was nur schaden kann,
Doch wird zum Sieg die Zukunft führen,
Denn sie gehört der Arbeit an.
Geht vor im Sturm! Steht nimmer stille!
Zuletzt siegt doch des Volkes Wille.

80

y

1. Most   2. Oberwinder   3. Scheu   4. Pabst   5. Berka
5. Schonfelder   7. Schäftner   8. Hecker   9. Dorsch
10. Gerke   11. Eichinger   12. Baudisch   13. Perin

MEMOIREN

ERLEBTES, ERFORSCHTES
UND ERDACHTES

VON

JOHN MOST

Zweites Bändchen.

NEW YORK.
Selbstverlag des Verfassers John Most, 3465 Dritte Ave.
1903.

Der

Wiener Hochverraths-Prozess

von Jahre 1870.

Vorwort zum II. Theil.

Wenn in den folgenden Kapiteln der Extrakt von einer Gerichtsverhandlung gegeben wird, bei welcher ich als Mitangeklagter figurirte, so wird Mancher der Ansicht sein, dass das eigentlich nicht in den Rahmen von Memoiren passe; ich wüsste aber nicht, wie ich es anstellen sollte, ein wichtiges Ereigniss aus meinem Leben zu schildern, ohne mich dabei an das auszugsweise vorliegende Gerichts-Protokoll zu halten.

Dasselbe wurde unmittelbar nach der Prozessirung von *Heinrich Scheu,* dem Bruder des mitangeklagten *Andreas Scheu,* nach stenographischen Aufzeichnungen zu Wien herausgegeben und umfasste 442 enggedruckte Oktavseiten. Obgleich das Buch damals eine sehr starke Verbreitung fand, dürfte es heutzutage nur noch sehr schwer aufzutreiben sein. Schon deshalb sollte man es mir nicht verübeln, wenn ich im Nachstehenden das Wesentlichste aus dieser Gerichts-Tragi-Komödie zitire, zumal dieselbe auf die damaligen Rechtszustände in Oesterreich ein grelles Streiflicht wirft.

Dieser Prozess war ein *Tendenz*-Prozess vom reinsten oder vielmehr trübsten Wasser, wurde aber von den Justiz-Strolchen anderer Länder alsbald für mustergültig erachtet und nachgeahmt — so in Leipzig, Kopenhagen und anderwärts.

5

I.

Die Anklageschrift.

Schon 3 Wochen vor der Gerichtsverhandlung wurde Jedem der Angeklagten ein umfangreiches Aktenstück zugestellt, in welchem unter Anderem die erhobenen staatsanwaltlichen Beschuldigungen folgendermassen zu „begründen" versucht worden sind:

„Der Weg, welchen die Institution (!) Schulze-Delitzsch angab und welche, in energischer und ehrlicher Weise durchgeführt, auch noch durch Erfahrungen vervollständigt, die arbeitende Classe zu ihrem Ziele, nämlich der Verbesserung ihrer Lage, der ökonomischen Selbstständigkeit, geführt hätte, wurde von einer Partei bekämpft, welcher die durch diese Principien den Arbeitern auferlegte Anstrengung und opferwillige Hingebung zu mühsam erschien, welche die durch eigene Kraft und daher auch langsamer zu erreichende bessere Existenz sich zu verschaffen nicht verstehen wollte, sondern es vorzog, politische Macht zu erringen und somit von der Gesammtheit des Staates, daher auch grösstentheils auf Kosten fremder Leute Vermögen und ohne eigenes Zuthun die Mittel zur Hebung ihrer materiellen Lage zu beanspruchen.

Von dem Momente, als diese Grundsätze in der Arbeiterclasse, beziehungsweise bei jenen, welche die Führung und Leitung auf sich genommen hatten, drangen, musste ihnen

6

klar werden, dass die Erfüllung ihrer Wünsche von der gegenwärtigen Gesellschaft und bei dem Bestande der gegenwärtigen Staats- und Regierungsformen nie zu hoffen und daher die von ihnen angestrebte Umgestaltung aller socialen Verhältnisse nur auf diese Weise zu bewerkstelligen sei, wenn sie politische Macht erlangen und zwar in einem derartigen Masse, dass sie in den einzelnen Staaten die Oberherrschaft erringen.

Lasalle dachte dies vor Allem durch die Einführung der allgemeinen directen Wahlen zu erreichen und nach seinen Grundsätzen wurde der allgemeine deutsche Arbeiterverein gegründet; der jedoch für den Moment nur eine locale Bedeutung hatte.

Im September 1864 wurden auf einer in London zum Behufe einer politischen Agitation stattgehabten Versammlung die Arbeiterverhältnisse zum Gegenstande der Sprache gemacht und es wurde daselbst zur Förderung der nationalen Interessen der Arbeiter und zur Emancipation derselben von der Herrschaft des Capitals die internationale Arbeiter-Association geschaffen, welche die Arbeiter aller Länder umfassen sollte.

Als leitender Grundsatz wurde den Arbeitern zur Pflicht gemacht, politische Macht zu erobern und der internationale Charakter der Association dahin betont, dass die Arbeiter aller Länder vereinigt werden sollen, um durch das numerische Verhältniss imponiren zu können.

Dieses Programm erhielt im September 1866 auf dem Congresse zu Genf präciseren Ausdruck und es wurde die Einbeziehung der Arbeiter aller Länder in die Association deshalb hervorgehoben, weil zur Emancipation der Arbeiter eine Solidarität zwischen den vielfachen Zweigen der Arbeit jedes Landes und ein einheitliches Band zwischen den verschiedenen arbeitenden Classen aller Länder nothwendig, dies jedoch nur durch die Association der Arbeiter aller Länder zu erreichen sei.

In diesen Grundsätzen manifestirt sich schon, wenn auch in allgemeinen Zügen, die Absicht der Arbeiter-Partei,

7

grösstmöglichst Macht zu erstreben, und es war diese Association schon insoferne bedeutungsvoller, als der Kampf um Macht nicht wider einzelne Gesellschaften und Regierungen, sondern wider alle, wo Arbeit und Arbeiter bestehen, eingeleitet und begonnen werden soll. Im Jahre 1867, als die eingeführten Gesetze über das Vereins- und Versammlungsrecht der Agitation ein freies Feld eröffnet hatten, wurde auch Oesterreich und dessen zahlreiche Arbeiter in das Bereich der Berechnung einbezogen und die freiere Bewegung des öffentlichen Lebens dahin benützt, in den Arbeiterkreisen eine Bewegung zu schaffen und dieselbe in jene Bahnen einzulenken, welche sie im Auslande bereits eingeschlagen hatte. Obgleich Anfangs die Entscheidung zwischen den Anhängern Schultze-Delitzsch's und Lassalle's schwankte, so gewannen doch bald die Letzteren die Oberhand, wobei nicht übersehen werden kann, dass dies in jene Zeit fiel, in welcher Hermann Hartung und Heinrich Oberwinder, zwei entschiedene Vertreter der Lassalle'schen Principien, aus Deutschland hieher kamen, sogleich in der Arbeiterbewegung eine Rolle spielten und einen gewaltigen Einfluss in der Wiener Arbeiterbevölkerung errangen.

Dass nun in kürzester Zeit der Anschluss der österreichischen, speciell der Wiener Arbeiterbewegung mit dem Auslande angebahnt und vollzogen worden sei, ergibt sich aus dem Umstande, dass dem am 5. bis 7. September 1868 zu Nürnberg tagenden fünften Vereinstage deutscher Arbeitervereine bereits Hartung und Oberwinder als Delegirte des socialdemokratischen Agitations-Comités in Oesterreich und Rabel und Mehling als Vertreter des Vereines Selbsthilfe aus Wien beiwohnten.

Das Resultat dieses Arbeitertages war, dass sich der internationalen Association angeschlossen wurde, indem die Emancipation der arbeitenden Classen durch diese selbst erkämpft werden müsse und politische Freiheit die unentbehrliche Vorbedingung zur ökonomischen Befreiung der arbeitenden Classen ist, daher die sociale Frage untrennbar von der politischen, ihre Lösung durch diese bedingt und nur im demokratischen Staate möglich sei. Dieser Beschluss

8

kam unter Mitwirkung Hartung's und Oberwinder's zu Stande, dieselben kennzeichneten dadurch die Richtung, welche die Bewegung der von ihnen vertretenen Arbeiterclassen eingeschlagen habe.

Die Vertreter des Vereines Selbsthilfe haben wider diesen Beschluss protestirt. Noch präciser war das Ziel der Arbeiterbewegung auf der Generalversammlung der deutschen Arbeitervereine, welche am 9. und 10. August zu Neuenburg stattfand, ausgesprochen worden. Es wurde daselbst das Journal „Felleisen" als Partei-Organ bestimmt und demselben als Programm vorgezeichnet: In politischer Beziehung den demokratisch-republikanischen Standpunkt zu vertreten. In socialer Beziehung auf dem Wege der Gegenseitigkeit und Gesammtverbindlichkeit der Arbeiter jedes Landes die Gleichberechtigung aller Menschen am Lebensgenusse als den massgebenden Gesichtpunkt aufzustellen, so dass als Ziel aller social-politischen Bestrebungen die Herstellung socialer Institutionen und Errichtung eines „europäischen Freistaatenbundes" hervorleuchte. Dieses Programm wurde schon dahin ausgeführt, dass als Ziel aller heutigen wahrhaft bewussten Arbeiterbewegung die „socialdemokratische Föderativ-Republik" als jene Staatsform zu gelten habe, in welcher allein der Arbeiter sein Menschenrecht zur vollen Geltung zu bringen vermöge, — es sei im Kampfe hierin *Gewalt mit Gewalt* zu vertreiben und nur in der *Revolution* die Entscheidung zu finden. Die weiteren Programmpunkte zielen auf eine vollkommene Umgestaltung aller socialen und staatlichen Einrichtungen in den bestehenden Staaten ab.

Bei diesem Programm konnte man wohl kaum nur locale Schweizer Interessen im Auge haben, denn für's Erste hatte sich auch diese Generalversammlung für den Anschluss an die internationale Arbeiter-Association ausgesprochen, und dann bestand ja in der Schweiz die republikanische Staatsform, daher die Ausführung des Programmes nur die Staaten mit monarchischer Regierungsform im Auge haben konnte.

Die Grundsätze dieses Programmes fanden in Oester- · reich, namentlich in Wien, unter der hiesigen Arbeiter-Agi-

9

tation Eingang. Es ist vielfach constatirt, dass die Wiener
Arbeiterbewegung mit jener in Deutschland und der Schweiz
solidarisch sei, es ist auf das Bestimmteste nachgewiesen,
dass die hervorragendsten Arbeiterführer, insbesondere Hartung und Oberwinder, unmittelbar mit den Trägern und
Vertretern des vorstehend entwickelten Programmes in Verbindung standen, dieselben Ansichten theilten, dieselben
Zwecke verfolgten, für die Ausbreitung dieser Ideen eintraten und für deren Realisirung wirkten. Das Programm
des im Jahre 1869 in Wien erschienenen Partei-Organs
„Volksstimme" fasst alle Punkte des Nürnberger und Neuenburger Programmes in sich, selbstverständlich in einer Art,
welche jeden Conflict mit der Staatsbehörde zu vermeiden
geeignet ist. Diese Grundsätze an und für sich und der bestimmt ausgesprochene Wille, dieselben in Oesterreich zur
Ausführung zu bringen, reihen sich unter jene Handlungen,
welche den Thatbestand des § 58 b. St. G. (Hochverrath)
zu begründen geeignet sind, *weil sicherlich Niemand nur
daran denken kann, dass diese Principien anders als auf
gewaltthätigem Wege durchzuführen seien.* Die Agitation
in Deutschland, einmal auf politischem Felde sich bewegend
und Machtentwicklung um jeden Preis anstrebend, glaubte
im Frühjahre 1869 endlich das Mittel zur Erreichung ihrer
Zwecke darin gefunden zu haben, dass eine einheitliche,
strenge, auf den Parteigrundsätzen ruhende Organisation geschaffen werde, wozu erforderlich sei, dass alle der Partei
angehörigen Vereine die gleichen Parteigrundsätze in ihre
Statuten aufnehmen und diese ganze Vereinigung nur eine
allgemeine Parteibezeichnung wähle. Als Grund für letztere
Einführung wurde angegeben, dass im Falle, die Polizei
würde an einem Orte Schwierigkeiten erheben und die Auflösung aussprechen, die Partei sofort am selben Orte, nur
unter einem anderen Namen einen neuen Verein bilden, die
übrige Organisation aber aufrecht stehen bleiben könnte, eine
Begründung, welche nur zu sehr einen Theil des Bewusst-
seins, mit den staatlichen Einrichtungen im flagranten Wi-
derspruch zu stehen, andererseits den Willen, den staatlichen
Widerstand zu bekämpfen, documentirt. Als eine solche Par-

10

teibezeichnung wurde „socialdemokratische" oder „demokratischsociale" Partei und zugleich vorgeschlagen, den demnächst zu Eisenach stattfindenden Vereinstag in einen Partei-Congress zu erweitern und hierüber zu berathen.

Mit diesen Gedanken traten zuerst Bebel und Liebknecht aus Leipzig hervor, die Schweizer Organe „Felleisen" und „Vorbote" begrüssten dieselben als das Mittel, die unter was immer für Namen bestehenden Arbeitervereine aller Länder unter einem gemeinsamen Banner für gemeinsame Bestrebungen und Interessen nicht nur unter sich, sondern auch mit all den Männern zu vereinigen, welche ehrlich und offen die socialdemokratische Republik anstreben.

Es ist durch die Erhebungen constatirt, dass die Führer der Wiener Arbeiterbewegung, namentlich Hartung und Oberwinder, mit diesen Ideen und Grundsätzen nicht nur vollkommen sympathisiren, sondern auch Alles daran setzen, um dieselben zu realisiren.

Obige Ideen wurden in der von ihnen redigirten „Volksstimme" besprochen, für dieselben in diesem Partei-Organe Propaganda gemacht und nicht nur zur Beschickung des Eisenacher Congresses aufgefordert, sondern dieselben erschienen mit unter Jenen, welche diesen Congress ausdrücklich und unter ihrer vollen Namensfertigung einberiefen.

In den hiesigen Volks- und Arbeiter-Versammlungen wurden die Grundsätze der Socialdemokratie der versammelten Menge geläufig gemacht, am 30. Mai der Versammlung der Schwur auf die Socialdemokratie und die rothe Fahne als Symbol derselben abgenommen und endlich die letzte Hand ans Werk gelegt, am 25. Juli, als Liebknecht in einer hiesigen Volksversammlung die österreichischen, beziehungsweise die Wiener Arbeiter eindringlichst zur Beschickung des Eisenacher Congresses aufforderte; dieser Congress fand am 7., 8. und 9. August zu Eisenach statt, es wohnten demselben Andreas Scheu und Heinrich Oberwinder als Mandatträger von nahezu 100,000 Oesterreichern bei. Freilich ist constatirt, dass diese Mandate fingirt waren, allein Scheu und Oberwinder spielten auf dem Congresse eine her-

11

vorragende Rolle und wirkten zum Zustandekommen der dortigen Beschlüsse, zur Schöpfung der daselbst creirten socialdemokratischen Arbeiterpartei mit.

Die beiden ersten Punkte des Programmes, welches die Bestrebungen dieser neugebildeten Partei reguliren sollte, lauten:

„Die socialdemokratische Arbeiterpartei erstrebt die Errichtung des freien Volksstaates."

„Jedes Mitglied der Partei verpflichtet sich, mit ganzer Kraft dahin einzutreten, dass die im höchsten Grade ungerechten heutigen politischen und socialen Verhältnisse mit der grössten Energie bekämpft werden."

Die weiteren Ausführungen des Programmes zielen auf die vollständige und radicale Umänderung und Umgestaltung aller socialen Verhältnisse, aller staatlichen Einrichtungen aller Länder, einer Regierungsform, gleich der österreichischen ab. Die von dem Eisenacher Congresse gefassten Beschlüsse, die Verhandlungen des Eisenacher Congresses, die Angaben Oberwinder's und Scheu's lassen nicht einen Moment darüber im Unklaren, dass unter „freiem Volksstaat" die Republik zu verstehen sei. Wer nun zur Gründung und Organisirung einer solchen Verbindung in thätiger Weise und in der bewussten Absicht mitwirkt, dieser Verbindung in Oesterreich Eingang zu verschaffen, österreichische Unterthanen in dieselbe einzubeziehen, die Grundsätze und das Programm derselben in Oesterreich in Ausführung zu bringen, begeht das Verbrechen des Hochverrathes im Sinne des § 58 b. St. G. und es erscheinen sonach Scheu und Oberwinder schon durch ihre Eisenacher Thätigkeit des Verbrechens des Hochverrathes rechtlich beschuldigt. Allein mit diesem Acte war ihre Thätigkeit bei weitem nicht zu Ende, sondern sie und ihre Gesinnungsgenossen haben dieselbe auch in Oesterreich fortgesetzt.

Das Partei-Organ „Volksstimme", auf dessen Haltung vor Allem Hartung und Oberwinder den entscheidendsten Einfluss übten, hat in der Nr. 10 ausdrücklich erklärt, dass sein Programm durch die Eisenacher Beschlüsse vervollstän-

12

digt worden sei; auf den Volksversammlungen zu Wien, Brünn, Reichenberg, Wr.-Neustadt, Prag liess man die Grundsätze der socialdemokratischen Arbeiter-Partei ausdrücklich anerkennen, es wurde für die Ausbreitung des Organes „Volksstaat" gesorgt, Scheu war es insbesondere, welcher das Abonnement dieser Zeitschrift vermittelte, dadurch fortwährend neue Mitglieder der Partei in Wien anwarb, und auch die ausländische Agitation bot hilfreich die Hand.

Aus einem Fonde, welcher sich selbst „1848er Revolutionsfond für die deutsche Republik" nennt, und dessen Verwalter öffentlich erklären, dass aus demselben und im Interesse der Arbeiter-Emancipation und für die Herbeiführung der deutschen Republik Unterstützungen gewährt werden, bezogen Hartung und Oberwinder namhafte Geldunterstützungen zu Agitationszwecken.

Durch ein Manifest für die landwirthschaftliche Bevölkerung wurde diese aufzuwiegeln versucht und endlich liegen bestimmte Andeutungen darüber vor, dass man auch die österreichische Armee in die Bewegung einzubeziehen und für sich zu gewinnen suchte, um einen allfälligen Widerstand der Executive im Vorhinein lahm zu legen, in welcher Beziehung wider *Johann Most* die Aufzeichnungen in seinem eigenen Tagebuche sprechen.

Nachdem man dergestalt für die Ausbreitung der socialdemokratischen Partei gewirkt und die bezweckte Organisation geschaffen hatte, ging man an ein Unternehmen, welches den Zweck hatte, auf die Regierung eine Pression zu üben und die Organisation zu erproben. Und zwar geschah dies durch die Demonstration vom 13. December 1869.

Es ist festgestellt, dass dieselbe ein gehörig vorbereiteter, von der Agitation, vorzüglich von Hartung und Oberwinder mit aller Ueberlegung vorbereiteter und inscenirter Act war, um auf das Ministerium eine Pression zu üben.

Man kann nicht verkennen, dass die in der Petition enthaltene Drohung: „wiederholt und in grösseren Massen zu erscheinen, um seinen Willen kundzugeben", den Charakter einer gefährlichen Bedrohung hat, da man bei dem Zustande

13

der Erregtheit, zumal in einer Grossstadt, die Folgen derartiger Ereignisse für die öffentliche Ruhe und Ordnung weder vorauszusehen noch zu berechnen in der Lage ist, daher hierin objectiv der Thatbestand des Verbrechens des § 76 St. G. liegt, welches Verbrechens die Unterfertiger der Petition: Leopold Schäftner, Martin Berka, Friedrich Pfeiffer, Friedrich Hecker, Ludwig Eichinger, Hermann Hartung, Johann Baudisch, Ferdinand Dorsch, Johann Schönfelder, Heinrich Gehrke rechtlich beschuldigt erscheinen, zumal die Ueberreichung der Petition mit ihrem Wissen und Willen geschah und die Erhebungen keinen Zweifel darüber lassen, dass sie Alle wohl wussten, um was es sich handle.

Diese Demonstration erscheint jedoch auch als ein Act zur Ausführung des Eisenacher Programmes, und bekundet die Tendenz, die Zwecke und Ziele der Partei auch im Gewaltwege zu erlangen.

Abgesehen davon, dass die Durchführung des Eisenacher Programmes in Oesterreich an und für sich schon als ein Unternehmen anzusehen ist, welches auf eine gewaltsame Aenderung der Regierungsform angelegt ist, weil es eben nur im Wege der Gewalt durchzusetzen ist, wozu noch kommt, dass bestimmte Inzichten, dass im günstigen Augenblicke eine gewaltthätige revolutionäre Erhebung in Wien im Plane lag und vorbereitet war, vorliegen, haben die Führer der Arbeiterpartei in Oesterreich und speciell in Wien sich thätigst für die Ausbreitung der Partei und deren Grundsätze bemüht, und es liegt diesfalls insbesondere wider Andreas Scheu, Johann Pabst, Johann Schönfelder und Heinrich Perrin vor, dass dieselben u. z. zu einer Zeit, in welcher die Bestrebungen dieser Partei bereits von competenter Seite für staatsgefährlich erklärt worden waren, nicht nur selbst Mitglieder dieser Partei waren, sondern auch solche in Oesterreich angeworben haben; und wider Johann Most, Martin Berka und Friedrich Hecker, dass dieselben eben zu dieser Zeit dem Vereine als Mitglieder beigetreten sind, daher dieselben mit Rücksicht auf die vorstehende Begründung des Verbrechens des Hochverrathes im Sinne des § 58 b. St. G. für rechtlich beschuldigt zu halten sind, welche

14

rechtliche Beschuldigung, wie erwähnt, auch wider Heinrich Oberwinder u. z. von der Zeit des Eisenacher Congresses bis hierher vorliegt, da er allen Erhebungen nach die eigentliche Seele der Agitation war, was sich auch insbesondere bei Creirung des Parteiorgans „Der Volkswille" durch seine Bemühungen, die Caution aus dem erwähnten Revolutionsfonde aufzubringen, herausstellt. Die Handlungsweise des Johann Pabst, vermöge der er die Schriften Scheu's aus dessen Wohnung zu sich nahm, damit sie dort bei einer Hausdurchsuchung nicht gefunden werden könnten, begründet das Verbrechen des § 214 St. G., dessen Johann Pabst für rechtlich beschuldigt zu halten ist.

Die Fortdauer der Haft gründet sich auf § 156 a, b u. s. w. St. P. O.

Wien, am 9. Juni 1870.

Schwarz m. p. *Thallinger* m. p.

Collationirt und dem Originale gleichlautend.

K. k. Landesgericht in Strafsachen.

Wien, 9. Juni 1870.

Schindler."

15

II.

Das Verhör.

Am 4. Juli 1870 ging das Gerichtstheater los. Da man eine Demonstration der Arbeiter befürchtete, standen ganze Regimenter Soldaten in den Kasernen bereit, während das Gerichtsgebäude von einer gewaltigen Polizeimacht besetzt war. Der Zuschauerraum hingegen war so eingeschränkt worden, dass für höchstens 50—60 Personen Platz blieb. Darunter befanden sich jedoch 30 Vertrauensmänner der Angeklagten, zu deren Vorladung dieselben nach dem Gesetz berechtigt waren. Hinter einem langen grünen Tische, auf welchem riesige Aktenbündel lagen und ein grosses Kruzifix aufgestellt war, daneben zwei Leuchter mit Wachskerzen, welche angezündet wurden, so oft geschworen werden sollte, sassen die Richter in altmodischer militärischer Uniform und der Staatsanwalt. Letzterer hiess *Schmeidel.* Der Vorsitzende hörte auf den Namen *Schwaiger,* seine Beisitzer nannten sich *Kubasta, Cejka, Gernerth, Lorenz* und *Managatta.* Der Zuletztgenannte war eigentlich nur Ersatzreserve für den Fall, dass Einem der Uebrigen etwas Menschliches passiren sollte.

Eine zweite grosse Tafel war für die Zeitungsmenschen bestimmt; sie erwies sich aber als viel zu klein. Die 14 Angeklagten sassen in zwei Reihen auf Stühlen neben ihren Vertheidigern Dr. *Singer* und Dr. *Mauthner.*

Die Eröffnungsrede des Staatsanwalts war äusserst trocken und kurz. Dann wurden die Angeklagten, Einer nach dem Anderen, examinirt, wobei es auch wenig sensationell herging. Alles drehte sich um die in der Anklageschrift erörterten Vorkommnisse. Ich recapitulire daher nur mein eigenes Verhör, wie folgt:

„*Präs.:* Ich bitte Sie, uns einige Daten über Ihr Vorleben mitzutheilen.

Most: Ich bin der Sohn des Regierungs-Secretärs Josef Most in Augsburg, lernte nach absolvirter Volksschule die

16

Buchbinderei, arbeitete als Buchbindergeselle in Frankfurt am Main, Stuttgart, Carlsruhe, zuletzt in der Schweiz in Locle und Zürich, und kam dann nach Oesterreich.

Präs.: Sie waren in der Schweiz Mitglied des Züricher Arbeiterbildungsvereines? Erzählen Sie mir, welche Tendenzen dieser Verein verfolgt.

Most: Die Schweizer Arbeitervereine, die etwa 60 an der Zahl seit 1830 bestehen, huldigten anfangs den Principien Schulze-Delitzsch, bis sie sich von der Hohlheit dieser Prinzipien überzeugten und dieselben über Bord warfen. Die deutschen Schweizer Arbeitervereine haben eine eigene Centralisation, Genf war ihr Vorort und das „Felleisen" ihr Organ. Auf der Centralversammlung der deutschen Arbeitervereine in Neuenburg im Jahre 1868 wurde der Anschluss an die internationale Arbeiter-Association beschlossen. Damals hatte ich schon die Schweiz verlassen.

Präs.: Das „Felleisen" wurde dort das Organ der Arbeiter aller Länder?

Most: Das „Felleisen" ist lediglich das Organ der deutschen Arbeiter-Bildungs-Vereine in der Schweiz. Diese Vereine sind eigentlich nur Filialen eines grossen Vereines, welcher zur bestimmten Zeit seine General- oder Central-Versammlung abhält. Seit der Neuenburger Central-Versammlung ist das „Felleisen" vergrössert und befasst es sich auch mit Politik, während es früher untergeordneter Natur war.

Präs.: Wenn man das Programm des „Felleisen" liest, sieht man, dass es sich nicht um locale Schweizer Angelegenheiten, sondern um die gemeinsamen internationalen Bestrebungen der Arbeiter aller Länder handelt.

Most: Ich wiederhole nochmals, dass das „Felleisen" nur das Organ der deutschen Arbeiter-Bildungsvereine in der Schweiz ist; der internationale Charakter ist bei den Schweizern etwas Natürliches, da in der Schweiz verschiedene Nationen: Deutsche, Franzosen, Italiener leben. Die deutschen Arbeiter der Schweiz wollten nicht isolirt dastehen; aber sie haben ihr eigenes Programm aufgestellt, welches den staatlichen Verhältnissen der Schweiz entspricht.

17

Präs.: Die Principien sind aber nicht bei den Arbeitern aller Länder dieselben?

Most: Die Principien? Ja. Befreiung der Arbeiter vom Druck des Capitals.

Präs.: In dem erwähnten Programm ist aber auch die Rede von der Errichtung eines europäischen Freistaatenbundes, einer Föderativ-Republik.

Most: Den Schweizer Arbeitern wird es nicht einfallen, eine socialdemokratische Monarchie einzuführen, das wäre dort Hochverrath.

Präs.: Das wäre dort Hochverrath?

Most: Die gewaltthätige Durchführung; es denkt aber dort Niemand daran. (Heiterkeit.) Aussprechen könnte man übrigens seine sonderbare Vorliebe für die Monarchie und Niemand würde einem etwas anhaben. In der Schweiz sind eben Gesinnungs- und Meinungsäusserungen nicht strafbar. Die Schweizer haben zwar die Republik, aber nicht die socialdemokratische; die Arbeiter sind in der Schweiz ebenso gedrückt, wie anderswo, und haben daher dieses Programm aufgestellt, weil es dort nicht strafbar ist; um andere Länder kümmerten sich die Schweizer nicht. In Neuenburg fand kein allgemeiner Arbeitercongress, sondern blos eine Centralversammlung der deutschen Arbeitervereine der Schweiz statt, daher die dortigen Beschlüsse auch nur für die Schweizer Arbeiter massgebend sind.

Präs.: Wann kamen Sie nach Wien?

Most: Im Jahre 1868.

Präs.: War damals schon entschieden, zu welcher Partei die Wiener Arbeiter gehörten?

Most: Es war bereits entschieden; die Wiener Arbeiter bekannten sich schon damals zu Lasalle's Principien.

Präs.: Es kommt vor, dass Sie sehr redegewandt sind und lebhaft als Agitator und Redner bei den Volksversammlungen für republikanische Ideen wirkten.

Most: Ich bin Republikaner, und zwar nicht erst seit ich in der Schweiz gelebt habe, sondern von Jugend auf. Das stehe ich nicht an, zu erklären.

18

Präs.: Und glauben Sie, dass die republikanischen Ideen ohne Gewalt durchführbar seien?

Most (leidenschaftlich): O ja! Wenn die republikanische Idee das Volk durchdrungen haben wird, wenn die grosse Masse des Volkes gewillt ist, diese Idee zu verwirklichen, welche Kraft könnte dann noch die Bildung der Republik aufhalten?

Präs.: Glauben Sie, dass dieses ohne Wiederstand geschehen wird?

Most: Das kommt auf das Volk an, ob es sich dann einen Monarchen gefallen lassen wird oder nicht. Wenn heutzutage das Volk wirklich und ernstlich etwas will, so ist die Durchführung eine leichte Sache.

Präs.: Sie haben aber in einem Aufsatze von Ihnen, der in der Zelle aufgefunden wurde, gesagt, man müsse den Kampf bis auf's Messer führen!

Most: Das ist nur bildlich gemeint, dergleichen schreibt man oft. Uebrigens waren die bei mir gefundenen Aufsätze Uebungen, die ich in der Zelle geschrieben habe und welche nicht für die Oeffentlichkeit bestimmt waren. Dass ich mir selbst gegenüber meine Gefühle und Gedanken rückhaltslos zum Ausdruck bringen werde, ist selbstverständlich. Zudem erkläre ich, dass ich die confiscirten Aufsätze nur zur Erheiterung meiner Leidensgenossen, mit denen ich zufällig zusammenkam, geschrieben habe.

Präs.: Sie sind Mitglied der Eisenacher Partei und haben für das Programm derselben agitirt.

Most: Ich habe nicht für das Eisenacher, sondern für das Programm des neunten Wiener Arbeitertages agitirt. Es haben übrigens zwei bürgerliche Vereine, denen man doch allzugrossen Radicalismus nicht vorwerfen kann (Heiterkeit), das Eisenacher Programm angenommen. Wenn schon die Bürger das annehmen zu müssen glauben, so werde ich als Socialdemokrat das umsomehr thun. Die wesentlichsten Punkte des Eisenacher Programms kommen auch im Programm des neunten Wiener Arbeitertages vor. Für andere Punkte konnte ich nicht wirken. Hätte ich es

19

gethan, so würde ich mich nicht scheuen, dies hier offen zu erklären.

Präs.: Was haben Sie für Agitationsreisen gemacht?

Most: Ich habe nie Agitationsreisen gemacht. Einmal besuchte ich meine Freunde in Brünn, erfuhr dort, was Mühlwasser (von dem noch die Rede sein wird) für ein Schwindler ist und wollte in einer Volksversammlung sprechen, welche aber verboten wurde. So war ich auch an andern Orten auf Besuch zu meinen Freunden gekommen und benützte die Gelegenheit, in Volks- und Vereinsversammlungen zu sprechen.

Präs.: Sie werden von dem Bestreben Kenntniss haben, zwei conservative Mächte, die Landbevölkerung und das Militär, in die Bewegung einzuziehen, um nicht früher oder später Widerstand zu finden. Es wurde ein Manifest an die landwirtschaftliche Bevölkerung erlassen, es wurde auf dem internationalen Congress zu Brüssel beschlossen, Broschüren drucken zu lassen und sie an das Militär zu vertheilen. Eine Notiz in Ihrem Tagebuch, dass die Soldaten erklärten, nicht auf die Arbeiter zu schiessen, deutet sehr bestimmt Ihre Betheiligung an dieser Agitation an.

Most: An der Abfassung des Manifestes habe ich nicht theilgenommen. Neumayer in Wr.-Neustadt hat es abgedruckt, wurde in Anklagestand versetzt, von den Geschwornen aber freigesprochen. Was die Broschüren betrifft, welche ein Ausfluss der Brüsseler Beschlüsse sein sollen, so gestehe ich offen, dieselben gar nicht zu kennen; ich habe auch keine erhalten und keine vertheilt. Was aber die Notiz in meinem Tagebuch betrifft, steht dieselbe mit dem Brüsseler Beschlusse in gar keinem Zusammenhange und hat folgenden Ursprung: Bei meiner Anwesenheit in Wr.-Neustadt besuchte ich mit einigen Bekannten ein Gasthaus, in dem wir auch Soldaten, unter andern zwei Unterofficiere trafen. Wir sprachen über verschiedene Dinge, auch über die Arbeiterfrage, wobei sich zu meiner Ueberraschung die Soldaten als Socialdemokraten bekannten. Und warum soll ein Soldat nicht auch Socialdemokrat sein? Weiss er doch, dass er aus dem Militärverbande entlassen und zu

20

seinem Gewerbe zurückgekehrt ebenso sehr wie jeder Andere unter den socialen Uebelständen zu leiden hat. Wenn ich heute unter das Militär käme, würde ich auch meine Gesinnung nicht ändern oder verleugnen. Wir kamen dann auf das Requiriren des Militärs bei der Demonstration zu sprechen, und erwähnten dabei, dass die Soldaten scharf geladen hatten, um nöthigenfalls auf das Volk zu schiessen, wobei die Soldaten erklärten, dass sie nicht begreifen, wie man auf wehrloses Volk schiessen lassen könne; sie wenigstens würden das nicht thun. Die herumsitzenden Soldaten, welche an dem Gespräche nicht theilnahmen, nickten zustimmend mit dem Kopfe, woraus ich entnehmen konnte, dass auch sie mit dieser Ansicht einverstanden seien. Ich als Parteimann war darüber natürlich sehr erfreut und machte mir die Notiz in mein Tagebuch.

Präs.: Sie hielten das für sehr wichtig.

Most: Gewiss, denn ich hatte bis dahin immer geglaubt, die Soldaten würden derart gedrillt, dass sie für unsere Ideen ganz unzugänglich wären. Vielleicht sind andere Militärs anderer Meinung; diejenigen, mit denen ich sprach, waren solcher Meinung.

Präs.: Waren Sie Mitarbeiter eines Blattes?

Most: Von gar keinem Blatte.

Präs.: Aber Sie haben eine sehr gute humoristische Feder, wie die Aufsätze beweisen, die sie hier im Hause verfassten?

Most: Ja, hier im Hause hatte ich viel Zeit, jedoch draussen verwendete ich meine freie Zeit zu meiner Ausbildung. Zu Journalarbeiten hielt ich mich nicht befähigt.

Präs.: In einem Briefe an Ihren Vater haben Sie sich „Volkstribun" genannt?

Most: Das ist richtig, ein einziges Mal, ich hatte dazu meine Gründe, und werde darauf zurückkommen, wenn der Brief verlesen werden wird.

Präs.: War Ihnen die Demonstration vom 13. December früher bekannt?

Most: Sprach ja doch die ganze Stadt davon, die Spatzen am Dache pfiffen es schon und auch die Polizei

21

muss es früher gewusst haben, weil sie Vorsichtsmassregeln getroffen hatte.

Präs.: Wo waren Sie am 13. December?

Most: Am Paradeplatz, um die Ruhe und Ordnung aufrecht zu erhalten.

Präs.: Was glauben Sie, was der Zweck dieser Demonstration war?

Most: So viel ich hörte, hatten die Arbeiter beschlossen, zusammen zu kommen, um endlich einmal den Abgeordneten ihre Wünsche auszusprechen. Wir als Parteimänner haben darüber gesprochen, dass es möglicherweise Scandal absetzen könnte, und wenn dies der Fall wäre, dass man ihn unserer Partei in die Schuhe schieben werde, verpflichteten uns daher nachzusehen und Ordnung zu halten.

Präs.: Diese Demonstration wird von den verschiedenen Angeklagten in sehr verschiedener Weise aufgefasst. Mir scheint aber, dass eine Partei, die den Reichsrath bei jeder Gelegenheit verunglimpfte und in ihren Organen beschimpfte, die Abgeordneten Propheten des Geldprotzenthums und Mameluken nannte, sich nicht versammelte, um dem Feste der Reichsrathseröffnung eine grössere Weihe zu geben. Was es eigentlich war, geht aus dem Satze der Petition hervor: „Wenn die Forderungen der Arbeiter nicht berücksichtigt werden, dann dürften die Arbeiter in noch grösseren Massen kommen!" Das ist offene Drohung.

Most (mit Nachdruck): „Wenn!" — „dürften!" Das ist eine Vermuthung, aber keine Drohung. Das Abgeordnetenhaus sollte überzeugt werden, dass es unrecht sei, eine Petition nach der anderen in den Papierkorb wandern zu lassen; es sollte überzeugt werden, dass die ganze Masse des Volkes und nicht blos Einzelne von uns die bekannten Forderungen erfüllt sehen wollte, und deshalb sagte man ihm: „Seht die vielen Leute! Wenn Ihr ihre Wünsche nicht erfüllt, so ist es möglich, dass ein nächstes Mal noch mehr kommen." Aber es war blos eine Vermuthung und keine Drohung.

Präs.: Haben Sie etwas von einer militärischen Organisation gewusst, die bestanden?

22

Most: Ich weiss von keiner Organisation. Dass die Arbeiter in geschlossenen Reihen zum Zobel gingen, zeigt nur, dass sie gewohnt sind, Ordnung zu halten. Aber eine militärische Organisation hatten wir nicht, (ironisch) wir haben ja keinen Exercierplatz hiezu, und wenn Einzelne den Zug geführt haben, so ist das ja keine militärische Organisation. Solche Massen können ja nicht im Geheimen zusammen kommen. (Heiterkeit.)

Präs.: Frl. Podany sagte, dass eine Organisation bestanden habe.

Most: Frl. Podany ist ein altes Weib, und es thut mir leid, dass dem Geschwätz eines unerfahrenen Frauenzimmers so viel Gewicht beigelegt wurde. (Verächtlich:) Die Sache ist mir ganz gut erklärlich. Hartung stand zu ihr in freundschaftlichem Verhältnisse. Später vernachlässigte er sie. Sie hielt Oberwinder für die veranlassende Ursache der eingetretenen Spannung und hasste ihn deshalb; vielleicht wollte sie nur ihm schaden und schadet der Partei.

Präs.: Sie war sehr gut eingeweiht in alle Vorgänge der Partei. Sie war mit allen Führern befreundet.

Most: Sie war auch gegen mich freundlich und lud mich oft ein: ich zog es aber vor, mit einem vernünftigen Manne zu sprechen. Sie wollte immer Alles wissen und Alles verstehen, verstand aber *gar* nichts.

Präs.: Frl. Podany sagt, dass Oberwinder das Oberhaupt, die Seele der Partei gewesen.

Most: Oberhaupt? Seele? Das kenne ich nicht. Wir sind keine Aristokraten, dass wir ein Oberhaupt brauchten. Wir haben nur Leute, die mehr oder minder befähigt sind, für die Sache etwas zu thun, aber Oberhäupter haben wir keine.

Präs.: Sie erklären die Aussage der Podany für einen Act der Rache an Oberwinder?

Most: Für ein aberwitziges Weibergeträtsche. Sie versteht nichts von den Principien der Partei und spricht, wie eben ein unerfahrenes Frauenzimmer über solche Dinge sprechen kann.

23

Präs.: Was versteht Ihre Partei unter „freiem Volksstaat"?

Most: Jedenfalls einen Staat, in welchem die politische
Gleichberechtigung, die Theilnahme des gesammten Volkes
an der Gesetzgebung die Basis bildet.

Präs.: Es geht aus Allem hervor, dass Ihre Partei unter
„freiem Volksstaat", welchen das Eisenacher Programm als
Ziel aufstellt, die Republik verstanden hat.

Most: Davon weiss ich weniger.

Präs.: In der Nummer des „Felleisen", wo das Eisenacher Programm veröffentlicht wird, steht bei „freiem
Volksstaat" eingeklammert: „Republik".

Most: Ich fasse den „freien Volksstaat" als allgemeinen
Begriff auf, der eben so gut auf eine constitutionelle Monarchie, als auf eine Republik Bezug haben kann. Ich wüsste
übrigens nicht, was daran Strafbares wäre, die Republik an-
zustreben. Wenn das „Felleisen" zu „freier Volksstaat" das
Wort „Republik" hinzufügt, so ist das eine individuelle Ansicht des Schreibers, und es ist leicht erklärlich, dass man in
einer Republik diesem Programme gern eine republikanische
Färbung gibt.

Votant Gernerth: Sie sagten, dass Sie nach den Principien des Programmes vom neunten Arbeitertage bei Ihren
Agitationen vorgingen. Wissen Sie einen wesentlichen Unterschied zwischen dem Eisenacher Programm und dem des
neunten Arbeitertages?

Most: Einen besonderen, wesentlichen Unterschied
kenne ich nicht; das Eisenacher Programm ging in einigen
Punkten weiter. Uebrigens hat auch der neunte Wiener
Arbeitertag den „freien Volksstaat" in sein Programm aufgenommen.

Votant Gernerth: Ja, sehen Sie, hier ist ein wesentlicher
Unterschied. Und wesentliche Unterschiede sind eben wesentlich. (Sensation.) Im Programme des neunten Wiener
Arbeitertages ist nur vom „freien Staat" und nicht vom
„freien Volksstaat" die Rede. Den „freien Staat" strebt
jeder vernünftige Mensch an, aber nicht den „freien Volksstaat". Das ist ein Unterschied, denn Sie werden wohl die

24

Bedeutung des „Bestimmungswortes" kennen. Wenn ich z. B. sage Haus, so kann damit jedes beliebige Haus gemeint sein; wenn ich aber sage: Badhaus, Bethaus, etc., so ist das etwas ganz Bestimmtes. (Allgemeine Ueberraschung.) Der Begriff „freier Staat" ist weiter als der „freie Volksstaat".

Most: Ich kann mir keinen „freien Staat" denken, der nicht ein „freier Volksstaat" wäre. Ich kenne überhaupt ausser dem Volke nichts im Staat und kann daher auch keinen Unterschied zwischen „freier Staat" und „Volksstaat" finden, ausser man hätte die Ansicht, sich unter „freiem Staat" denjenigen zu denken, in welchem noch Privilegien einzelner Classen bestehen."

III.

Das Zeugenverhör.

Der Hauptkronzeuge war ein *Edmund Mühlwasser*, ein 24jähriger Abenteurer, der sich als „Schriftsteller" in die Arbeiterbewegung drängte, um darin die „Hauptrolle" zu spielen, um dies zu können, an „Radikalismus" Jeden zu überbieten suchte, und als er darob von der Polizei beim Kragen genommen wurde, sich derselben als Werkzeug zur Verfügung stellte.

Seine Angaben waren ebenso romantisch, wie verlogen. Er sagte z. B., es habe der Plan bestanden, von einer engen Gasse aus bei Nacht und Nebel in die Burg einzudringen, sich des Kaisers zu bemächtigen, um ihn als Geisel zu benützen. Hernach wären die Waffenmagazine zu plündern gewesen u. s. w. Zur Leitung des Aufstandes hätten sich im voraus diverse Offiziere bereit erklärt, so namentlich ein gewisser „Philipp". Im Kreuzverhör verwickelte sich dieser Jämmerling so sehr, dass schliesslich sogar die Staats-

25

anwaltschaft davon Abstand ·nahm, seine Beeidigung zu beantragen. — — —

Ein Hoflieferanten-Commis Namens *Rammken* meldete, dass der „Arbeiterführer" *Leidesdorf,* welcher kurz zuvor zu acht Monaten Gefängniss verurtheilt wurde, aber durchbrannte, ihm erzählt habe, dass 150 Feuerwerker von der Artillerie für die Sache gewonnen seien, dass die Arbeiter von Wiener-Neustadt die Pulverthürme der dortigen Gegend ausräumen würden — Kanonen wären auch schon so gut wie beschafft etc., etc. Andere Zeugen bewiesen aber, dass Leidesdorf ein unzurechnungsfähiger Schwätzer war.

Florencourt, ein sogenannter „Weltgeistlicher", den der österreichische „Kulturkampf" ins Gefängniss gebracht hatte, wo er den serbischen Sozialisten *Subaritz* kennen lernte, der gelegentlich eines Fluchtversuchs von der Strafanstalt Suben im Inn ertrank, wollte von diesem allerlei Mordgeschichten hinsichtlich eines demnächst in Wien in Scene zu setzenden Aufstandes erfahren haben.

Marie Podany, eines jener Weibsbilder, die in allen freiheitlichen Bewegungen auftauchen, um darin die Rollen von Obermarketenderinnen geschlechtlich und anderweit zu spielen und aus Eifersucht allen erdenklichen Zank und Gestank anstiften, wurde unter dem direkten und indirekten Einfluss des Untersuchungsrichters veranlasst, die Schauerromane Mühlwasser's theilweise zu bestätigen, machte sich aber bodenlos lächerlich.

Diverse andere Zeugen, so namentlich verschiedene Journalisten, sagten hinsichtlich der Gesinnungen und Absichten Oberwinder's und Anderer entlastend aus. Und als der letzte Zeuge seine Aussage beschworen hatte, dachte bereits Jedermann, dass der Prozess nichts Anderes, als Freisprechung sämmtlicher Angeklagten zum Resultat haben könne. Indessen — siehe später!

26

.IV.

Dokumenten-Verlesung.

Ein ganzer Haufen zum Theil ziemlich nichtsagender Briefe, welche bei den verschiedenen Hausdurchsuchungen eingeheimst wurden, kamen zur Verlesung, nicht minder allbekannte Gedichte, Manifeste, Zeitungsartikel und Stellen aus Broschüren, was Alles zur „Illustration der Gesinnung der Angeklagten" dienen sollte.

Mit besonderem Pathos wurde die sogenannte *„Droh-schrift"*, ausgehend von der kritischen Massendemonstra-tion, vorgetragen. Dieselbe hatte folgenden Wortlaut:

„An das k. k. Staatsministerium!

Bestimmt durch das entschiedene Auftreten der grossen Volksmassen, welche heute am Eröffnungstage des Reichs-rathes erschienen sind, um den so oft in Versammlungen und durch Petitionen ausgesprochenen Forderungen mehr Nachdruck zu geben, haben die Unterfertigten beschlossen:

Das Ministerium zu ersuchen, im Interesse der Wohl-fahrt des österreichischen Volkes dahin zu wirken, dass bei Beginn der Reichsrathssession das unbeschränkte Koali-tionsrecht bewilligt und das Gesetz über die Zwangsgenos-senschaften beseitigt werde; dass ferner noch im Laufe die-ser Session dem Reichsrathe Vorlagen gemacht werden bezüglich der Herstellung des völlig freien Vereins- und Versammlungsrechtes, der absoluten Pressfreiheit und der Einführung des gleichen und direkten Wahlrechtes.

Wir unterlassen hiebei nicht, das Ministerium daran zu erinnern, dass das Volk Bürgschaften verlangt für den Frieden und die Freiheit, und zwar die Beseitigung der stehenden Heere durch die Einführung der allgemeinen Volksbewaffnung.

27

111

Sollten die erwähnten Forderungen in dieser Reichsrathssession nicht berücksichtigt werden, so dürfte es möglich sein, dass das Volk wiederholt und in grösseren Massen
erscheint, um seinen Willen kundzugeben.

Wien, den 13. Dezember 1869.

Leopold Schäftner.   *Hermann Hartung.*
Martin Berka.   *Johann Baudisch.*
Friedrich Pfeiffer.   *Ferdinand Dorsch.*
Friedrich Hecker.   *Johann Schönfelder.*
Ludwig Eichinger.   *Heinrich Gehrke.*"

Aus dem bei mir beschlagnahmten „Tagebuch" kamen
u. A. folgende Stellen zur Verlesung:

„2. Jänner (1870). Auf das Polizei - Kommissariat
Rossau geladen worden, um mich auszuweisen, dass ich
nicht von Agitationsgeldern lebe. Ist mir gelungen; dabei
dem Kommissär gründlich die Wahrheit gesagt. Ganzen
Tag Zeitversäumniss. (Heiterkeit.)

6. Jänner. Vormittags halb 12 Uhr nach Wiener-Neustadt zur Volksversammlung gefahren, gut aufgenommen.
Nachmittags Volksversammlung stark besucht. Dreimal
gesprochen, Abends viele Soldaten gesprochen, welche ver-
sicherten, dass sie nie auf das Volk schiessen werden.
Nachts Rückfahrt nach Wien.

12. Jänner. Volksversammlung in Wien. Spiessbür-
ger wollten Arbeiter von der Debatte ausschliessen, wurden aber gehörig nach Hause geschickt."

Dann ein Brief an meinen Vater, der aufgefangen
wurde. Derselbe lautete:

„Wien, den 13. Jänner 1870.

Mein lieber Vater!

Indem ich noch immer einer Antwort auf meinen letzten Brief entgegenharre und · Sie meinem Ersuchen um
Uebersendung meiner Papiere bis dato nicht Folge gegeben

28

haben, bin ich sehr beunruhigt und es drängt mich, ein zweites Schreiben an Sie zu richten.

Ich weiss nicht, sind Sie unwohl, oder sollten Sie mein letztes Schreiben wieder einer Antwort unwürdig befunden haben??

Wäre Ersteres der Fall, was ich zwar nicht hoffen will, so ersuche ich Sie nun nochmals dringend, mir schreiben zu lassen, damit ich nunmehr nicht länger in Ungewissheit schweben muss, da mir diese lästige und bange Situation nachgerade beinahe unausstehlich geworden ist.

Sollte aber Letzteres der Fall sein, nun dann kann ich nicht umhin, hierüber mein tiefstes Bedauern auszudrücken. — Ich habe Ihnen bereits in meinem letzten Schreiben gründlich auseinandergesetzt, dass es gewiss niemals meine Absicht war, Sie zu beleidigen, sondern dass Sie mich jedenfalls ganz und gar missverstanden haben. — Es wundert mich daher umsomehr, dass Sie trotz dieser meiner letzten brieflichen Erklärung für meine Worte, wie es scheint, kein Vaterohr haben. — Sollte aber vielleicht gar Ihre ultramontane Gesinnung — gestärkt durch die jüngsten, scheinbaren Siege — so stark Ihre väterlichen Gefühle übertönen, dass Ihr Herz sich Ihrem Sohne für immer verschliesst? Nun, dann ist mir dies der beste Beweis, dass Pfaffen wirklich viel zu leisten im Stande sind. — Ich müsste nicht wissen, welche Gesinnung Sie früher hatten; als ich vor etwa zwei Jahren im elterlichen Hause war, sagten Sie zu mir selbst: „Der Mensch muss Schauspieler sein." Ich meinerseits habe Ihnen auch damals kein Hehl aus meinen Gesinnungen gemacht und vermochten Sie damals auch nicht besonders viel dagegen einzuwenden. Ich sehe also nicht ein, dass ich den verlorenen Sohn spielen sollte, weil ich Ihnen zu Liebe meine republikanische Gesinnung nicht mit einer ultramontanen vertauscht habe. — Sie glaubten vielleicht wohl, dass es mein Glück sein könnte; ich aber sage Ihnen, dass es für mich keine schrecklichere Hölle gibt, als eine solche, welche darin besteht, dass der Mensch so thun und handeln muss, wenn auch gegen gute Bezahlung, dass sein Innerstes sich dagegen sträubt. — Betrachten Sie die Sache mit ruhiger Ueberlegung, so werden Sie doch gewiss zur Einsicht gelangen, dass es besser und edler ist, wenn ein Mensch in seinem ganzen Thun und Handeln seine Gesinnung bekundet, als wenn er alle Augenblick in einer anderen Farbe spielt. — Ich hätte ebensogut Ihnen gegenüber den Mucker und Heuchler spielen können, der Ihnen zuckersüsse Lügen übersendet hätte, während ich so vielleicht mit derben Worten die reine unverfälschte Wahrheit aus meiner Feder fliessen liess. Wie könnte ich auch anders handeln? Wenn ich als Volkstribun dem Volke, der ganzen Welt, die nackte Wahrheit ungeschminkt und unverblümt in's Gesicht schleudere, werde ich wohl auch nicht zurückschrecken dürfen, meinem eigenen Vater gegenüber meine Charakterfestigkeit zu bewahren und ihm die Wahrheit, wie ich sie eben vorfinde, mitzutheilen. Ich versichere Sie und schwöre es Ihnen: Wenn Sie mir eine Stelle mit einem Monatsgehalte von 1000 fl. offerirten und ich einer mir gesinnungsfeindlichen Partei dienen sollte, und wenn mir andererseits von Seite meiner Parteigenossen nur trockenes Brod entgegen gehalten würde, so würde ich, ohne mich zu besinnen, nach dem trockenen Brode greifen. Ich ersuche Sie also nochmals freundlichst, mir recht bald zu schreiben und ja nicht zu versäumen, mir umgehend meine sämmtlichen Papiere, insbesonders aber meine Grossjährigkeitserklärung zu schicken, da ich ungemein viel Arbeit habe, so aber gebunden bin, weil ich ohne Steuerbogen für den Gewerbsbetrieb eigentlich nicht arbeiten darf und also der Gefahr ausgesetzt bin, dass mir vom Magistrat mein Werkzeug mit Siegel belegt wird. Ich glaube also mit Zuversicht annehmen zu dürfen, dass Sie meiner Bitte baldigst entsprechen werden und hoffe auch gute Nachrichten zu erhalten. Mit herzlichen Grüssen

Ihr aufrichtiger Sohn

Johann Most, Buchbinder,

IX. Bezirk, Wiesengasse Nr. 28, 1. Stock, Thür Nr. 13."

(Es mag auffallen, dass ich mit meinem Vater per „Sie" redete. Das hatte meine Stiefmutter so eingeführt,

30

weil, wie sie sagte, Kinder vor ihren Eltern keinen Respect haben, wenn sie per Du mit denselben reden. Dabei ist es dann geblieben.)

Dann kam ein in Chiffren geschriebener Brief zur Vorlesung.

Derselbe wurde bei der Arrestvisitation des Ludwig Eichinger gefunden und dechiffrirt. Er lautete:

„Lieber Freund!

Heute haben wir wieder einen unliebsamen Zuwachs bekommen, ein recht uncultivirtes Individuum — macht auch nichts, ich muss jetzt Alles ertragen, da man die Centralpost nirgends verlegen kann. Ich werde vorläufig diese Unverschämtheiten alle auf die grosse Rechnung setzen, damit ich beim Retourzahlen nichts vergesse. Der Quappl (Kerkermeister) wird dann auch nicht zu kurz kommen.

. Kennst Du Strecker? Derselbe befindet sich auf der fünften Nummer und hat 14 Tage — heute ging Oberwinder zum Arzt und kam bei mir gerade vorbei, als ausgespeist wurde, so dass wir einige Worte mit einander wechseln konnten.

Pfeiffer konnte ich vom Fenster aus sehen, als er in's Bad ging. Ich will hoffen, dass ich jetzt bald gerufen werde und dann werde ich mir erlauben, einige sehr sanfte Worte zu reden, dass sich der Kerl über meine Sanftmuth wundern soll.

Wenn Du nur den „Volkswille" öfter bekommen würdest. Zeitungen kann ich viele von der nächsten Woche an erhalten. Am Montag werde ich also, wie gesagt, Depeschen in die Freiheit schmuggeln. Wenn Du auch etwas beilegen willst, so musst Du eben im Laufe dieser Woche etwas felbern, wie man hier zu sagen pflegt. Was sagst Du zu den Neuigkeiten, die Du aus den verschiedenen Zeitungsausschnitten (etc. etc.), die ich Häcker und er Dir sendeten?

31

Heute wirst Du wohl auch schon den „Nussknacker"
erhalten haben. Für die dritte Nummer ist schon wieder
Stoff da. Diesmal wird auch ein Gedicht, das ich heute
machte, erscheinen.

Was weisst Du über die Affaire Eichinger? Suche
der Sache auf den Grund zu kommen. Was gibt's sonst
Neues? Ich bin immer frisch und gesund, nur ausgehen
darf ich nicht. (Heiterkeit.) Sonst hat sich nichts besonderes auf meiner Colonie zugetragen von P. u. P. —
Grüsse Ei u. S — S. etc.

    Mit socialdemokratischem Gruss Dein

                              J. Most.
Die Adresse lautet:

    „Herrn Berka, Privatier, Loco. Franco."

An die Vorlesung knüpfte sich folgende Controverse:
„Präs.: Wer ist der Kerl?
Votant Gernerth: Na, der Untersuchungsrichter.
Präs.: An wen war denn der Brief gerichtet?
Most: An Berka. Ich erfuhr nämlich, dass er im ersten
Stock, vor der Zelle, wo ich wohnte, untergebracht war.
Ich war, als ich den Brief schrieb, sehr gereizt. Ich hatte
nämlich eine niederträchtige Umgebung, meist verkomme-
nes und gemeines Gesindel. Ich habe mich hierüber oft
beschwert. Es hat aber nichts genützt. Abends war ich
immer auf kurze Zeit allein; da verfasste ich denn die Geheimschrift; es war eine traurige, aber immer noch die an-
genehmste Unterhaltung für mich. Ich unterhielt auch mit
derselben meine armen Leidensgenossen, die mit mir in demselben Tracte des Hauses wohnten und die so wie ich —
sehr viel Zeit hatten.

    Präs.: Wie rechtfertigen Sie die Ausfälle gegen den
Untersuchungsrichter? Sie werden mir doch zugestehen,
dass ein gebildeter Mensch von einem anderen gebildeten
Menschen nicht in solchen Ausdrücken sprechen kann.

    Most: Was den Untersuchungsrichter betrifft, so habe
ich nicht den geringsten Grund gehabt, gegen denselben

freundlich gestimmt zu sein. Er wendete gerade mir gegenüber ein solches Mürbemachungssystem an, welches mich zur Verzweiflung treiben konnte. So liess er mich 10 Wochen sitzen, ohne mich zu rufen, geschweige denn, dass ich ein Verhör gehabt hätte. (Sensation.) Dieses Vorgehen musste mich doch empören. Kam Jemand zu mir, so sagte er einfach: Man könne mit mir nicht sprechen. Mein Hausherr kam auch zu mir. Er hatte von mir etwas zu fordern. Wäre mein Hausherr nicht so ein ehrlicher Mann, so hätte er mir schon längst meine Kleider verkauft.

Präs.: Der Untersuchungsrichter ist nicht verpflichtet, Sie rufen zu lassen, und die Verfügung hierüber steht ihm frei.

Most: Wenn aber kein Schaden zu befürchten ist, so gebietet ihm die Strafprocessordnung nicht so vorzugehen."

Ueber meine „schriftstellerische Thätigkeit" während der Untersuchungshaft geben folgende Schriftstücke, die zur Verlesung gelangten, Aufschluss.

Amts-Erinnerung.

Bei der Visitation des Arrestes Nr. 25 wurden in Bezug auf die Untersuchung des Most in dessen Besitz vorgefunden:

1. Ein Aufsatz auf einem halben Bogen in Zeichenschrift mit Nummer 3 bezeichnet, wahrscheinlich für ein Journal vorbereitet.

2. Ein Blatt Papier mit Bleistift beschrieben.

3. Fragmente eines ähnlichen Blattes.

4. Ein Stück Papier mit Noten und einigen Worten.

5. Ein Stück Papier, in welchem die Noten mit Buchstaben bezeichnet sind, daher wahrscheinlich den Schlüssel abgeben sollen.

6. Zwei Adressen des Carl Huber und eine dritte lautend auf Erdberg, Dietrichgasse Nr. 33.

7. Gedichte von Most.

33

In diesem Arreste ist beim Aborte das linke Brett der Verkleidung aufgerissen, so dass diese zu einem förmlichen Depositorium dient, in welchem sich aber nur einige Blätter unbeschriebenes Papier vorfanden."

Hierauf verliest der Präsident eine Nummer der von mir in Chiffren geschriebenen Zeitung, welche aber blos einige Nummern erlebte. Die Zeitung bringt nach dem Motto: „O Nebenführ,*) o Nebenführ, wie grün sind deine Blätter" einen Artikel: „DieMordthaten in Böhmen", welcher mit glühendem Hass gegen die bestehenden socialen und politischen Zustände die Swarower Ereignisse besprach.

Präs.: In einer weiteren Nummer des von Ihnen geschriebenen „Nussknacker" befindet sich ein Aufsatz: „Unser Process." In demselben heisst es: Im Allgemeinen stehen die Acten nicht so schlecht, ein eigentlicher Beweis ist bis dato nicht erbracht worden. Die Aussagen unserer Freunde bei ihren Verhören sind sehr gut und müssen wir im Allgemeinen die Haltung unserer Leidensgefährten als musterhaft bezeichnen. Leider sind uns in letzter Zeit Nachrichten zugekommen, denen zufolge nicht nur L. und M. zweideutige Aussagen machten, sondern dass auch Dorsch sich verleiten liess, eine Angabe zu machen, die zwar an und für sich nichtssagend ist, aber immerhin Anlass zu ververschiedenen Compromissen geben kann. Wir warnen also wiederholt und ernstlich, sich durch keinerlei Vorspiegelungen zu derartigen Aussagen verleiten zu lassen, die nur das geringste Licht in unsere Sache werfen könnten. Socialdemokraten müssen zeigen, dass sie Männer sind; auch ersuchen wir alle Freunde, ihre Verhöre im Auszug abzuschreiben und uns sofort zu senden, damit wir für deren weitere Verbreitung sorgen können!!! Wir halten unseren Freund Dorsch für viel zu ehrenhaft, als dass wir glauben könnten, er habe hier einen Verräther gemacht. Wir sind fest überzeugt, dass ihm die kritischen Worte nur entschlüpft sind oder entlockt wurden. Ein andermal vorsichtiger sein."

---

*) So hiess der Untersuchungsrichter.

34

V.

Die Playdoyers.

Nach zehntägiger Verhandlung wurde das „Beweisverfahren", vermöge welchem nichts, aber auch rein gar nichts bewiesen wurde, was unsere Verurtheilung hätte rechtfertigen können, geschlossen. Am darauffolgenden Tage ergriff zunächst der Staatsanwalt das Wort, um mit wenig Witz und viel Behagen unsere Verknurrung zu beantragen. Die hierauf gehaltenen Vertheidigungsreden der Advokaten Dr. *Singer* und Dr. *Mauther* waren ziemlich mattherziger Natur; und die Angeklagten hatten auch nicht viel zu sagen, drehte sich doch die ganze Anklage eigentlich um nichts Greifbares, sondern gipfelte in dem Verlangen, die Arbeiterbewegung als solche gerichtlich zu hintertreiben.

Aus meiner Schlussansprache zitire ich Folgendes:

„Meine Herren Vertheidiger und auch mein Vorredner haben schon in erschöpfender Weise das Thema behandelt. Dennoch muss ich mich mit einigen Worten gegen die Ausführungen des Herrn Staatsanwalts wenden. (Mit erhobener Stimme): Erstens bin ich auch einer dieser verpönten Ausländer...."

Präs.: Ich bitte nur mit Mass und Anstand zu sprechen, ich will nicht Anlass nehmen, Ihnen das Wort zu entziehen.

Angeklagter Most (fortfahrend): „Ich bin auch einer der Ausländer, welche nach Oesterreich gekommen sein sollen, um die Fahne der Socialdemokratie aufzupflanzen.

Ich muss vorläufig nur bemerken, dass in dem Momente, als ich nach Oesterreich kam, daselbst eine bedeutende Arbeiterbewegung schon existirte, und zwar eine so gesunde Arbeiterbewegung, dass ich, als ich noch in der Schweiz war, schweizerische Arbeiterführer zu den Arbeitern sagen hörte: „Schämt Euch, in Oesterreich ist mehr gesunder Sinn im Volke als bei Euch Republikanern!" Ich glaube, dass der Herr Staatsanwalt durch seine Behauptung, dass diese Agi-

35

tation durch Ausländer hervorgerufen worden ist, das österreichische arbeitende Volk geradezu beleidigt, denn der Herr Staatsanwalt spricht mit diesen Worten der österreichischen Arbeiterbevölkerung die Befähigung ab, einen grossen gesunden Gedanken zu haben, denn dass die Principien, welche die Socialdemokratie aufstellt, dass die Forderungen, welche in der Arbeiterbewegung auftauchen, gewiss nicht ungerecht sind und von den grössten Gelehrten dieses Jahrhunderts anerkannt wurden, ist eine feststehende Thatsache.

Der Herr Staatsanwalt reiht auch mich unter Diejenigen, welche sich haben verführen lassen. Dem entgegen bemerke ich, dass ich mich nie zu etwas habe verführen lassen. Was ich gethan habe, kam aus meiner innigsten Ueberzeugung und ich habe es aus eigenem Antriebe gethan; ich habe mich von Niemanden verführen, mir von Niemanden Worte in den Mund legen lassen. Was ich that, habe ich mit jener Kraft gethan, die mir immer innewohnt, um der gerechten Sache zu dienen....

Wenn ich nun frage, warum ich des Hochverraths angeklagt bin, so finde ich, dass die Anklage darin gipfelt, dass ich eine Mitgliederkarte besass, welche documentirt, dass ich der socialdemokratischen Partei, die das Eisenacher Programm zur Grundlage hat, angehöre.

Nun, meine Herren Räthe, Herr Dr. Giskra, der ehemalige Minister, sagte, dass diese Partei staatsgefährlich ist. Er hätte ebensogut eine andere Partei für staatsgefährlich erklären können. Warum er gerade diese Partei für staatsgefährlich erklärte, begreife ich. Er vergass seine Mission, dass er Minister ist und dass die Regierung über den Parteien stehen soll. Herr Dr. Giskra hat es stets hervorgekehrt, dass er sowohl als Abgeordneter wie als Minister an der Spitze des Capitals stand. Wenn gegen diese Rechtsverletzung, gegen die Beschränkung des Vereins- und Versammlungsrechtes von Seite des Abgeordnetenhauses nichts gethan wurde, so hat dieses seinen Grund darin, weil im Reichsrathe Männer sassen, die der gleichen Partei angehörten, wie Giskra, einer Partei, welche das regste Interesse

36

daran hatte, dass die Arbeiterbewegung nicht allein nicht reussire, sondern sogar zurückgedrängt werde. Herr Dr. Giskra, der sonst ein sehr gescheidter Mann ist und früher sehr viele freiheitliche Reden gehalten und sehr viel im freiheitlichen Sinne zu wirken sich angeschickt hat, muss da vergessen haben, dass sich gegen Ideen und Principien nicht durch Decrete ankämpfen lässt. Dabei ist wohl zu bemerken, dass Herr Dr. Giskra in seinem Rundschreiben nur verboten hat, dass Vereine, denen das Eisenacher Programm zur Grundlage dient, gegründet werden. Solche Vereine sind aber nicht gegründet worden und einzelnen Personen muss es überlassen bleiben, einer Partei oder einem Vereine im Auslande anzugehören, welche dort nicht verboten und keine geheimen Gesellschaften, sondern öffentliche, gesetzlich gestattete Vereine sind.

Weiters berief sich der Staatsanwalt darauf, dass bestimmte Anzeichen vorliegen, dass Gewaltacte vorbereitet waren und dass Manches dafür spreche, dass die Arbeiter vor Gewaltacten nicht zurückschrecken. (Es kam da zu Zusammenstössen zwischen Arbeitern und Soldaten.) Er führte Beispiele an, von Reichenberg und Swarow. Das waren allerdings Gewaltacte, aber wer hat sie ausgeführt? Darüber wird die Weltgeschichte urtheilen.

Ich gestehe, dass ich ein Socialist bin, ich bekenne es, dass ich es bleiben werde, so lange ich warm bin, dass ich bis zur äussersten Potenz dem Socialismus huldigen werde, und dass ich, mag das Urtheil ausfallen wie immer, die Fahne nicht niedriger halten werde.

Ich gestehe aber nicht, dass ich in Oesterreich jemals etwas gethan habe, was ausserhalb des Bereiches des Gesetzes gewesen wäre. Ich habe mich stets nur auf gesetzlichem Boden bewegt, ich habe nur gesprochen in öffentlichen Versammlungen, welche von dem Gesetze gestattet waren und im Beisein des landesfürstlichen Commissärs. Ein Weiteres kann mir nicht unterschoben werden.

Das war Alles, was in meinen schwachen Kräften lag, und das habe ich gethan. Ich muss es entschieden von mir

37

weisen, dass es mir in den Sinn gekommen wäre, durch Gewaltacte irgend etwas zu erreichen oder auch nur bei solchen mitzuwirken, und mir ist auch nicht bekannt, dass jemals ein Gewaltact in irgend einer Weise in Vorbereitung gewesen wäre.

Ich hoffe auch, meine Herren Räthe, dass Sie nur vom Standpunkte des Gesetzes urtheilen werden und nicht vom Parteistandpunkte und dass Sie sich nicht von der Regierung werden beeinflussen lassen...."

Präs.: Ich muss diese Auslassung auf das Strengste rügen.

Most (fährt fort): „Ich habe auseinandergesetzt, was ich gethan habe und was ich nicht gethan habe. Wenn Sie können, so verurtheilen Sie mich. Ich werde das Urtheil zu ertragen wissen. Wenn ich Strafe verdient habe, so bestrafen Sie mich."

VI.

Das Urtheil.

Am 19. Juli 1870 wurde das Urtheil verkündet, das folgendermassen lautete:

„Im Namen Seiner Majestät des Kaisers!

Das k. k. Landesgericht in Wien hat in der Untersuchungs-Angelegenheit gegen Heinrich *Oberwinder* und Genossen wegen des Verbrechens des Hochverrathes, rücksichtlich der Verbrechen der öffentlichen Gewaltthätigkeit und der Vorschubleistung, nach der am 4. Juli d. J. begonnenen und am 15. d. M. zu Ende geführten Verhandlung zu Recht erkannt:

Heinrich Oberwinder, Andreas Scheu, Johann Most und Johann Pabst sind des Verbrechens des Hochverrathes im Sinne des §. 58 lit. b St. G. schuldig und werden nach §. 59 lit. b zweiter Absatz unter Anwendung des §. 286 St. P. O. verurtheilt und zwar:

38

122

Heinrich Oberwinder zu sechs Jahren — (Grosse Bewegung im Auditorium, Zeichen der Sensation).

Präs. (mit erhobener Stimme): Nur ein Symptom, nur ein Hauch, und der rückwärtige Theil des Saales ist geräumt! (Nach einer Pause fortfahrend): Heinrich Oberwinder zu sechs Jahren schweren Kerkers, verschärft mit einem Fasttage in jedem Monate; Andreas Scheu, Johann Most und Johann Pabst zu je fünf Jahren schweren Kerkers, verschärft nach dem Gesetze vom 15. November 1867 mit einem Fasttage in jedem Monate. Gleichzeitig hat der Gerichtshof beschlossen, die Acten, Andreas Scheu, Johann Most und Johann Pabst betreffend, dem hohen Obergerichte zur weiteren Milderung vorzulegen, weil dem Landesgerichte die Befugniss, die Strafe weiter herabzusetzen, nicht zusteht.

Johann Pabst ist des Verbrechens der Vorschubleistung nicht schuldig; Heinrich Perrin ist des Verbrechens des Hochverrathes im Sinne des §. 58 b nicht schuldig; Martin Berka, Johann Schönfelder, Friedrich Häcker sind des Verbrechens des Hochverrathes im Sinne des § 58 b nicht schuldig; hingegen sind die drei Letztgenannten, sowie Johann Baudisch, Leopold Schäftner, Friedrich Pfeiffer, Ferdinand Dorsch, Ludwig Eichinger und Heinrich Gehrke schuldig des Verbrechens der öffentlichen Gewaltthätigkeit im Sinne des §. 76 St. G. und werden nach §. 77, und zwar Martin Berka unter Anwendung des §. 54 St. G. zu sechs Monaten schweren Kerkers mit einem Fasttage in jedem Monate, Johann Schönfelder unter Anwendung der §§. 54 und 55 St. G. zu vier Monaten schweren Kerkers, Friedrich Häcker unter Anwendung des §. 54 St. G. zu zwei Monaten Kerkers, Johann Baudisch unter Anwendung der §§. 54 und 55 St. G. zu drei Monaten Kerkers und einem Fasttage in jedem Monate, Leopold Schäftner unter Anwendung des §. 54 St. G. zu drei Monaten Kerkers, Friedrich Pfeiffer unter Anwendung des §. 54 St. G. zu acht Monaten schweren Kerkers mit einem Fasttage, Ferdinand Dorsch unter Anwendung des §. 54 St. G. zu zehn Monaten Kerkers, Ludwig Eichinger unter Anwendung des § 54 St. G. zu drei Mona-

39

ten Kerkers und Heinrich Gehrke unter Anwendung der §§. 54 und 55 St. G. zu zwei Monaten Kerkers und zwei Fasttagen in jedem Monate verurtheilt. Die Verurtheilten haben die Kosten des Strafverfahrens zu tragen. Oberwinder und Most werden aus sämmtlichen Kronländern des österreichischen Kaiserstaates verwiesen. Die mit Beschlag belegten 1,000 fl. sind, da sie nicht Eigenthum eines der Angeklagten und die Person, der sie gehören, nicht der Judicatur eines hiesigen Gerichtes untersteht, dem Erleger zurückzustellen.

Gründe.

Der Präsident begründet dieses Erkenntniss in nachfolgender Weise:

Es konnte selbstverständlich nicht Aufgabe des Gerichtshofes sein, über den Werth oder Unwerth socialer Theorien, Principien und Ideen, über welche selbst noch die Wissenschaft im Streite liegt, ein Urtheil auszusprechen, sondern der Gerichtshof hat sich lediglich auf das Gebiet von Thatsachen und deren Subsumirung unter das Gesetz beschränkt.

Bezüglich des objectiven Thatbestandes des Hochverrathes stellt sich die Frage dahin, ob etwas unternommen wurde, was auf eine gewaltsame Aenderung der Regierungsform in Oesterreich angelegt war. Die Anklage behauptet nun, dass Diejenigen, welche sich die Einführung, Verbreitung und Durchführung des Eisenacher social-democratischen Programmes in Oesterreich zur Aufgabe setzten, allerdings eine im Sinne des §. 58 lit. b strafbare Handlung begangen hätten. Es fragt sich daher weiter, ob der Inhalt dieses Programmes ein solcher sei, dass dessen Durchführung in unserem Staate nothwendig eine gewaltsame Aenderung der daselbst bestehenden Regierungsform zur Folge haben müsse und ob eine solche Aenderung in der Absicht der Verfasser und in den Mitteln der Verbreiter dieses Programmes gelegen gewesen sei.

40

Was nun den Inhalt des Programmes selbst anbelangt, so enthält es die Grundsätze, nach denen die seinerzeit in Eisenach versammelt gewesenen Delegirten der Socialdemokraten deutscher Zunge die Bewegung ihrer Partei normirt wissen wollten. Nun enthält der erste Punkt des Programmes die Erstrebung des freien Volksstaates und nach den in Eisenach und anderwärts darüber gepflogenen Debatten unterliegt es keinem Zweifel, dass darunter nur die demokratische Republik gemeint sei, wie denn das Wort „freier Volksstaat" nach seinem deutlichen und nicht zu bezweifelnden Inhalte nur einen solchen Staat meinen kann, in welchem das Volk und nur das Volk alle Gewalten, sowohl die gesetzgebenden als die vollziehenden, in sich fasst.

Die diesfälligen Ausflüchte einiger Angeklagten, als sei dem nicht so, sind durchaus leere.

Nachdem aber ein weiterer Programmpunkt die Bestimmung enthält, dass jedes Mitglied der Partei sich verpflichtet, mit ganzer Kraft für die in dem Punkte 2 von 1 bis 6 angeführten Grundsätze einzutreten, und da der erste dieser Grundsätze dahin lautet: „Die heutigen politischen und socialen Zustände sind im höchsten Grade ungerecht und daher mit der grössten Energie zu bekämpfen", und der Punkt 4 die sociale Frage von der politischen als untrennbar und ihre Lösung nur im demokratischen Staate als möglich erklärt, so folgt aus dem Zusammenhalte dieser beiden Programmpunkte, dass die im ersten Programmpunkte aufgestellte Staatsform für die ausschliesslich zur Erreichung dieser Zwecke geeignete anerkannt wird, daher ebenso wie die sub II aufgestellten Grundsätze mit der grössten Energie zu erkämpfen ist.

Es liegt daher in der Natur der Sache, dass schon die Durchführung des Programmes eine gewaltsame Action in ihrer Berechnung haben müsse, weil es nicht denkbar ist, dass die energische Erstrebung eines der österreichischen Staatsinstitution diametral entgegengesetzten Staatsprincipes ohne gewaltsamen Conflict geschehen könne.

41

Ist nach dem Vorangeführten schon der Inhalt des Programmes ein solcher, dass dessen Durchführung in Oesterreich die Anwendung gewaltsamer Mittel in sich schliesst, so liegt in der Organisation einer Partei in Oesterreich zu diesem Zwecke ein Unternehmen zu Tage, welches gleichfalls die Merkmale §. 58 lit. b St. G. in sich schliesst. Ausserdem wird diese Anschauung des Gerichtshofes durch die von den Leitern dieser Partei an verschiedenen Orten und zu verschiedenen Zeiten öffentlich geschehenen Kundgebungen vollkommen bestätigt.

Von den zahllosen Belegen dieser Art, wie sie aus den verlesenen Schriftstücken hervorgehen, sei hier nur erwähnt, dass in vertraulichen Briefen in sarkastischer Weise auf ein Familien-, auf ein Hochzeitsfest hingewiesen wird, dass in öffentlichen Organen auf einen Kampf hingewiesen wird, gegen den alle bisherigen Revolutionen Kinderspiele gewesen seien, dass die Gewalt gegen die sogenannten Staaten zur Pflicht gemacht und ein gesetzlicher Widerstand für Spott und Hohn erklärt wird u. dgl. m.

Auch ist, nach den Debatten in Eisenach zu schliessen, die Organisation zugleich einheitlich und localer Natur, wodurch das Bestehen der einzelnen für die Grundsätze der Partei wirkenden Vereine gesichert werden sollte.

Auch ist sie eine solche, dass in dem Heranziehen einer physischen, jeden Widerstand überwältigenden Masse die vorzugsweise Macht zur Durchführung des letzten Zieles gesucht wird.

Auch die Art und Weise der Agitation für das erwähnte Programm ist eine solche, welche die früher erwähnte Anschauung rechtfertigt, denn sie wendet sich zunächst an die Leidenschaften der grossen Massen; es wird ihr Hass und Verachtung gegen das Bestehende eingeflösst und ihr ein glücklicher Zustand erst durch die Verwirklichung der Programmpunkte in Aussicht gestellt.

Wenn endlich die von den verschiedenen Seiten im Laufe der Schlussverhandlung gemachten Andeutungen über ein gewaltsames Vorgehen zur Erreichung des Ein-

42

126

gangs erwähnten Zweckes erwogen werden, so konnten dieselben die Ueberzeugung des Gerichtshofes nur nach der Richtung bestärken, dass, wenn auch noch nicht ein bestimmter revolutionärer Plan im Werke war, doch eine gewaltsame Erhebung in den leitenden Kreisen der Partei Gegenstand der Erwägung und ernster Erörterung war.

Ein Programm nun, welches seinem Inhalt nach ein gewaltsames Vorgehen gegen die Einrichtungen des Staates, in dem es zur Geltung kommen soll, in sich schliesst, welches zur Durchführung das Gewicht der grossen Masse voranstellt, welches nach den eigenen Aeusserungen der Parteiführer auf gewaltsames Vorgehen angewiesen ist, welches endlich durch die Vorspiegelung künftigen Glückes und Entstellung der gegenwärtigen staatlichen Verhältnisse die Leidenschaften der grossen Masse aufwiegelt: ein solches Programm muss, sobald es Gegenstand der Einführung und Ausbreitung in Oesterreich wird, den Thatbestand des Hochverrathes nach §. 58 lit. b des Strafgesetzes begründen.

Was die Schuld der einzelnen Angeklagten an diesem Verbrechen betrifft, welche sich übrigens sämmtlich als Socialdemokraten bekennen, so muss in dieser Beziehung ein Nachweis einer von ihnen gesetzten und auf das oberwähnte hochverrätherische Unternehmen gerichteten Handlung geliefert sein, andererseits aber auch nachgewiesen sein, dass der Handelnde in voller Kenntniss des Zieles der Bewegung und der zu seiner Erreichung vorausgesetzten Mittel sich befunden habe.

In diesem Sinne erscheint der Angeklagte Heinrich Oberwinder des gedachten Verbrechens schuldig, denn er war mit der socialdemokratischen Bewegung und ihren Häuptern, welche die Erkämpfung der politischen Macht, die sociale Umwälzung erreichen will, auf das innigste vertraut; aus diesem Grunde kannte er auch jederzeit Inhalt und Umfang des Zieles und die dabei zu verwendenden Mittel; er erscheint, befremdend genug, am Nürnberger Arbeitertage nebst Hartung als Delegirter des österreichischen Agitations-Comités. Ebenso erscheint er nebst Scheu als Delegirter auf

43

dem Eisenacher Congresse für die österreichischen Socialdemokraten, nimmt thätigen Antheil an dem Zustandekommen der dortigen Beschlüsse und erklärt Oesterreich als
einen geeigneten Boden zur Durchführung des Programmes,
weil es in einem Zersetzungsprocesse begriffen sei; er nimmt
eine Stelle im Präsidium ein; er wird in das Comité zur Verfassung des Aufrufes an die ländliche Bevölkerung gewählt,
und er ist es, der durch das wichtigste Agitationsmittel, die
Tagespresse, das Eisenacher Programm in Oesterreich zur
Geltung bringen will; ja, sein Erscheinen und Verweilen in
Oesterreich selbst lässt sich nur durch Agitationszwecke erklären.

Er stand daher jedesmal auf der Höhe der Situation
und musste wissen, um was es sich handle und mit welchen
Mitteln gewirkt werden solle. Seine Correspondenz mit
Liebknecht, Bebel und Ladendorf, seine Mitwirkung am
„Felleisen", die durch nichts hinwegzuleugnen ist, das An-
preisen der „Volksstimme" im obigen Journale und die Sub-
vention für das von ihm und Hartung als Parteiorgan her-
ausgegebene Journal „Volksstimme" aus einem Fonde, der
offenbar nur grosse revolutionäre Zwecke verfolgt; sein
bedeutender Einfluss auf die hiesigen Arbeiterkreise, deren
unsichtbares Oberhaupt er von einem Parteigenossen selbst
genannt wird — alle diese Umstände zusammen, deren Bestand der Angeklagte selbst nicht in Abrede stellen kann,
sind geeignet, den Schuldausspruch zu rechtfertigen, wenn
auch der Angeklagte durchaus leugnet, dass das, was er
gethan und wofür er gewirkt, die Merkmale des obengedachten Verbrechens an sich trage, und dass zwischen seinem
Handeln und dem ihm zugemutheten Zwecke eine Causalnexus bestände.

Obwohl ferner hinlängliche Verdachtsgründe vorhanden
sind, anzunehmen, dass die Demonstration vom 13. December
v. J., deren strafbarer Character später erörtert werden wird,
mit Wissen und Willen des Oberwinder vor sich gegangen
sei, ja ohne sein Zuthun gar nicht vor sich gehen konnte,
so kann dieser Act ihm nicht als besonderes Verbrechen der
öffentlichen Gewaltthätigkeit angerechnet werden, da er in

44

dem höheren Begriffe des Hochverrathes aufgeht und nur ein Symptom bezeichnet. Was die Strafbarkeit betrifft, so kann gegen ihn nur die Strafkategorie des zweiten Absatzes lit. b des §. 58 St. G. in Anwendung kommen, weil, wie hervorragend auch die Thätigkeit des Oberwinder sein mag, er dennoch mit Rücksicht auf die internationale Seite der Bewegung nur ein Glied in einer grossen Kette darstellt.

In gleicher Weise muss auch Scheu des obengedachten Verbrechens des Hochverrathes nach lit. b des §. 58 St. G. schuldig erkannt werden, denn auch er gehört zu den hervorragenden Führern der Arbeiterpartei und entwickelte als Agitator für socialdemokratische Zwecke eine unermüdliche Thätigkeit; er war gleichfalls Delegirter in Eisenach und wusste sich Mandate von nahezu 100,000 Arbeitern zu verschaffen; beim Congresse selbst fungirte er als Schriftführer und nahm auf die Beschlüsse entscheidenden Einfluss, nicht allein durch seine Rede, sondern auch dadurch, dass er seine zahlreichen Mandate unter seine Gesinnungsgenossen vertheilte; er war endlich durch Anwerbung von Mitgliedern in Oesterreich zum Beitritte an die Eisenacher Beschlüsse thätig, was er selbst zugesteht. Bei seinem Einflusse auf die socialdemokratischen Arbeitergenossen und seiner genauen Kenntniss des Zieles und der Mittel der Bewegung, sowie mit Rücksicht auf seine bisherige Thätigkeit muss daher auch auf ihn der oben ausgesprochene Grundsatz in Betreff der bösen Absicht Geltung finden.

Was die übrigen wegen Hochverrathes Angeklagten betrifft, so fällt ihnen zur Last, theils dass sie für das Eisenacher Programm hierlands Mitglieder geworben, theils selbst dem Congressstatute als Mitglieder beigetreten seien. In beiden Handlungen liegt allerdings der objective Thatbestand des mehrgedachten Verbrechens des Hochverrathes.

Aber in Bezug auf die subjective Seite desselben, die Schuld, muss untersucht werden, ob den betreffenden Angeklagten der nothwendige Causalnexus zwischen ihrer Handlung an und für sich und dem damit verknüpften Zwecke, den hiezu vorausgesetzten Mitteln und den wahrscheinlich oder nothwendig damals entspringenden Folgen klar gewesen

45

sei, mit einem Worte, ob ihnen das strafbare Moment der von ihnen gesetzten That entschieden deutlich vor Augen lag.

Es ist hiezu insbesondere mit Rücksicht auf die Natur des in Frage stehenden hochverrätherischen Unternehmens eine geistige Operation nöthig, deren Vollzug ausser Zweifel sein muss, soll ein Schuldausspruch erfolgen.

Was nun jene drei Angeklagten betrifft, die Mitglieder für das Eisenacher Statut angeworben haben, nämlich Johann Pabst, Johann Schönfelder und Heinrich Perrin, so gibt der Erstgenannte den Verschleiss von Mitgliedskarten zu; die beiden Anderen leugnen dies, obgleich sie die Verwendung der zugestandenermassen in ihrem Besitze befindlich gewesenen Karten nichts weniger als aufgeklärt haben. Bei den letztgenannten zwei Angeklagten fehlt daher der Beweis über die vorgenommene Anwerbung von Mitgliedern und was ihren eigenen Beitritt betrifft, so fehlt das oben angedeutete subjective Erforderniss nach ihrer an den Tag gelegten Bildungsstufe gänzlich; sie können daher nach §. 58 lit. b St. G. um so weniger schuldig gesprochen werden, als bei ihnen ausserdem der Nachweis fehlt, dass sie den Inhalt und die Bedeutung des Eisenacher Programmes in Beziehung auf ihren Beitritt geistig in sich aufgenommen haben.

Was aber den Angeklagten Pabst betrifft, so war derselbe Secretär des Wiener Arbeiterbildungsvereins, eines Vereins von eminent politischem Character und des Centrums für alle socialdemokratischen Bestrebungen in Oesterreich.

Er hatte daher nach seiner Stellung mehr als irgend einer Kenntniss von den Zielen und Mitteln der Arbeiterbewegung.

Er hat bei der Schlussverhandlung mit Ostentation erklärt, dass er dem Eisenacher Programme vollkommen beistimme und dass er selbst zu einer Zeit, als die Eisenacher Statuten vom Minister des Innern für staatsgefährlich erklärt worden waren, noch Mitglieder dafür angeworben habe. Er

46

war es auch, welcher aus der Arbeitercasse einen Cautionsbetrag von 1,000 fl. für die „Volksstimme" vorschoss und welcher zur Zeit, als gegen Scheu die Untersuchung in Reichenberg schwebte, die ihm bedenklich scheinenden Broschüren, Zeitungen u. dgl. aus der Wohnung des Letzteren der gerichtlichen Nachforschung entzog; wenn auch die letztere Handlungsweise nicht als Verbrechen angesehen werden kann, weil Scheu zu jener Zeit nur wegen einer Uebertretung in Untersuchung stand, so ist doch nicht zu verkennen, dass Pabst die Schriften und Druckwerke des Scheu im Hinblicke auf wichtigere Zwecke der Association entfernte, und er muss deshalb, da die vorausgeschickten thatsächlichen Umstände von ihm zugestanden werden, gleichfalls des Hochverrathes schuldig erkannt werden, da die böse Absicht bei ihm nach § 68 St. P. O. mit Rücksicht auf seine persönlichen Eigenschaften und die Art seiner Verantwortung angenommen werden muss.

Noch erschienen wegen Besitzes von Mitgliederkarten der mehrerwähnten Partei Most, Berka und Häcker des Hochverrathes angeklagt. In Bezug auf die letzteren Zwei kann der subjective Thatbestand aus den bei Schönfelder und Perrin angeführten Gründen nicht als erbracht angesehen werden, insbesondere nicht bei Häcker, da derselbe behauptet, die Karte erst ein paar Tage vor seiner Verhaftung erhalten und das Programm selbst nur aus den Untersuchungsacten kennen gelernt zu haben.

Anders aber verhält es sich bei Most; derselbe hat sich bei der Schlussverhandlung offen als Republikaner erklärt. Seine sowohl öffentlich gehaltenen Reden, als die bei ihm aufgefundenen und von ihm selbst verfassten Schriftstücke athmen einen glühenden Hass gegen die gegenwärtige staatliche Ordnung. Er beurkundet keine gewöhnliche Geistesschärfe und einen entschlossenen Charakter. Er gibt die Uebereinstimmung mit den in Eisenach gefassten Beschlüssen zu, und wenn er, wie er zugibt, als Mitglied diesen Beschlüssen beigetreten ist, so muss nach seinen persönlichen Eigenschaften angenommen werden, dass er die Pflichten einer solchen Mitgliedschaft in ihrer ganzen Tragweite über-

47

nommen habe und demgemäss auch zu handeln entschlossen sei. Ja, er hat dies bei der Schlussverhandlung ausdrücklich erklärt. Bezeichnend für ihn ist auch, dass in seinen Schriften von einem Kampfe bis auf's Messer die Rede ist, und bei einem Charakter wie Most ist diese Ausdrucksweise nicht, wie er glauben machen will, figürlich zu nehmen.

Illustrirt wird dieser Passus durch eine Notiz seines Tagebuches: „Soldaten gesprochen, die nicht auf Arbeiter schiessen."

Es wurde auch ein Brief von ihm aufgefangen, worin es heisst: „Gestatten wir ihnen keinen Einblick in unsere Sache." — Was wäre zu verbergen, wenn es sich nicht um gesetzwidrige Acte handelte?

Die Heftigkeit, mit der er sich gegen die Zumuthung verwahrte, als hätten die Tendenzen des „Felleisen", von welchem übrigens einige Exemplare bei ihm gefunden wurden, mit ihm und seiner Partei etwas gemein, beweist eben, dass er die Wichtigkeit der in diesem Journale rücksichtslos auseinandergesetzten Ziele und Wege wohl erkannt und durch diese seine ablehnende Behauptung die Anklage abschwächen wollte, während es nach den zur Verlesung gekommenen Actenstücken ausser Zweifel ist, dass das „Felleisen" ein eminentes Organ jener Partei ist, deren Grundsätze abzuleugnen Most in der Schlussverhandlung für eine Tactlosigkeit halten zu müssen erklärte.

Ausserdem hat er noch zu einer Zeit, wo bereits die Eisenacher Beschlüsse für Oesterreich behördlich als staatsgefährlich erklärt wurden, fortwährend eingestandenermassen wiederholte Agitationsreisen für Parteizwecke unternommen.

In Bezug auf das über den objectiven Thatbestand eben Gesagte muss daher Most des Verbrechens des Hochverrathes schuldig erkannt werden, da bei ihm das subjective Wissen und Erkennen des in einem solchen Beitritte liegenden strafbaren Momentes nach den obenerwähnten Umständen und Thatsachen umsomehr angenommen werden muss, *als sein Erscheinen in Oesterreich nicht mit Unrecht eine*

48

personificirte Propaganda für die Republik genannt werden darf.

Was die Massenansammlung vom 13. December v. J. betrifft, so trägt sie im Vereine mit der durch eine aus ihrem Schosse hervorgegangene Deputation bei dem Ministerpräsidenten überreichten Petition zweifellos die Merkmale des im § 76 St. G. enthaltenen Verbrechens der öffentlichen Gewaltthätigkeit. Vorerst ist zu bemerken, dass diese Massenansammlung eine keineswegs zufällige, sondern eine in den leitenden Kreisen der zur socialdemokratischen Partei gehörigen Arbeiter vorbereitete und beschlossene war. Lägen für diese Annahme auch nicht der deutlich sprechende Brief Reinert's, ferner die nach der beschworenen Aussage der Marie Podany gemachten Aeusserungen Hartung's, die nach der beschworenen Aussage des Zeugen Florencourt gestellte Anfrage Oberwinders, die bereits zur Entgegennahme einer diesfälligen Resolution auf denselben Tag einberufene Volksversammlung, endlich das von Scheu in Graz redigirte Telegramm, worin auch von Thaten die Rede ist, vor, so würde schon die Art und Weise der Ansammlung selbst, die sofort auf dem Platze versammelten Deputationsmitglieder und die Art der Verfassung der Petition ohneweiters darauf schliessen lassen. Der Charakter der gefährlichen Drohung liegt in der Massenansammlung selbst, welche durch ihre Deputation mehrere Forderungen der weitestgehenden Art an die Regierung gelangen lässt; denn es ist dies ein Appell an die physische Gewalt und geeignet, die gemeine Sicherheit auf das ernstlichste zu gefährden. In Ergänzung dieser Bedrohung wird am Schlusse der Petition eine weitere Bedrohung unverblümt ausgesprochen, indem bei Nichterfüllung der gemachten Forderungen auf eine noch grössere Ansammlung hingewiesen wird.

Keine Regierung kann eine Forderung in dieser Form hinnehmen, ohne damit die wichtigsten Staatsaufgaben zu gefährden.

Es müssen daher alle Angeklagten, welche diese Petition angesichts der versammelten Masse unterfertigt und über-

49

133

reicht haben, des obgedachten Verbrechens schuldig erkannt werden.

Die Ausflüchte Einzelner, dass sie nur gekommen wären, um die Ordnung aufrecht zu erhalten, ferner, dass die Massen zur Begrüssung des Reichsrathes gekommen wären, dass sie in dem Schlusssatze der Petition keine Drohung erblickt hätten und dergleichen mehr, sind wohl keiner Rücksicht würdig, da sie durch notorische Thatsachen widerlegt werden.

Uebrigens liegt der böse Vorsatz in diesem Falle in der Handlung selbst mit Bezug auf den Schlussatz des § 1 des St. G.

Der Gerichtshof hat bei Bemessung der Strafe bei dem Angeklagten Oberwinder als erschwerend seine den übrigen Angeklagten gegenüber hervorragende Thätigkeit, bei Scheu, Most und Pabst hingegen nichts als erschwerend angenommen. Dagegen als mildernd bei allen vier Angeklagten: 1. dass die hochverrätherische Unternehmung nicht von Erfolg begleitet war, sondern schon im Beginne ihrer Thätigkeit vereitelt wurde; 2. dass noch keiner eines Verbrechens wegen bestraft wurde; 3. das Geständniss mehrerer entscheidender thatsächlicher Umstände; 4. das mit Rücksicht auf das in Frage stehende Verbrechen immerhin als Milderungsgrund erscheinende jugendliche Alter.

Bei Scheu wurde mehr weniger auf die schuldlose Familie Rücksicht genommen. Der Gerichtshof ist daher in Erwägung der mildernden Umstände bei Oberwinder unter das gesetzliche Minimum von 10 Jahren herabgegangen, und hat Scheu, Most und Pabst die geringste Strafe zuerkannt, welche ihm nach dem Gesetze auszusprechen möglich war, dabei aber beschlossen, die Acten bezüglich dieser drei Angeklagten zur weiteren Milderung dem Obergerichte vorzulegen.

Bei Berka wurde als erschwerend angenommen, dass er durch seine Rede keinen unwesentlichen Anstoss zur Ansammlung vom 13. December v. J. gegeben hat; als mildernd das Geständniss, die bisherige Unbescholtenheit und die

9*

durch die Complicirung mit dem Hochverrathe herbeige-
führte längere Untersuchungshaft.

Bei Schönfelder, Häcker, Schäftner, Baudisch, Gehrke,
Dorsch und Eichinger wurde als erschwerend nichts angenommen, als mildernd das Geständniss des Thatsächlichen,
die längere unverschuldete Untersuchungshaft, und bei
Schönfelder, Baudisch und Gehrke die schuldlose Familie,
bei Häcker und Schäftner 'das kaum überschrittene zwan-
zigste Lebensjahr, ausserdem bei ihnen, sowie bei Baudisch,
Gehrke und Dorsch das tadellose Vorleben.

Bei Pfeiffer wurde als erschwerend angenommen die
wegen eines auf derselben Triebfeder beruhenden Verbrechens bereits erfolgte empfindliche Strafe, als mildernd das
Geständniss des Thatsächlichen, sowie die längere unverschuldete Untersuchungshaft.

Die Verurtheilten haben auch nach § 391 St. P. O. die
Kosten des Strafverfahrens zu tragen....."

VII.

Die Konsequenz.

Wir, die Verknurrten, fühlten uns von vornherein
äusserst *geschmeichelt*, prozessirt zu werden; ich speziell sagte
mir: „Wie kommst Du zu solcher Ehre, dermassen wichtig
genommen zu werden? Eigentlich bist Du doch nur ein
ganz gewöhnlicher Handwerksbursche, der, wie man zu
sagen pflegt, ein loses Maul hatte." Andererseits kitzelte
es mich nicht wenig an der Ehrgeizdrüse, dass mich eine
kaiserliche Regierung zum „Hochverräther" stempelte und
mir damit das Zeugniss ausstellte, dass ich ein waschechter
proletarischer Rebell sei. Aehnlich fühlte Jeder, Keiner war
beklommen oder sonstwie deprimirt, Alle waren stolz darauf,
selbst als Verurtheilte in der Lage zu sein, für den Sozialismus in ganz eminenter Weise Propaganda zu machen.

5ᵗ

Zu solchen Gefühlen hatten wir aber auch alle Ursache. Fast die ganze „öffentliche Meinung" war mehr oder weniger auf unserer Seite, und die Pressstimmen, welche zu unseren Gunsten verlautbart wurden, klangen wie Aeusserungen von Menschen aller Sorten, die aber durch die Gewalt der Thatsachen dahin hypnotisirt wurden, ausnahmsweise der Wahrheit die Ehre zu geben. Vollends das Proletariat — organisirt oder nicht — es schwamm einfach in Begeisterung und Sympathie für und mit uns. In gewaltigen Demonstrationen legte es das an den Tag, was allerdings noch dadurch eine bedeutende Verschärfung erfuhr, dass am Tage unserer Verurtheilung *sämmtliche Arbeitervereine von Wien*, später auch die der Provinzen, regierungsseitig für *aufgelöst* erklärt wurden.

Drei Tage lang befand sich die Arbeiterschaft Wiens gewissermassen an einem *Generalstrike*. Vor allen Vereinslokalen und an sonstigen Verkehrsplätzen des Proletariats fanden Zusammenrottungen statt. Hochrufe auf die Verurtheilten und Verwünschungen wider die Regierung schwirrten durch die Lüfte.

Die Polizei erwies sich als viel zu schwach, die „Aufläufe" zu meistern. Militär aller Waffengattungen wurde aufgeboten, Kanonen wurden aufgefahren, die Leute einzuschüchtern, aber Alles war vergebens. Selbst die Soldaten empfanden offenbar ein menschlich Rühren, denn als man sie zu Bajonetangriffen commandirte, griffen sie so zögernd an, dass die Massen mit Leichtigkeit sich nach rechts und links theilen und hinter dem Rücken der Soldaten wieder vereinigen konnten. Erst nach Verlauf von drei Tagen vermochte der Magistrat die Demonstranten durch Maueranschlag zu beschwichtigen. Es wurde nämlich bekannt gemacht, dass Appellation angemeldet worden sei, dass die leichter Belasteten gegen Bürgschaft enthaftet wurden, während die „vier Hochverräther" wohl auch bald frei kämen. Das brachte wohl die Zusammenrottungen zum Ende, änderte aber nichts an der Volksstimmung im Allgemeinen.

Diese Vorkommnisse flössten auch den Kriminalisten nicht wenig Respekt wider uns ein. Wir bekamen bessere

5²

Quartiere, konnten Zeitungen und Bücher von aussen erhalten und jeden Sonntag von 10 bis 2 Uhr Mittags gemeinsam Besuche empfangen, und zwar im Bureaux des Gerichtspräsidenten, der eigens zu diesem Zwecke erschien, als wollte er solchermassen sein böses Gewissen beschwichtigen.

Auf solche Weise verging die Zeit sehr schnell und gewissermassen angenehm und nützlich. Das Ende vom Liede war aber die Abweisung unserer Appellation durch das höhere Gericht, welche Ende September erfolgte.

VIII.

Der Transport.

Eines Sonntags Morgens wurden wir plötzlich aufgefordert, unsere „Sachen" zu packen und nach dem Inspektionszimmer zu kommen. Dort wurde uns eröffnet, dass wir nun nach der Strafanstalt *Suben* transportirt werden sollten.

Man reichte uns ein anständiges Frühstück und benahm sich äusserst höflich. Von Fesselung oder ähnlichen Gemeinheiten, wie ich sie später in England und namentlich in Amerika erleben musste, war keine Rede.

Vor dem Gefängnissthore standen drei *Kutschen* (keine Kommiss-Transportwagen). Je zwei von uns hatten in die ersten beiden Gefährte einzusteigen, uns gegenüber setzten sich je zwei Gefängnisswärter. Neben jedem Kutscher auf dem Bock sass ein Detektiv, dort „Geheimer" oder „Naderer" geheissen. In der dritten Kutsche nahmen höhere Polizeibeamte Platz.

Nun ging's fort, aber keineswegs nach irgend einem Wiener Bahnhof. Man befürchtete einen etwaigen Befreiungsversuch durch das Volk! Deshalb fuhr man uns nach der nächsten Station der Westbahn, *Meidling*. Dort war ein Zimmer für uns reservirt, wo wir zu warten hatten, bis der Eisenbahnzug von Wien eintraf. Derselbe führte einen eigenen Waggon für uns mit sich. In demselben fanden wir

53

vier Justizwächter mit voller Ausrüstung vor, die uns fortan ausser den Gefängnisswärtern und Detektives zu begleiten hatten, aber sich, gleich den Letzteren, uns gegenüber äusserst höflich zeigten. In *Linz* wurde Mittagsstation gemacht. Unsere Eskorteure hatten den Auftrag, uns daselbst auf Regimentsunkosten nach unserem Belieben zu bewirthen, und wir machten von solchem Privilegium natürlich reichlichen Gebrauch. Kaum hatten wir aber in der Bahnhofsrestauration Platz genommen, so waren wir auch schon von diversen Eisenbahnern erkannt, und wie ein Lauffeuer verbreitete sich die Kunde: *„Die Wiener Hochverräther sind da!"* Von allen Seiten drängten sich Neugierige herbei, aber keineswegs um uns zu insultiren oder dergleichen. Im Gegentheil wurden Hüte und Taschentücher geschwenkt und freundliche Zurufe erschollen. Die Esspause war aber nur eine kurze, und neuerdings war der fatale Wagen zu besteigen. Während das geschah, brach die Menge in stürmische Hochrufe aus. Der Restaurateur reichte aber vier Packete zum Fenster herein. Jedes enthielt eine Flasche Champagner und ein gebratenes Huhn mit Zubehör. — — Wir konnten nicht umhin, Freudenthränen über so viel sympathetische Instinkte zu vergiessen; und obgleich wir dem *Zuchthaus* entgegen fuhren, war unsere Stimmung den ganzen Weg entlang eine sehr gehobene.

In Schärding am Inn hatte die Eisenbahnfahrt ein Ende. Es standen Postkutschen für uns bereit; unsere bisherigen Transporteure übergaben uns nun einer Gensdarmerie-Eskorte, die ebenfalls sehr höflich uns entgegen kam und nach zweistündiger Fahrt uns in Suben spät Abends ablieferte. Unterwegs erklärten uns die Gensdarmen, dass sie sich schämten, „so feine Leute" transportiren zu müssen, dass sie aber nichts ändern könnten, weil sie Familien hätten, etc. Schliesslich baten sie uns ganz direkt um Verzeihung, die wir ihnen gerne gewährten.

Oberwinder und *Scheu* kamen nach einer Strafanstalt in Steiermark, wo sie ähnlich wie wir — Pabst und ich — behandelt wurden.

54

IX.

Im Zuchthaus.

Das Dorf Suben liegt am Inn, zwei Stunden oberhalb
Schärding, und wird von einem sanft ansteigenden Hügel
überragt, auf welchem ehedem ein Jagdschloss prangte.
Später verwandelte sich dasselbe in ein Kloster; und seine
alten Tage beschliesst es nun als Zuchthaus.
Diese Bezeichnung verdiente es jedoch zu jener Zeit,
als ich darin einquartiert wurde, nur insofern, als innerhalb
seiner Mauern eben Urtheile, die auf „schweren Kerker"
lauteten, vollstreckt wurden. Im Uebrigen war damals
(heute soll es daselbst in dieser Hinsicht ganz anders, d. h.
schlecht aussehen) wenig Zuchthausmässiges in Suben zu
verspüren.
Es gab da durchschnittlich etwa 300 Gefangene, welche
aus drei verschiedenen Kategorien bestanden, nämlich aus
jungen Leuten, die für besserungsfähig gehalten wurden,
aus „distinguirten Sträflingen" und aus politischen Gefangenen.
Jeder, der die genügende Intelligenz besass, sich geistig
zu beschäftigen, und den Nachweis lieferte, dass er das
auch wirklich that, wurde von körperlicher Arbeit entbunden.
Andere konnten, wenn sie die nöthigen Mittel dazu besassen,
auf eigene Rechnung irgend ein Handwerk betreiben. Der
Rest verrichtete die laufenden Hausarbeiten. Alle durften
ihre eigenen Unterkleider, Halsbinden, Schuhe und Haus-
mützen tragen; im Winter wurde Manchem auch ein Ueber-
zieher zugelassen. Wer sich die Gefängnisskleidung auf
eigene Kosten dem Körper angemessen herrichten lassen
wollte, konnte das thun. Die Nahrung war zwar einfach,
aber zureichend; Vielen wurde indessen Spitalkost bewilligt.
Ausserdem konnte man sich Victualien in mässigen Quantitäten von Freunden schicken lassen. An Zeitungen waren
das „Neue Wiener Fremdenblatt" und die „Neue Freie

55

Presse" zugelassen; auch Bücher konnte man von aussen beziehen. Endlich war auch das Rauchen gestattet.

Für politische Gefangene existirten ausserdem noch Begünstigungen, wie sie in einer Regierungsverordnung vom Jahre 1849 verzeichnet waren.

Darnach durften solche Gefangene nicht mit anderen Sträflingen in Berührung gebracht werden. Sie konnten ihre eigenen Kleider tragen und essen und trinken, was sie wollten, hatten aber dafür zu bezahlen. Der Staat warf nur 25 Neukreuzer per Tag und Kopf aus. Sie brauchten keinesfalls zu arbeiten und mussten täglich Gelegenheit bekommen, sich zwei Stunden lang in freier Luft zu ergehen. U. s. w. u. s. w.

Wir wurden bereitwilligst in diesem Sinne behandelt. Die Beamten benahmen sich höflich in ihrem Umgang mit uns. Ein Hausarbeiter (Gefangener) wurde uns zur Aufwartung zugetheilt. Der machte für uns die Betten, putzte die Stiefel, holte das Essen, fegte aus, heizte ein u. s. w. und bekam dafür eine Anzahl Cigarren als Trinkgeld, da alle Baarschaft deponirt werden musste, während die Gefangenen von Suben unter sich vereinbart hatten, Cigarren als Tauschmittel zu betrachten.

Das Zimmer, welches wir „Hochverräther", Pabst und ich, bewohnten, war sehr geräumig und hell. Ein grosses Fenster, welches bei entsprechender Breite von Brusthöhe bis nahezu an die Decke reichte, gewährte eine prachtvolle Aussicht auf das Innthal und weit nach Baiern hinein, indem die Gefängnissmauern nur ein Stockwerk hoch waren, während „Hochverräther-Ruh", wie ich meine damalige Wohnung nannte, im zweiten Stock des Gebäudes sich befand, und weil ja, wie gesagt, das Letztere auf einem Hügel lag.

In diesem Zimmer standen zwei ordentliche Betten, ein grosser Tisch, zwei Stühle, zwei Nachttischchen, ein Kleidergestell und — in einer Ecke, innerhalb einer schrankartigen Verhüllung — der obligate Unaussprechliche. Ein grosser Ofen, der vom Vorplatze aus geheizt wurde, spendete den Winter über die nöthige Wärme.

56

Wir liessen uns eine Menge nützlicher Bücher kommen und gaben uns mit Eifer den Studien hin.

Ich constatire hier um so lieber die anständige Behandlung, welche ich in Suben genoss, als meine Erfahrungen in anderen Gefängnissen, namentlich in England und Amerika, ein drastisches Gegenstück hiezu bildeten, wie der Leser noch ausfinden wird.

Wer übrigens glauben sollte, dass eine Gefangenschaft, wie die oben skizzirte, überhaupt kein Leiden sei, der thut gut, einfach zur Probe auf etliche Wochen Hausarrest zu geniessen.

In jeder Gefangenschaft fehlen einfach jene tausenderlei Eindrücke und Abwechslungen, welche das Leben erst der Mühe werth erscheinen lassen. Ferner fehlt jede wirkliche Erholung, jeder Genuss von Vergnügungen, jeder Umgang mit den gewohnten Freunden etc. Dazu kommt das nie abzustumpfende peinliche Gefühl des Ueberwachtseins und ein Unrecht zu erleiden.

Das Leben in einem Blockhause mit offenen Thüren ist sicher dem Dasein in einem goldenen Käfig weit vorzuziehen.

Mein Vater bemühte sich ernstlichst, mich frei zu machen. Es gelang ihm, sich beim baierischen Herzog Max, dem Vater der österreichischen Kaiserin, Zutritt zu verschaffen und dessen Zusage zu einer Begnadigungs-Vermittelung zu erwirken; jedoch machte jener Herzog zur Bedingung, dass ich selber ein Gnadengesuch einreiche.

Als ich aber seitens meines Vaters über diese Dinge unterrichtet wurde, war ich im höchsten Grade entrüstet.

„Was," rief ich in einem Antwortbriefe aus, „ich soll um Gnade bitten, wo ich Unrecht erleide?! Nimmermehr! Möge dieses Factum bald erkannt und demgemäss meine Gefängnissthüre geöffnet werden; dann, aber nur dann soll mir die Freiheit erwünscht sein. Niemals werde ich mir dieselbe durch Demüthigung erkaufen, welche meine Ehre für immer mit einem Makel behaften würde."

57

X.

Amnestie und Verbannung.

Meine Entlassung aus dem Gefängniss trat immerhin bald und unerwartet ein.

Während des ganzen Jahres 1870 existirte in Oesterreich eine chronische Ministerkrise. Das „Bürgerministerium" hatte schliesslich alle erdenklichen Feinde gegen sich heraufbeschworen. Bei Hofe, wo man mit dem Liberalismus nur zu spielen gedachte, war diese Advokatenclique nie geliebt worden, und es mussten stets etliche Adelige als Kitt zum Cabinet herangezogen werden. Die Pfaffen hatte ein leichter Hauch von „Kulturkampf" alarmirt. Die Zechen und sonstigen Slaven fürchteten für ihre Nationalitäten; und den deutsch-nationalen Heissspornen arbeitete jenes Ministerium nicht rasch genug Bismarck in die Hände. Die breite Masse der Arbeiter aber hatte seit dem Hochverrathsprozess nur Hass und Grimm für die Regierenden übrig.

Es bröckelte und brickelte. Man flickte hier und da, bald sprang Dieser, bald Jener über die Klinge. Allein das war alles umsonst; die partiellen Aenderungen vermehrten nur die Feinde und befriedigten Niemanden.

Inzwischen spann sich hinter den Koulissen der Burg eine Intrigue ab, die plötzlich eine eigenthümliche Ueberraschung, man möchte sagen, das Anstreifen an einen Staatsstreich zu Tage förderte.

Am 8. Februar 1871 wurde ein „Ministerium des wahren Oesterreicherthums" gebildet. Dasselbe bestand aus dem Grafen Hohenwart, welcher der Macher war, und aus diversen Professoren, darunter Jireček, Habieteneck, Schäffle etc. Diese Leute sollten nicht bloss die verschiedenen Nationalitäten, sondern auch die sämmtlichen Parteirichtungen des Reiches repräsentiren und mit einander versöhnen. Schäffle speziell hatte die liebliche Aufgabe, die Sozialisten zu vertreten und zwischen diesen und den Pri-

58

vatkapitalisten die Harmonie herzustellen. Aehnliche Tantalusiaden wurden auch seinen Collegen zugemuthet.

Natürlich war dieses Regierungs-Experiment nur eine ganz vorübergehende Erscheinung und ein völliges Fiasko; aber Eines hat die Probirminister vor ihren Vorgängern und Nachfolgern doch ausgezeichnet; sie begannen ihre Laufbahn mit dem Erlass einer allgemeinen politischen Amnestie. Am 9. Februar 1871 öffneten sich für 93 politische Gefangene die Pforten der Kerker. Auch ich wurde an diesem Tage frei gelassen.

Als ich dem Eisenbahnwagen in Wien entstieg, harrten meiner Tausende von Menschen, die mich mit unbeschreiblichem Jubel empfingen. Ich wurde auf den Schultern getragen und konnte mich so augenblicklich davon überzeugen, dass die stattgehabten Verfolgungen herrliche Früchte gezeitigt hatten; denn ein wahres Meer von Köpfen wogte vor meinen Blicken. Es waren lauter Rebellen, die sich da eingefunden.

Eine halbe Stunde später stand ich auf der Rednertribüne, um den Genossen für den Empfang zu danken und sie gleichzeitig zur energischen Fortsetzung des Kampfes wider Ausbeutung und Tyrannei anzuspornen.

Dieser Rathschlag wurde prompt befolgt. Binnen etlichen Tagen wurden die nöthigen Arrangements zu einer Monstre-Versammlung im Sophienbad (grösstes Lokal von Wien) getroffen. Hallen und Gallerieen waren am Tage dieser Versammlung lange vor der festgesetzten Stunde dermassen mit Menschen überfüllt, dass Tische und Stühle entfernt werden mussten, um weiteren Raum zu schaffen.

Alle Amnestirten vom Hochverrathsprozess sprachen zum Volke, und ich verstand es nicht nur, die Anwesenden zu enthusiasmiren und zu stürmischen Acclamationen hinzureissen, sondern erregte auch den Zorn der Presse so sehr, dass am anderen Tage die Blätter ganze Spalten voll Gift und Galle über mich ergossen. Es hatte sich eben gezeigt, dass ich meine Gefängnisszeit zum Besten der revolutionären

59

Sache ausgenützt hatte. Meine Freunde pflegten zu sagen, ich hätte mein Hirn geladen und schiesse nun los.

Eine kurz nach der oben gemeldeten Demonstration stattgehabte Partei-Conferenz entschied, dass nach diesem lebhaften Wiedererwachen der Arbeiterbewegung in Wien auch die Provinzen neuerdings aufgerüttelt werden sollten. Zu diesem Behufe beschloss man, eine sogenannte „fliegende Agitation" zu inszeniren. Ich wurde als der geeigneteste Mann angesehen, den Beschluss zur Ausführung zu bringen.

Diese Rundreise war von ungeheurem Erfolge begleitet. In allen Städten von Wien bis Triest, wo ich Vorträge hielt, strömte das Volk massenhaft den betr. Versammlungen zu. Aufgelöst gewesene Arbeitervereine wurden reorganisirt; an solchen Plätzen, wo noch gar nie eine Verbindung bestanden hatte, trat auf mein Betreiben hin eine solche in's Leben; sozialistische Schriften wurden tausendweise unter das Volk geschleudert, und das neue Organ der Partei, der „Volkswille", wurde allenthalben eingebürgert.

Was die Interessen der Rothen in solchem Masse förderte, musste selbstverständlich den Schwarz-Gelben ein Dorn im Auge sein.

Als ich gegen Ende April nach Wien zurückgekehrt war, um nach einer kurzen Ruhepause Mähren und Böhmen agitatorisch zu beackern, zitirte mich sofort die Polizei vor ihr Forum; und ein dicker Strich wurde durch alle meine diesbezüglichen Pläne gemacht.

„Sie reizen das Volk auf," sagte der Commissär, welcher die moralische Hinrichtung vollziehen sollte. „Sie predigen Communismus, Aufruhr und anderes Uebel. Für die Amnestie haben Sie auf solche Weise schweren Undank gezollt. Die Regierung hat daher beschlossen, Sie für immer aus allen österreichischen Kronländern abzuschaffen."

„Für immer?" fragte ich mit einem boshaften Lächeln.

„Jawohl, für immer," antwortete der Bureaukrat bestimmt.

60

„Es ist ja noch gar nicht gesagt, dass Oesterreich für immer existirt."

Kunstpause — geschwollene Stirnadern des Polizeiers — unartikulirte Töne desselben — Herbeirufung von Detectives — Stellung unter deren Aufsicht auf 5 Tage Galgenfrist — damit endete der Auftritt.

Im Laufe dieser kurzen Zeit besuchte ich noch eine grosse Anzahl von Arbeitervereinen, um mich zu verabschieden, bei welcher Gelegenheit manche rührende Episode sich abspielte.

„Ich muss fort von Euch," sagte ich, „aber ich bleibe dennoch in Euren Reihen; denn unsere Partei hat an den Grenzen Oesterreichs kein Ende." Ich prophezeite die soziale Revolution und ermahnte die Zurückbleibenden, sich stets vor Augen zu halten, dass der Tag bald kommen könne, wo auf Tod und Leben gekämpft werden muss.

Tausende von Arbeitern begleiteten mich zum Bahnhofe, als ich am 2. Mai 1871, Abends 10 Uhr, Wien verliess und meiner sogenannten Heimath zusteuerte.

Ein gutes Andenken ist mir unter der Arbeiterwelt Oesterreichs bis auf den heutigen Tag bewahrt geblieben. Ich selbst habe stets gerne jener Erlebnisse gedacht, die ich in Oesterreich machte.

Das dortige Parteileben von damals war so edel, so jungfräulich, ohne Corruption intriguanter Politiker einerseits und ohne schmutziges Gestänker ehrgeiziger Pygmäen andererseits, kurz, ohne jene unsäglich traurigen Beiwerke, die ich seitdem fast überall angetroffen habe.

61

145

XI.

Vermischte Nachlese.

Ehe ich das Kapitel *Oesterreich* schliesse, drängt es mich, noch allerlei diesbezügliche Thatsachen und Reflexionen zum Besten zu geben.

Vor Allem muss ich betonen, dass es um meine materielle Existenz während meines Aufenthaltes zwischen den schwarz-gelben Grenzpfählen stets herzlich schlecht bestellt war.

Erst arbeitete ich in einer Gesichtsmaskenfabrik, deren Besitzer zwar *Himmel* hiess, aber höllisch schlechte Löhne bezahlte. Hernach gerieth ich thatsächlich einem *Teufel* in die Hände, insofern der Buchbindermeister, der mich einstellte, auf diesen Namen hörte. Als ich aber behufs Erlangung einer 'Arbeitszeitverkürzung von 12 auf 11 Stunden (!!) einen Strike inscenirte, jagte er mich — nicht zu, sondern von sich. Damit kam ich gleichzeitig auf die „schwarze Liste" als Wühler und Krakehler und erlangte überhaupt keine Arbeit mehr.

Ein College, der ehemals meisterte, aber bankerott wurde, lieh mir seine aus dem Schiffbruch geretteten Werkzeuge, mittelst welchen ich nun „selbstsändig" buchbinderte, dass es einen Hund hätte jammern können.

Gegen ein Entgelt von einem Gulden per Woche hatte ich nämlich bei einem armen Genossen Schlafstelle. Derselbe hauste selber nur in einer aus Zimmer und Küche bestehenden Wohnung. In ein und derselben Stube schliefen er, seine Frau, eine erwachsene Tochter und ich. -Auf dass aber Niemand daraus hinsichtlich meiner „Keuschheit"

62

boshafte Schlüsse ziehe, betone ich ausdrücklich, dass sich zwischen dem Bette des Mägdeleins und dem von mir benützten ein langer und breiter Tisch befand, während ja obendrein noch die Alten als Tugendwächter in Betracht zu ziehen waren.

Zudem hatte das Mädchen einen Liebhaber, der es bald darnach heirathete. Er war ein strammer Bursche, ich ein schwaches Kerlchen. Er war hübsch, ich hässlich wie die Nacht; da mir noch kein Bart wuchs, machte ich durch mein, wie sich das „Wiener Tagblatt" einmal ausdrückte, „vermöge eines grotesken Einfalls der Natur (?) nach links verzerrten Gesicht" auf das ewig Weibliche höchst wahrscheinlich nur einen abschreckenden Eindruck. Erst während meiner Gefangenschaft wuchsen mir nämlich jene Fläumchen, welche das Portrait auf dem Gruppenbild zeigt, und die meine Abnormität etwas verdeckten, denn im Zuchthaus von Suben herrschte nicht, wie in amerikanischen Kerkern, Barbier-Manie. Eine Schlafstellenwirthschaft, wie die oben angedeutete, existirte übrigens damals weit und breit in Wien, wobei natürlich die „Moral" nicht immer so intakt blieb, wie in meinem Falle. Mein „Hausherr" war Taglöhner, seine Frau ging waschen, die Tochter arbeitete in einer Blumenfabrik; den ganzen Tag über konnte ich daher die Stube als Werkstatt benützen. Abends packte ich meine Sachen in Kisten und schob sie unter das Bett. Ich fabrizirte Hutschachteln, Zündholzbüchsen, Notizbücher, Zigarrenetuis u. dgl., und ging Abends und Sonntags damit an Arbeiterverkehrsplätzen, die ich ohnehin der Agitation halber aufzusuchen pflegte, hausiren. Natürlich schaute wenig dabei heraus, allein ich fühlte mich doch „unabhängig." Bald aber mischte sich die Polizei ein. Einen Gewerbeschein hatte ich ja nicht und zur Erlangung eines solchen fehlten mir die nöthigen anderweiten Papiere. Derenthalben stand ich mit meinem Vater in Unterhandlung (siehe den bei der Gerichtsposse verlesenen Brief an denselben!); und wenn ich nicht inzwischen als „Hochverräther" verhaftet worden wäre, würde man mich wahrscheinlich wegen Geschäftspfuscherei bestraft oder wegen „Vaga-

63

bundage" auf den Schub gebracht haben. So bekam ich in letzterer Beziehung eine längere Frist zugestanden und wurde auch bekanntlich sonstwie „versorgt." — —

* * *

Wie aus den mitgetheilten Prozessakten etc. zu ersehen war, hatte die damalige Arbeiterbewegung von Oesterreich einen ausgesprochen *sozialdemokratischen* Charakter — von Anarchismus wusste man noch nichts —, allein es wehte durch dieselbe ein total *revolutionärer* Geist. Die zu *Vertheidigungs*-Zwecken während des Hochverraths-Prozesses gemachten gegentheiligen Versicherungen waren lediglich Flausen, an welche, wie Figura zeigte, ohnehin Niemand glauben wollte.

Wenn auch in öffentlichen, unter Polizeiaufsicht abgehaltenen Versammlungen nicht direkt Rebellion gepredigt wurde, so geschah das umso allgemeiner und eindringlicher im Privatverkehr. Wir in der Bewegung Stehenden waren alle miteinander felsenfest davon überzeugt, dass es in verhältnissmässig kurzer Zeit zur *Revolution* kommen müsse, hinsichtlich deren Verlauf wir uns eine verbesserte, verschärfte und rasch sich abspielende Auflage der grossen französischen Revolution vorstellten. Wir fühlten uns gewissermassen als „Jakobiner," die bald in die Lage kommen würden, mit allen Menschenfeinden nicht nur abzurechnen, sondern auch total aufzuräumen.

Gleich unseren Vorbildern schafften wir im Verkehr unter uns die Anrede „Herr" ab und substituirten dafür „Bürger." Auch gefielen wir uns im Tragen von speziellen Kleidungsstücken und Abzeichen. Es gab Vereins-Mützen, -Blousen, -Vorstecknadel u. s. w. Und da hiervon nahezu Jeder, der zu uns gehörte, Gebrauch machte, so trug das nicht wenig dazu bei, den Corpsgeist zu fördern, wie sich namentlich bei Gelegenheit von Ausflügen etc. zeigte. Dass wir aber durch unsere Abzeichen auch die Aufmerksamkeit

64

des Feindes auf uns lenkten und denselben in die Lage versetzten, uns zu zählen und zu registriren, daran dachten wir in unserem Enthusiasmus nicht. Ja, wenn uns das auch in den Sinn gekommen wäre — wir hätten nichts darnach gefragt, denn wir *wollten* Aufsehen erregen, um leichter Propaganda machen zu können. Passive Nebenherläufer oder Zuschauer gab es in der damaligen Bewegung nicht; jeder Einzelne war von Begeisterung durchdrungen und suchte das Seinige zur Förderung der Sache, deren definitiver Durchbruch uns ja, wie gesagt, schon ganz nahe zu sein schien, oft unter Auferlegung grosser Opfer und schwerer Mühe, beizutragen. Erst nach einiger Zeit zeigte es sich, dass immerhin diese ganze an und für sich so erhebende Erscheinung im Grossen und Ganzen leider nur *Strohfeuer* war. Denn der spätere Verlauf der österreichischen Arbeiterbewegung, worauf ich auch noch ab und zu ein Streiflicht zu werfen haben werde, förderte ungemein viel Bock- und Seitensprünge und wenig Erfreuliches zu Tage.

Der deutsch-österreichische Volkscharakter, gleich dem französischen, ist eben ein sehr impulsiver — das fehlende Moment indessen ist die hartnäckige *Ausdauer,* ohne welche die moderne Arbeiterbewegung nicht reüssiren kann.

* * *

Was ist nun aus den Leuten geworden, welche in dem Wiener Hochverrathsprozess als Angeklagte figurirten?

Hartung, der sich nach der Schweiz geflüchtet hatte, lernte dort eine Tischlermeisters-Wittwe kennen, erheirathete deren Geschäft und verspiesserte alsbald total.

Oberwinter und *A. Scheu* fingen mit einander Krakehl an, unter· welchem die Bewegung ganz beträchtlich litt. Scheu pochte auf Wahrung des revolutionären Standpunktes, während Oberwinder Compromisslereien mit den bürgerlich „Liberalen" empfahl. Die Partei spaltete sich

65

in Folge dessen in zwei feindliche Lager, und es kam fast täglich in Versammlungen zu Scandal und Handgreiflichkeiten. Sogar vor den Gerichten balgte man sich wegen Verleumdereien etc. Schliesslich massregelte die Polizei Scheu aus dem Lande, indem sie einerseits dafür Sorge trug, dass er nirgends mehr Beschäftigung bekam und ihn andererseits mit Correctionshaus bedrohte, wenn er nicht im Stande sei, einen „rechtschaffenen Broderwerb" nachzuweisen. Er ging nach England, wo er nur noch ab und zu Artikel für socialistische Blätter schrieb, sonst aber wenig Antheil an der Arbeiterbewegung nahm. Oberwinters Anhang schmolz mehr und mehr zusammen und er verliess ebenfalls Oesterreich für immer. Er hängte den Sozialismus ganz und gar an den Nagel, wurde Correspondent für bürgerliche Blätter, zuletzt antisemitischer Zeilenreisser.

Von mir brauche ich wohl nicht weiter zu reden; ich bin eben immer noch da — *sehr* da. Die Uebrigen sind gestorben, verdorben, verschollen. Unter der Masse des österreichischen Proletariats befindet sich indessen mancher Veteran, der heute noch thätig ist und mit Begeisterung zurückdenkt an jene Zeit, wo die Wiener „Hochverräther" die Wort- und Schriftführer des arbeitenden Volkes waren.

*   *   *

Noch ein Kuriosum ist werth, verewigt zu werden.

Meine im Gefängniss von Wien verfassten Lieder und Gedichte liess ich kurz nach meinem Hinausschmiss aus Oesterreich zu Leipzig drucken und die ganze Auflage zwischen Hof (Baiern) und Asch (Böhmen) über die österreichische Grenze schmuggeln. Diverse Genossen besorgten das eines Sonntags. Dicht an der Grenze begegnete ihnen ein Gensdarm, der ihre Bepacktheit sondirte und die Drucksachen für nicht ganz koscher ansah. Er wurde, um ihn bei guter Laune zu erhalten, eingeladen, im nächsten Wirthshaus die Schriften genauer zu betrachten; und auf

66

dass er „besser" sehe, reizte man ihn zu diversen Güssen hinter die Kravatte. Da fiel sein Blick auf die „*Arbeits-männer*," zu singen nach der Melodie „Andreas Hofer." Diese kannte er ganz genau, eine gute Stimme hatte er auch, mithin liess er es sich nicht nehmen, das Lied sofort vorzutragen, während alle Umsitzenden mit Begeisterung den Refrain repetirten ! ! — — —

Nicht lange darnach las man im österreichischen Staatsanzeiger, dass diese Liedersammlung, *sowie alle Schriften, welche Most noch herausgeben sollte, verboten seien.* — — —

Google

„Poetischer" Anhang.

Folgende Reimereien entstanden während der „Subener Ferien". Eine derselben („An die Feinde des Volkes") ging auch in die „Vorwärts"-Sammlung über — natürlich ohne dass man mir dafür Credit gegeben hätte. Aehnlich hat man es mir ja auch sonst immer gekocht, wenn aus meinen Arbeiten das Tenderloin geschnitten und in socialdemokratische „Auswahlen" gefügt wurde.

* * *

An unsere Widersacher.

Welch' ein Treiben, welch' ein Jagen!
Möchtet wohl uns gern erschlagen?
Denn wir machen Euch Verdruss.
    Seh'n zu Hängen
    Uns an Strängen
Wär' für Euch ein Hochgenuss.

Doch umsonst ist Euer Streben.
Werdet sicher nicht erleben,
Dass uns je der Muth verlässt.
    Ihr lacht wohl jetzt,
    Doch nicht zuletzt.
Wer zuletzt lacht, lacht zu Best.

69

Ihr bekämpf umsonst die Zeiten,
Die stets emsig vorwärts schreiten,
Habt umsonst das Schwert gezückt;
    Denn die Stunden,
    Sind entschwunden,
Wo Gewalt Ideen knickt.

Eure Herrschaft währt nicht immer!
Matt ist jetzt schon Euer Schimmer!
Freiheit bringt, die bald erstrahlt,
    Bess're Tage,
    Ohne Plage,
Wo man Euch die Zeche zahlt.

Dann erglänzt ein neues Leben,
Dann wird's keine Noth mehr geben,
Keine Sorgen, keine Pein.
    Und es werden
    Auf der Erden
Glücklich alle Menschen sein.

———————

70

Mahnruf an die Feinde des Volkes.

Ob Ihr auch Euer Auge schliesst, wenn sich's im Volke rührt und
regt,
Und ob Ihr früh und spät um's gold'ne Kalb im Kreise Euch bewegt,
Und ob Ihr glaubt, dass Eisen noch und Blut die rechten Mittel sind,
Zu bannen die Idee der Zeit, dann seid Ihr eben taub und blind.

Seht Ihr den armen Arbeitsmann, und hier ein klagend hungernd
Weib?
Und dort ein Kind, das betteln geht, mit Lumpen nur bedeckt den
Leib?
Da blickt nur hin und haltet Stand! So könnt Ihr ganze Schaaren
seh'n.
Ihr habt in's Elend sie gejagt; es lässt die Noth ihr Banner weh'n.

Ihr mehrt das Leid noch jeden Tag und merkt nicht, was Ihr thut
und treibt!
Es ist der Fluch der bösen That, dass Ihr dadurch Euch selbst
entleibt.
Je tiefer Ihr die Grube grabt, je tiefer stürzt Ihr einst hinein.
Ihr zimmert stetig unbewusst an Eurem eig'nen Todtenschrein.

Umsonst mahnt das Gewissen Euch; Ihr bleibt verstockt und hört
es nicht,
Und treibt es fort, bis Euch ereilt dereinst ein schrecklich Straf-
gericht!
Ihr glaubt es nicht, dass es im Volk aufdämmert schon, bald gänzlich
tagt,
Und dass es einst das Protzenthum sammt Pfaffenthum von dannen
jagt.

71

Gesichert dünkt Ihr Euch, wenn Ihr die Hand nach Henkern, Bütteln
streckt?
Und wenn Ihr dem Tyrannen frohnt und gierig seine Stiefel leckt?
Wenn Ihr ein Heer von Söldnern schafft, das willig Euren Schatz
bewacht;
Wenn Ihr mit Rohheit und Gewalt bekämpft der Wissenschaften
Macht?

O, welch' ein Wahn! wie täuscht Ihr Euch! Kennt Ihr denn die
Geschichte nicht?
Wisst Ihr nicht, was ihr ehr'ner Mund mit warnungsvoller Stimme
spricht?
„Was auf Gewalt ist auferbaut, kann dem Zerfalle nicht entgeh'n.
Das Alte stürzt und Neues muss aus seinen Trümmern aufersteh'n."

Schon kracht's und zischt's und züngelt's hell; schon rüstet sich die
neue Welt,
Schon wirbt sie Bataillone an und macht sie tüchtig für das Feld.
Von Land zu Land ertönt der Ruf, die Völker wachen d'rüber auf
Und steigen aus der schwarzen Nacht zum Tag empor, zum Licht
hinauf.

Sie einen sich, verbrüdern sich, sie schliessen einen festen Bund
Zu Trutz und Schutz und legen so zum Bau der neuen Welt den
Grund.
Schon ist es eine grosse Schaar, die sich noch täglich, stündlich
mehrt.
In Massen fordert schon das Volk sein Recht, das ihm so lang'
verwehrt.

Und immer näher rückt der Tag, an dem der Freiheit Sonne lacht;
Wo Millionen Streiter zieh'n zum Kampfplatz, zur Entscheidungs-
schlacht.
Dann: wehe Euch, die Ihr so lang' jedwede Warnung habt ver-
schmäht!
Ihr erntet dann des Hasses Frucht, den Ihr so reichlich habt gesä't.

72

Die Sündenlast, die Ihr gethürmt zum Himmel hoch in Uebermuth,
Bricht über Euren Häuptern ein, wenn kühn mit der Begeist'rung
Gluth
Das Volk der rothen Fahne folgt, wenn sich von allen Banden frei
Die Menschheit macht. — Die Freiheit siegt, zu Boden stürzt die
Tyrannei!

Der Volksstaat.

Was glänzt im fernen Dämmerlicht?
Was steigt so hell herauf?
Auf, Brüder, auf, thut Eure Pflicht
Und schaaret Euch zu Hauf!
Die Freiheit ist's, die jetzt sich naht
Mit ihrem hellen Schein:
Sie bringt den freien Völkerstaat,
Den freien Volksverein.

Wohl fürchtet mancher Faulpelz sich,
Manch' Pfäfflein, mancher Fürst;
Denn diesen drückt es fürchterlich,
Wenn jetz'ger Zustand birst.
Allein, es tritt trotz Denen doch
Ganz neue Ordnung ein,
Man schafft den freien Volksstaat noch,
Den freien Volksverein.

Der Pfaffe denkt: „O Jemine,
Aus ist's mit meiner Kunst,
Und Niemand glaubt, soviel ich seh',
An meinen blauen Dunst."
So seufzt er wohl und hoffet noch,
Dass Freiheit nie erschein',
Allein des Volkstaat zeugt sich doch,
Der freie Volksverein.

Den hohen Herr'n von blauem Blut,
Vom edlen Ritterstand,
Wird sicher schauerlich zu Muth,

74

Wenn Freiheit kommt ins Land.
Allein sie naht sich sicher jetzt
Mit Macht und hehrem Schein;
Der Völkerstaat wird eingesetzt,
Der freie Volksverein.

Denn Jene, die vom Kapital,
Die zittern schon fortan,
Weil man dann wohl auf keinen Fall
Durch Geld mehr knechten kann.
„Bewahret uns vor Freiheit doch!"
So rufen sie und schrei'n,
Ich aber sag': „Der Volksstaat hoch!
Der freie Volksverein!"

Fragt Ihr die Arbeitsmänner dann,
Ob Freiheit ihr Panier?
So seht Ihr sie wohl Mann an Mann
Zum Kampfplatz zieh'n mit ihr;
Denn nur der Proletar hofft noch
Auf Freiheit ganz allein;
Und Jeder ruft: „Der Volksstaat hoch!"
„Der freie Volksverein!"

75

MEMOIREN

VON

JOHN MOST

~~Erster~~ Bändchen

In Sturm und Drang.

Agitations- und Parlaments-Reminiscenzen.

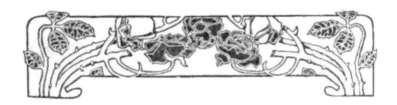

Vorwort zum III. Theil.

Was dieses Bändchen bringt, hat zum Theil schon in „Acht Jahre hinter Schloss und Riegel" (allerdings per Sprache in dritter Person) gestanden, zum Theil war es in einer Serie von Artikeln der „Freiheit" enthalten. Immerhin wurden Zusätze und Einfügungen gemacht und das Ganze dermassen redigirt, dass es als eine abgerundete Periode aus meinem Leben dem Leser erscheinen wird. Auf Einzelheiten des Weiteren einzugehen, verbot sich auch in dieser Form im Hinblick auf den gesteckten Raum.

Agitations-Reminiscenzen.

I.

Agitation par Force.

In meinem sogenannten „Vaterland" sah es zur Zeit, als ich von Oesterreich aus in dasselbe geschubst wurde, betreffs Arbeiterbewegung äusserst flau aus. Während des deutsch-französischen Krieges war dieselbe total zusammen gebrochen. Und die Versprengten waren obendrein in Fraktionen gespalten—in „Lassalleaner" und „Eisenacher", zu welch' letzteren ich bekanntlich bereits in Oesterreich zählte.

In Baiern speziell, wohin ich zunächst meine Schritte gelenkt hatte, befanden sich nur je etliche Sozialisten in München, Augsburg, Nürnberg und Hof. In allen diesen Städten versuchte ich es, durch Abhaltung von Volksversammlungen, die ersten, welche seit Ausbruch des Krieges stattfanden, wieder etwas Leben in die Bude zu bringen, doch verfiel jede derselben der polizeilichen Auflösung, was seinen Hauptgrund darin hatte, dass ich in denselben die Pariser Commune, welche soeben der Barbarei der Versailler Reaktion erlegen war, verherrlichte.

Von Hof aus begab ich mich heimlich nach Asch, jenseits der böhmischen Grenze, wo die Strumpfwirkerei blüht und ein zahlreiches Proletariat am Hungertuche nagte. Es gelang mir,

6

diverse Versammlungen insgeheim abzuhalten, ohne dass mir die Polizei auf die Sprünge kam; und als dieselbe meine Schliche ausfand und nach mir greifen wollte, befand ich mich bereits wieder auf baierischem Boden.

Ich begab mich nach Leipzig, das ich für den Hauptsitz des Sozialismus in Deutschland hielt, wurde doch daselbst der „Volksstaat" damals freilich nur sehr beschränkten Umfanges und in kleiner Auflage—publicirt und hausten da die Dioskuren *Bebel* und *Liebknecht*. Letzterem galt mein erster Besuch, den ich nie vergessen konnte, denn der Empfang war unter aller Kanone. Als ich mich vorgestellt, runzelte Liebknecht einfach die Stirne und sagte: „Ja, was wollen Sie denn hier?" Ich fühlte mich wie ein mit kaltem Wasser begossener Pudel, doch fasste ich mich gleich wieder und antwortete: „Ich gedenke als Buchbinder Arbeit zu suchen." Liebknecht machte eine Schwimmbewegung mit der linken Hand, lächelte spöttisch und sagte: „Unsinn! Hier gibt es keine Arbeit. Gehen Sie doch nach Berlin und bekämpfen Sie die Lassalleaner!" Ich bemerkte, dass mir eine solche Thätigkeit absolut nicht zusage. „Und hier kann man Sie nicht gebrauchen", antwortete Liebknecht patzig, „hier, wie in ganz Sachsen, hat sich der wissenschaftliche Sozialismus eingebürgert. Mit Revolutionsphrasen kann da nicht operirt werden." Ich hatte genug und empfahl mich, einen Stachel im Herzen fühlend. Es war mir fortan klar, dass ich mit diesem herrischen Menschen manchen Strauss zu bestehen haben werde.—Eine ganz andere Aufnahme fand ich bei *Bebel*, den ich in seiner Drechslerwerkstatt antraf, der mit mir sofort eine sehr leutselige Plauderei begann, und mit dem ich auch, so lange ich in Deutschland weilte, niemals Differenzen hatte. Am Sonntag nach diesem Zusammentreffen fand zu Chemnitz, der grössten Fabrikstadt von Sachsen, eine grosse Arbeiterdemonstration statt und zwar auf dem Neustädter Markt. Bebel und Liebknecht waren dazu als Hauptredner eingeladen, zogen es aber vor, *mich* zu veranlassen, das Nöthige zu besorgen, was ich denn auch mit grösster Freude und zum nicht geringen Aerger der Polizei that.

7

Die Arbeiter hatten nämlich beim Reichstag um Einführung eines Normalarbeitstages von—sage und schreibe!—*zehn* Stunden petitionirt, doch wanderte ihr Gesuch in den Papierkorb. Dagegen sollte nun protestirt werden. Ich aber machte die Idee, vom Reichstag überhaupt Reformen zu erwarten, einfach lächerlich. Geradesogut könne man sich in der Illusion wiegen, von einem Dornbusch Trauben ernten zu können. Der Reichstag sei doch zu ganz anderen Zwecken da. Er habe die nöthigen Mittel für den Militarismus zu beschaffen, der kapitalistischen Gründerei unter die Arme zu greifen, nach Bismarck's Pfeife zu tanzen und im Uebrigen das Maul zu halten. Dann folgte eine Kritisirung des ganzen herrschenden Systems und schliesslich Prophezeihung der sozialen Revolution.

Diese Rede schlug derartig ein, dass mich die Chemnitzer Sozialisten absolut nicht von dannen ziehen lassen und mich zur Uebernahme der Redaktion der täglich erscheinenden *„Chemnitzer Freie Presse"* bewegen wollten, was ich aber vorerst ablehnte, weil ich mich der Aufgabe nicht gewachsen fühlte.

Am folgenden Dienstag gedachte ich in Leipzig einen Vortrag zu halten; anders beschloss der dortige Polizeidirektor Rüder. Der liess nämlich den angekündigten Sprecher schon am Dienstag Morgens „sistiren" und nach seinem, Rüder's, Bureau bringen.

„Sie sind," rief er dem Arrestanten entgegen, „Most—der nämliche Most, welcher in Wien wegen revolutionärer Umtriebe bestraft und später des Landes verwiesen wurde. Wie die Zeitungen melden, haben Sie am letzten Sonntag in Chemnitz eine wahre Brandrede gehalten und wollen nun auch Leipzig mit ihrer Wühlerei beglücken. Daraus wird nichts. Die Versammlung verbiete ich und Sie verweise ich aus der Stadt, welche Sie binnen 24 Stunden zu verlassen haben."

Alle Gegenreden waren rein in den Wind gesprochen. Ich wurde den 'eben zum Rapport aufmarschirten Polizisten als ein Verbannter vorgestellt und musste zum Thore hinaus. Einen gegen den Leipziger Polizeipascha angestrengten Pro-

8

zess habe ich zwar ein halbes Jahr später gewonnen; momentan galt jedoch der Wille Rüder's.

Als diese Affaire bekannt wurde, reizte dieselbe die sächsischen Arbeiter weit und breit, mich einzuladen, in ihren betr. Wohnorten Versammlungen abzuhalten, wohingegen fast allenthalben die Polizei Verbote regnen liess und über mein Auftauchen rein aus dem Häuschen gerieth. In Glauchau beschloss z. B. der Stadtrath, niemals eine Versammlung zu gestatten, in der ich sprechen wolle. Dieser Beschluss wurde aber später hübsch abgethan. Man nannte in der Anmeldung einer Volksversammlung einen anderen Namen, liess mich sprechen und verkündete erst nach Schluss der Rede, wer den Vortrag gehalten hatte. Der Jubel der Anwesenden war gross, die Blamage der Polizei nicht klein.

In Meerane wurde die Gensdarmerie der ganzen Umgegend zusammen gezogen, als es hiess, dass ich in der Stadt sei. Der „hohe Magistrat" wollte die Gefahr gründlich beseitigen und resólvirte, den Bösewicht ohne Weiteres einzufangen. Richtig fand man auch aus, dass ich mich im Hauptquartier der Meeraner Sozialdemokraten, beim Restaurateur Ebner, befinde. Die Gensdarmen stürzten von allen Seiten herbei und schickten sich gerade an, das Haus regelrecht zu umzingeln, als ich durch ein Hinterpförtchen entschlüpfte und meine Schritte nach Crimitzschau lenkte, wo ich noch am gleichen Abend eine stark besuchte Versammlung abhielt.

In Reichenbach liess die Polizei mich zwar vortragen, schickte sich aber nachträglich an, mich zu verhaften. Sie suchte die ganze Nacht hindurch alle Gasthäuser ab, konnte mich aber nicht finden. Tags darauf besetzte sie den Bahnhof und alle Ausgänge der Stadt. Ich entging indessen ihren Späherblicken und wandelte der baierischen Grenze zu.

Ich begab mich neuerdings nach Nürnberg, wo ich als Buchbinder Beschäftigung zu finden glaubte. Kaum dort angekommen, wurde ich von den Chemnitzer Genossen telegraphisch aufgefordert, in ihre Mitte zurückzukehren und die Redaktion der „Chemnitzer Freie Presse" zu übernehmen.— Jetzt nahm ich, wenn auch zagenden Herzens, an.

9

II.

Eine Proletarier-Zeitung.

Um die Weihnachtszeit 1870 war es diversen Arbeitern von Chemnitz in den Sinn gekommen, ein täglich erscheinendes Organ ins Leben zu rufen. Sie gründeten zu diesem Zwecke einen Zeitungsverein, dessen erste Versammlung von 31 Mann besucht war. Jeder legte einen Thaler auf den Tisch, und da Keiner eine blasse Ahnung von den Herstellungskosten eines Blattes hatte, so glaubten Alle, damit ihre Pflicht gründlich erfüllt zu haben. Die Probenummer aber verschlang allein schon diesen Betrag und mehr noch dazu. Da sich indessen ein Drucker fand, welcher das Unternehmen für lebensfähig hielt und deshalb Credit gewährte, so wurde sogleich mit der regulären Herausgabe der „Chemnitzer Freie Presse", wie diese Zeitung heisssen sollte, begonnen.

Nach Verlauf von sechs Wochen war jedoch die Rechnung des Buchdruckers schon so lang geworden, dass derselbe auf Zahlung pochte und, als dieselbe nicht erfolgte, die weitere Herstellung des Blattes verweigerte.

Jetzt aber wurden die Unternehmer dieser Publikation erst kühn. Sie pumpten Gelder zusammen, wo nur immer welche aufzutreiben waren, erlangten 700 Thaler und kauften damit alte Schrift und eine ausgediente Handpresse. Als Lokalität für die Druckerei, Redaktion und Expedition wurde— der Wohlfeilheit halber—ein vormaliger Pferdestall gemiethet, und los ging es auf's Neue.

Aber wo blieben die Abonnenten? Bis Ende Juni 1871, also sechs Monate nach der Gründung dieser Zeitung, besass dieselbe deren erst zweihundert. Inserate wurden bei ihr gar keine aufgegeben.

Der Redakteur, Bernhard Becker, hoffte nicht länger, das Blatt über Wasser halten zu können und nahm eine andere Stellung an.

10

So war die Situation, als ich am 3. Juni in Chemnitz eintraf und zum ersten Male mich daran wagte, die Redaktion eines Blattes zu übernehmen. Man bot mir einen Wochenlohn von sechs Thalern; ich war damit zufrieden, denn ich war von jeher daran gewöhnt, kärglich zu leben.

Die Aufgabe, welche mir gestellt war, schien übergross zu sein, allein ich fasste den festen Entschluss, dieselbe zu lösen, und führte das Vorhaben aus.

Wenn ich sage, ich agitirte damals Tag und Nacht, so nehme ich den Mund nicht zu voll. Die Zeitung war ein Abendblatt. Sobald sie fertig war, ging die Vorbereitung zur mündlichen Propaganda los. Denn da war selten ein Tag, an dem ich nicht irgend eine Versammlung abzuhalten hatte. In Chemnitz selbst organisirte ich zunächst alle möglichen Gewerkschaften, die aber von vornherein nichts Anderes waren, als Theile der sozialdemokratischen Partei. Ausserdem folgte eine Massenversammlung der anderen.

Nicht minder stark nahm ich mich der Umgegend an. An manchem Abend fuhr ich per Bahn 1—2 Stunden weit, hielt eine Volksversammlung ab und kehrte mit dem ersten Frühzug, nachdem ich etwa bei irgend einem Weber etliche Stunden auf einem alten Sopha geschlafen, wieder zur Redaktions-Arbeit zurück.

Im Blatte, wie in den Versammlungen schlug ich einen Ton an, der in dieser Gegend noch nie zuvor vernommen worden war, der aber auf Leser und Hörer eine zündende, unwiderstehliche Wirkung ausübte.

Die Leipziger Partei-Grössen suchten zwar abzuwiegeln, indem sie fortwährend schrieben, mit einer solchen Sprache stosse man den Leuten vor den Kopf, allein ich, der sich nicht regieren lassen wollte, pflegte darauf zu antworten, es stehe den Rathgebern völlig frei, anders zu agitiren, ich thäte, was ich nicht lassen könne.

Binnen sechs Wochen hatte die „Chemnitzer Freie Presse" eine Auflage von 1200 erlangt, welche vermittelst der Handpresse nicht mehr hergestellt werden konnte, weshalb (auf

11

Abzahlung) eine Schnellpresse angeschafft wurde. Auch verlegte man das Geschäft in ein anständigeres Lokal.

Während der nämlichen Epoche hielt die Partei zu Dresden einen Congress ab. Ich fehlte selbstverständlich nicht bei demselben. Liebknecht, welcher über die politische Stellung der Partei nach aussen hin referiren sollte, war nicht rechtzeitig erschienen, weshalb ich damit beauftragt wurde, das Nöthige in dieser Hinsicht zu besorgen. Kaum hatte ich aber die Tribüne betreten, als mich der Polizei-Commissär, der die Versammlung überwachte, beständig zu unterbrechen suchte. Insbesondere wollte dieser „Ordnungs"-Hüter nicht zugeben, dass ich die Pariser Commune verherrlichte. Da riss mir der Geduldsfaden. Ich trat dicht an jene Stelle heran, wo jener Commissär sich postirt hatte, und rief::

„Wenn die Reaction internationale Verbindungen eingeht, so liegt es klar auf der Hand, dass auch die Revolution sich international verbinden muss, wenn sie Erfolg haben soll."

Der Polizeier war perplex geworden und schwieg, die Versammlung aber zollte stürmischen Beifall.

Bald nach meiner Rückkehr von diesem Congress wurde ich in Chemnitz verhaftet, jedoch nicht wegen meines Auftretens in Dresden, sondern aus anderen Gründen.

Der Chemnitzer Staatsanwalt hatte nämlich gleich nach jener Volksversammlung auf dem Neustädter Markt, von welcher im letzten Kapitel berichtet wurde, Anklage, lautend auf Hochverrath, wider mich erhoben, wurde damit jedoch vom Gericht abgewiesen. Er appellirte, aber auch das Obergericht fand seine Anklage zu stark und meinte, Aufreizung zu Gewaltthätigkeiten könnte man höchstens in der fraglichen Rede entdecken. Eine dementsprechende Anklage wurde nun auch eingereicht und angenommen, ebenso eine zweite Beschuldigung hinsichtlich eines Leitartikels der „Ch. Fr. Pr.", welcher ebenfalls aufreizender Natur gewesen sein sollte. Ich musste in Untersuchungshaft, welche übrigens nicht besonders rigoros durchgeführt wurde. Nach Verlauf eines Monats endete das Verfahren mit einer Freisprechung.

12

Der ganze Prozess hatte, insbesondere durch seinen so günstigen Ausgang, äusserst anregend auf mich gewirkt, und ich schrieb täglich ungenirter. Insbesondere giftig liess ich mich während eines Maschinenbauer-Strikes aus, an dem 8000 Arbeiter betheiligt waren, und der von den Letzteren verloren wurde. Dieser Strike hatte, gerade durch seinen ungünstigen Ausgang, wesentlich dazu beigetragen, dass die bestehenden Klassengegensätze sich verschärften. Das Uebrige besorgte der Fabrikantenbund, welcher sich um jene Zeit bildete, und der den ausschliesslichen Zweck hatte, alle Arbeiterbestrebungen rücksichtslos zu bekämpfen. Es wurden geheime Circulare, schwarze Listen u. dgl. herausgegeben, um die Rothen, wie man sich einbildete, leichter ausmerzen zu können.

Selbstverständlich war es, dass die Hauptverfolgung seitens des Bundes, an dessen Spitze der Commerzienrath Johann Zimmermann stand, gegen die „Chemnitzer Freie Presse" und den Redacteur derselben gerichtet wurde.

Die Anklagen schneiten förmlich daher—binnen Jahresfrist wurden mir nicht weniger als 43 solcher Papierchen zugestellt; und es gab wenig Tage, an denen kein Gang zum Gericht gethan werden musste.

Glücklicher Weise wurden vom Gerichte alle diese Prozesse als Bagatellsachen behandelt und wurde in Folge dessen weder eine Verhaftung verfügt, noch Bürgschaft verlangt. Ausserdem war das Strafverfahren ein sehr schwerfälliges und erleichterte das Indielängeziehen eines jeden einzelnen Falles ungemein. Zunächst wurde immer gegen die Aklage bis zur Höchstinstanz remonstrirt; und wenn es zu einer Entscheidung kam, so ging das Appelliren los—wiederum bis zum Aeussersten. So kam es denn, dass keines der vielen Urtheile, die schliesslich erflossen—allerdings erfolgte in 25 Fällen Freisprechung—vor dem Juni 1872 „Rechtskraft" erlangte, so dass ich mein Wirken in der Zwischenzeit ungeschwächt fortsetzen konnte.

Meine Arbeit wurde freilich durch diese Justizplänkeleien

13

ungeheuer vermehrt, zumal ich niemals einen Advokaten nahm, sondern alle Prozesse allein ausfocht.

Inzwischen spielte sich in Leipzig der bekannte Hochverrathsprozess gegen Bebel, Liebknecht und Heppner ab, der mit einer Verurtheilung der beiden Ersteren endete. Auf meinen Schultern ruhte nun die wesentlichste Agitation für ganz Sachsen. Meine Thätigkeit entsprach aber dieser Situation; dieselbe konnte nur von einer eisernen Natur geleistet werden, wie ich sie besitze. Zwei bis drei Nächte ohne Schlaf hatte ich manchmal mehrere Wochen hintereinander zu bestehen, wenn ich mit meinen Aufgaben fertig werden wollte. Trotzdem fand ich noch so viel Zeit, um in dieser Periode der Ueberarbeitung eine Sammlung revolutionärer Arbeiterlieder zu publiciren, welche bald eine ungemein starke Verbreitung und in Parteikreisen allgemeinen Anklang fand. Der Reingewinn floss in den Zeitungsfond. Später haben Andere theils vermehrte, theils verschlechterte Ausgaben dieses Büchleins auf eigene Faust veranstaltet und damit ein hübsches Stück Geld „verdient".

III.

Der „Rothe Thurm".

Aus dem Gemäuer des alten Gefängnisses von Chemnitz ragte ein ungeheurer Thurm aus rothem Sandstein empor. Derselbe war der Ueberrest einer mittelalterlichen Fortifikation, wurde später als Schuldthurm benutzt, seit vielen Jahren jedoch nur von Tauben und Spatzen bewohnt.

Diesen Thurm hat man mir im Juli und August 1872 als Freiquartier eingeräumt.

Es waren nämlich bis dahin zunächst Geldstrafen in der Gesammthöhe von 120 Thalern fällig geworden. Eine Collekte hatte auch diese Summe ergeben; da jedoch die Zeitung gerade stark in der Finanzklemme war, so gab ich das Geld hin und

14

sass die Strafen, welche das Gericht auf zwei Monate schätzte, ab.

Man zeigte mir den vorbemerkten Thurm, der ganz nach meinem Geschmack war. Auf mein Gesuch wurde das oberste Gemach, dicht unter dem Dache, gereinigt und mit den nöthigsten Möbeln versehen. Da liess ich mich nieder. Der Raum hatte nach drei verschiedenen Windrichtungen je ein Fenster. Die Aussicht erstreckte sich fast über die ganze Stadt hin.

Die Lebensweise, welche ich führen wollte, das heisst, wie ich mich kleidete, was ich zu essen und zu trinken gedachte, meine Lektüre, Correspondenz, Beschäftigung etc., etc., alle diese Dinge waren einzig und allein meine Sache. Ich schrieb einfach nach wie vor für die „Ch. F. Pr." und lebte nach gewohnter Art. Sogar das Ausgehen wurde nicht gänzlich eingestellt. Auf ein Gutachten des Gerichtsarztes hin wurde mir zweimal per Woche gestattet, einen dreistündigen Spaziergang in der Stadt oder deren Umgebung zu machen. Allerdings wurde mir dann ein Amtsdiener in Civilkleidung zur Bewachung mitgegeben und musste ich demselben per Stunde fünf Groschen bezahlen; allein der betreffende Begleiter betrug sich stets anständig und rücksichtsvoll. Es wurden Freunde aufgesucht, Geschäfte besorgt und mitunter auch Erfrischungen eines Biergartens nicht verschmäht.

Die Nachsicht, welche ich während dieser Haft und auch im Laufe späterer Gefangenschaft in Sachsen genoss (vielen Anderen ist es in jener Zeit auch nicht schlechter ergangen, Bebel und Liebknecht eingerechnet), dürfte übrigens einem etwas sonderbaren Verhältniss geschuldet gewesen sein, das hier nicht unbeleuchtet bleiben soll.

Die sächsische Bourgeoisie war nämlich durchweg nationalliberal, d. h. bismärckisch gesinnt, das Beamtenthum aber hegte partikularistische — bismarckfeindliche — Grundsätze. Nur der Staatsanwalt von Chemnitz war ein verkappter Bismärcker.

Da nun die sozialistische Agitation sich hauptsächlich gegen die Kapitalisten und die Central-(Reichs-)Regierung kehrte, so sahen die sächsisch-partikularistischen Bureaukraten

15

dieselbe mit einer gewissseri Schadenfreude, wenigstens so lange, bis ihnen die Sache anfing, gefährlich genug zu werden, um gemeinsam mit der ihnen sonst so verhassten Bourgeoisie ernsthafter gegen die Sozialdemokratie zu Feld zu ziehen.

IV.

Eine gestörte Sedanfeier.

Ich hatte mich kaum vom „Rothen Thurme" ausquartiert, als auch schon diverse andere Strafen „Rechtskraft" erlangten. Einem Gesuche um einen vierwöchentlichen „Urlaub" wurde aber bereitwillig entsprochen.

Diese Zeit wurde gut ausgenützt.

Das Sedanfest, projektirt vom Chemnitzer Stadtrath, dessen Mitglieder durchweg nationalliberal waren, sollte zunächst versalzen werden.

Am 2. September bemühte sich die Chemnitzer Bourgeoisie, ihren Reichspatriotismus im hellsten Lichte zu zeigen. Sie behängte ihre Häuser mit dreifarbigen Lappen, machte damit jedoch wenig Effekt, weil die sämmtlichen Arbeiter entweder gar nicht flaggten, oder auf mein Anrathen alle ihre Steuerzettel aneinanderklebten und zum Fenster heraushängten. Auf dem Giebel jenes Hauses aber, wo die „Ch. Fr. Pr." hergestellt wurde, wehten eine rothe und zwei schwarze Fahnen. welche mehr Aufsehen erregten, als alle Dekorationen der Protzen zusammengenommen und, die bei den Einen grosses Aergerniss, bei den Anderen aber Beifall erweckten.

Am Nachmitag gab es Freikonzert auf den öffentlichen Plätzen. Bis dahin war auch eine anonyme „Festzeitung" erschienen und in den Händen von zahlreichen Colporteuren, welche sie unter den patriotischen Spaziergängern und in den Philisterkneipen emsig verbreiteten. Rasch, wie der Blitz, tauchten sie auf; eben so schnell verschwanden sie wieder. Sie hatten ihre guten Gründe dazu. Die ganze „Festzeitung" war

16

von A bis Z ein ungeheurer Hohn auf die Sedanerei. Gleich auf der ersten Seite stand die „Wacht am Rhein". Dieselbe war jedoch nach der „Crambambuli"-Melodie zu singen und hatte einen sehr boshaften Text, z. B.:

> „Ihr dauert mich, Ihr armen Thoren;
> Euch macht die Knechtschaft wenig Pein;
> Zu Sklaven seid Ihr auserkoren
> Und meint dabei noch frei zu sein:
> Ihr könnet nichts, als kläglich schrei'n
> Das blöde Lied, „Die Wacht am Rhein";
> Die Wi—Wa—Wacht am Rhein,
> Die Wacht am Rhein."

Dann kam wieder an einer anderen Stelle ein „Soldatenlied" zum Vorschein, das auch nicht von schlechten Eltern war. Es begann:

> „Ich bin Soldat, doch bin ich es nicht gerne" u. s. w.

Wie die Poesie, so war auch die Prosa dieses, wie der Leser schon errathen haben wird, durch mich veranstalteten literarischen Fegefeuers.

Man kann sich denken, wie über dieses Flugblatt in den Bourgeois-Wirthshäusern geschimpft wurde, als es einmal gelesen und erkannt war.

Das Schönste kam aber erst Abends, wo mordspatriotischer Fackelzug, reichstreuer Massengesang, Festrede u. dgl. servirt werden sollten.

Die Sozialisten versammelten sich schon eine Stunde vor der angesetzten Fackelei in der „Stadt Köln". Die Arbeiter strömten massenhaft herbei; denn in den Fabriken war nicht gearbeitet worden. Nicht nur der Saal war bald überfüllt, sondern auch die benachbarten Strassen wimmelten von Menschen.

Diese Massen ordneten sich nun in mehreren Marsch-Colonnen. An der Spitze einer jeden Abtheilung wurde ein grosses Transparent getragen, worauf zu lesen war:

17

„40,000 Todte auf deutscher Seite, mehr noch erschlagene Franzosen; die Verwundeten sind zahllos; und solche Schmach bejubelt die Bourgeoisie. Nieder mit den Mordspatrioten!"

Als man durch die Quartiere der Plutokratie zog, glaubten die „vornehmen" Reichsschwärmer, welche bereits alle Balkone und Fenster ihrer Häuser besetzt hatten, der Festzug rücke an. Flugs steckten sie ihre Illuminationen an, brannten griechisches Feuer ab, schwenkten Hüte und Taschentücher und brüllten Hurrah! Jene in der Strasse liessen den Sozialismus, die Internationale etc. leben; und da die vom Festwein schon stark angesäuselten „Herrschaften" nicht sogleich richtig verstanden, so riefen sie selber: „Hoch! hoch! hoch!" Endlich machte sie das darüber entstandene allgemeine Hohngelächter auf ihren Irrthum aufmerksam. Es war aber zu spät; das Pulver war sozusagen verschossen.

Auf dem Neustädter Markt, wo die Loyalitäts-Posse zur Aufführung gelangen sollte, stellten sich die Volksmassen so auf, dass nur die Mitte des Platzes und eine Strasse frei blieb, durch welche der Fackelzug zu passiren hatte.

Letzterer liess auch nicht lange auf sich warten, war aber sehr kläglicher Natur. Etwa 200 Feuerwehrleute trugen Pechfackeln. An der Spitze marschirte eine Militärkapelle. Die Mitglieder des Stadtrathes und diverse Polizisten folgten.

Nachdem diese Nachtwächter-Prozession den freigelassenen Raum ausgefüllt hatte, wurde sie auch auf der vierten Seite vom Volke umzingelt. Die Kapelle intonirte die unvermeidliche „Wacht am Rhein", und siehe da, es brauste in der That „ein Ruf wie Donnerhall"; die ungebetenen Demonstranten sangen, dass die Häuser erbebten. Doch welchen Text benützten Die? O Schrecken!—der war Most's Proletarier-Liederbuch entnommen, stammte von *Greulich* her und wies Strophen auf, wie z. B. folgende:

> „Heran, heran, Du kühne Schaar!
> Es bläst der Sturm, es fliegt das Haar.

18

Ein Ruf aus tausend Kehlen braust,
Zum Himmel hoch ballt sich die Faust.
Es wirbelt dumpf das Aufgebot;
Es flattert hoch die Fahne roth;—
Arbeitend leben oder kämpfend den Tod!"

Nachdem dieser Leidenskelch seitens der anwesenden Stadt- und sonstigen Unräthe geleert war, bestieg der Festredner, ein Realschulmeister, die Tribüne. Seinen rethorischen Siegestaumel - Bandwurm vermochte er aber nicht so ohne Weiteres abzutreiben. Von allen Seiten ertönte jetzt nämlich die Parole: „Auf, nach dem Schützenplatz! Most wird sprechen!"

Und fort ging es nach dem bekannt gegebenen Ziele. Festredner, Stadtrath und Musik blieben einzig und allein zurück, um ihr Programm sich gegenseitig in Verzweiflung einzutrichtern.

Draussen vor der Stadt, auf dem Schützenplatze, standen die Proletarier Kopf an Kopf gedrängt und lauschten meinen Worten, durch welche ich den Sedanfest-Schwindel in unbarmherziger Weise geisselte und die internationale Verbrüderung aller Völker gegen Tyrannen und Ausbeuter predigte.

V.

Steckbrieflich verfolgt.

Am Tage nach der soeben geschilderten Affaire reiste ich nach Mainz zum Sozialistencongress, auf dem ich als Hauptredner über Programm, Organisation und Agitation zu referiren hatte, was nicht ohne fortwährende Reibungen mit dem anwesenden Polizeirath möglich war, aber dennoch gründlich besorgt wurde.

Nach Beendigung des Congresses wurde eine kleine Agitationsreise unternommen. Ich hielt in Frankfurt a. M., in

19

Köln, Solingen, Darmstadt, in verschiedenen an der Bergstrasse gelegenen Städten, sowie an allen Hauptorten Thürin-
gens Volksversammlungen mit gutem Erfolge ab. Nur in
Frankfurt a. M. wollten mich die Lassalleaner steinigen—weshalb?—das wussten die guten Leute jedenfalls selber nicht.
Wie ein glaubwürdiger Gewährsmann versicherte, sagten
nach dem betreffenden Versammlungs-Sturm diverse Lassalleaner, sie seien ganz meiner Meinung hinsichtlich der sozialen
Frage, aber dass ich Hasenclever nicht als grossen Mann gelten lassen wolle—das sei eine Gemeinheit. — —

Als ich in Koburg ankam—das war am 26. September
1872,—und bei dem alten achtundvierziger Revolutionär (einem
der Wenigen, die diesen Namen verdienen) Wintersberg
Quartier nahm, lag nebst anderen Postsendungen auch ein
Exemplar des „Chemnitzer Tageblatt" von drei Tagen zuvor
für mich bereit. Von Freundeshand war eine grosse amtliche
Bekanntmachung blau angestrichen worden.

Darin hiess es, dass ich unter der Anklage wegen Majestätsbeleidigung, Aufreizung zu Gewaltthätigkeiten, Widerstand gegen die Staatsgewalt, Herabwürdigung staatlicher Einrichtungen etc., etc., stehe, ausserdem diverse, schon verwirkte
Strafen zu „verbüssen" habe, wohingegen mein augenblicklicher Wohnort nicht bekannt sei. Ich solle daher eingefangen
und nach Chemnitz geliefert werden.

Ich erliess sofort eine Gegenbekanntmachung in der „Ch.
Fr. Pr.", worin ich auseinandersetzte, dass es mir gar nicht
eingefallen sei, mich zu flüchten, vielmehr sei meine Reise,
welche ich vor Beginn meiner „Sitzungen" im Interesse der
sozial-demokratischen Partei zu unternehmen für nothwendig
erachtet habe, bisher so laut verlaufen, dass Jedermann, der
nicht Haarzöpfe im Ohre habe, wissen müsse, wo ich jeweilig
mich befinde. Schon das Datum dieser Erklärung beweise
übrigens, dass die Richtung nach Chemnitz bereits eingeschlagen sei; man solle sich also noch etliche Tage gedulden.

Die Polizei von Koburg schien an jenem Tage, wo ich
diese Erklärung schrieb, noch keine Kenntniss von dem Steck-

brief gehabt zu haben; denn als ich am Abend in einer Volksversammlung erschien und sprach, wurde ich polizeilich nicht im Geringsten belästigt.

Am Abend des darauffolgenden Tages aber, als eine gemüthliche Zusammenkunft mir zu Ehren abgehalten werden sollte, hatte die heilige Hermandad sich genügend den Schlaf aus den Augen gerieben, um an die Arretirung 'des Begehrten zu denken.

Kaum war ich in Begleitung einiger Freunde in der betreffenden Lokalität, wo das Vergnügen losgehen sollte, angelangt, so näherte sich auch schon eine jener gemüthlichen Invaliden-Gestalten, welche damals in Mitteldeutschland in Anerkennung früher geleisteter Unteroffiziersdienste den Posten eines Bettelvogtes, d.'h. Polizeiers, übertragen bekamen.

„Ist der Herr Most nicht da?" inquirirte der alte Knabe.

„Der muss jeden Augenblick kommen," antwortete ich, obgleich ich moralisch bereits den bekannten Handgriff im Nacken fühlte. „Nehmen Sie Platz! Kellner, ein Glas Bier! Darf man fragen, was von Most gewünscht wird?"

„Weiss gar nichts," sagte der Bruder Greif, indem er behaglich sein Freibier schlürfte; „ich soll ihn nur zum Inspector bringen."

„So, so—nun, wie gesagt, er muss bald da sein."

„Guten Abend, Herr Most!" rief jetzt ein Eintretender, nicht zu meinem grössten Vergnügen. „Most ist noch nicht da," bedeutete ich dem vorlauten Bruder mit nicht misszudeutendem Augenzwinkern.

Es war aber klar, dass jetzt die Situation anfing, kritisch zu werden. Ich liess frisch einschenken, trank einen Schluck und that, als wandelten mich menschliche Schwächen an. Draussen gab ich einem Genossen den Rath, möglichst unauffällig Hut und Ueberrock aus der Wirthschaft zu holen. Hernach wurde ausgemacht, wo man privatim zusammenkommen wolle; und es setzte noch einen recht lustigen Abend.

Am anderen Morgen wanderte ich zu Fuss zur nächsten Eisenbahnstation, um nach Hof zu fahren. Kaum war ich da-

21

selbst dem Zuge entstiegen, so legte auch schon der dortige Polizeirottmeister Hand an mich und brachte mich nach Nummer Sicher.

Das war ein ganz elendes, finsteres, stinkiges Loch. In demselben befand sich nur eine Holzpritsche mit total zerlumptem Strohsack und einer schmutzigen Decke voller Ungeziefer. Ein übelriechender Nachtstuhl und ein zerbrochener Wasserkrug sollten des Weiteren den Werth des Daseins erhöhen.

Hier mussten drei lange, lange Tage verlebt werden, während welcher Zeit die einzge Unterhaltung eine Anzahl von Mäusen darbot, die sich in diesem Zwinger recht heimisch zu fühlen schienen und so zahm waren, dass sie dem Gefangenen das Brod aus der Hand gefressen hätten, wenn er es gelitten haben würde.

Am 1. Oktober traf ein Amtsdiener in Civil von Chemnitz ein und lieferte den so sehnsüchtig Begehrten bei den Steckbriefschreibern ab.

Von diesen hörte ich nun, dass ich wegen Anti-Sedanrede und verschiedenen Zeitungsartikeln halber in Haft genommen worden sei.

Man sperrte mich neuerdings in den „Rothen Thurm", behandelte mich im Allgemeinen auch, wie ehedem, nur wurden keine Ausgänge mehr gestattet.

Ich sass nun, um, wie ich meinte, nicht gänzlich „für die Katz" zu brummen, die verschiedenen Strafen ab, welche gegen mich bereits ausgesprochen waren.

Am 2. Dezember 1872 fand wegen des Weiteren Verhandlung vor einem sogenannten „Schöffengericht" statt. Dasselbe war zusammengesetzt aus vier Grossbürgern und drei professionellen Richtern.

Der Staatsanwalt—Rumpelt nannte sich der traurige Patron—hatte mit diesen Leuten leichtes Spiel. Er sagte u. A.: „Der Angeklagte hat in seiner Rede vom Massenmord gesprochen und damit die glorreichen Schlachten, welche unsere Truppen geschlagen haben, gemeint. So bezeichnete er also alle Mitglieder der Armee als Massenmörder. An der Spitze

22

der Armee aber steht der Kaiser, ergo war auch dieser beschimpft woden; und darin liegt Majestätsbeleidigung . . . "
Meine Vertheidigung war agitatorisch ganz gut, nützte aber natürlich im Gerichtssaale nichts. Immerhin fiel das Urtheil, verglichen mit den barbarischen „Rechts" - Sprüchen, welche später in solchen Fällen gang und gäbe wurden, gelinde aus. Es lautete auf acht Monate Gefängniss.
Die eingelegte Appellation wurde natürlich prompt verworfen. Ich wurde am 26. Februar 1873 ins Landesgefängniss nach Zwickau geschickt.

VI.

Im Landesgefängniss.

Die Zwickauer Strafanstalt hat, was das Gebäude anbetrifft, eine ähnliche Geschichte hinter sich, wie das Zuchthaus von Suben. Schloss, Kornmagazin, Arbeitshaus—; das waren die Metamorphosen, welche auf einander folgten. Das Arbeitshaus wurde schliesslich, nach Einführung des neuesten Strafgesetzbuches, welches eine solche Strafart nicht mehr aufzeigt, dem Namen nach in ein Gefängniss verwandelt, dem Wesen nach blieb es, was es war.
Ich erwartete unter solchen Umständen nichts Gutes, zumal, als ich vernahm, dass ein in diesem Gefängniss befindlicher Freidenker, der wegen „Gotteslästerung" dahin gesandt worden war, das Loos aller anderen Sträflinge theilen musste.
Bei Zeiten that ich daher die geeigneten Schritte, mir ein besseres Schicksal zu sichern.
Während ich dafür sorgte, dass in der „Ch. F. P." gehörig die Alarmtrommel geschlagen wurde, stellte ich gelegentlich brieflich bei dem Direktor des Zwickauer Gefängnisses Forderungen.
Ich sagte, ich sei politischer Gefangener und hoffe als solcher behandelt zu werden. Speziell verlangte ich, dass man

23

mich von anderen Gefangenen absondere, dass ich meine eigenen Kleider und den Bart tragen könne, dass man mir gestatte, mich literarisch zu beschäftigen, nach Belieben zu beköstigen, dass ich rauchen, Licht brennen, Besuche empfangen, correspondiren, Zeitungen und Bücher beziehen und mir hinlänglich Bewegung im Freien machen könne, endlich, dass man mich nicht in die Kirche schicken möge.

Diese Forderungen wurden zunächst nur zum Theil bewilligt, weshalb ich an die sächsische Regierung einen groben Brief schrieb und darin den Rest meines Verlangens energisch heischte.

Am 26. Februar 1873 waren die verschiedenen kürzeren Strafen abgesessen und ich wurde nach Zwickau transportirt.

Im dortigen Landesgefängniss angekommen, liess mich der Direktor dieser Anstalt sogleich zu sich kommen. Er erklärte mir, dass sich der obgedachte Beschwerdebrief in seinen Händen befinde und dass er mich nicht annehmen könne, ehe nicht die definitive Entscheidung in der fraglichen Angelegenheit getroffen sei. Ich solle mich einstweilen im Bezirksgefängniss interniren lassen. Da indessen eine solche Haft für Nichts gerechnet worden wäre, so hatte ich keine Lust, mich auf ein solches Provisorium einzulassen, sondern wollte lieber einstweilen im Landesgefängniss brummen, in welcher Form das immer sein mochte.

Diese Proposition imponirte dem Direktor dermassen, dass er sagte: „Sie gefallen mir; Sie sind ein gelungener Mann. Ich bewillige Ihre Forderungen provisorisch, bis die Regierung definitiv entscheidet." Letzteres geschah bald, und zwar ganz nach Wunsch.

Ich wurde nun nach dem Isolirhaus gebracht, welches 140 Zellen enthielt, wovon eine auf acht Monate mir zum Aufenthalte dienen sollte.

Diese Zelle war etwa 8 Fuss breit, 12 Fuss lang und 10 Fuss hoch. Ein, allerdings etwas hoch angebrachtes Fenster gewährte den Sonnenstrahlen hinlänglichen Zugang, um das kleine Gemach in freundlicher Helle erscheinen zu lassen. Auf einem eisernen Bettgestelle ruhte eine Matratze; wollene

24

Decken, Leintücher und ein Kopfpolster vervollständigten das einfache, aber reinliche Lager. Sonst gab es allerdings nur noch in kleines Tischchen, einen ordinären Spucknapf und einen Nachteimer als Meublement. Später kamen noch ein grösserer Tisch und ein Schreibpult hinzu.

Diese Klause wurde so recht zu einem Studir- und Arbeitszimmer für mich. Ich konnte nämlich nicht nur von Aussen Bücher nach Bedarf beziehen, sondern auch die Bibliothek der Gefängniss-Beamten benutzen, die nicht ohne verschiedene gute Werke war.

Ich las alle Zeitungen, die mich interessirten, und schrieb was ich wollte, was namentlich der „Chemnitzer Freien Presse" sehr zu Statten kam.

Meine Hauptarbeit aber bestand darin, dass ich aus dem grossen Marx'schen Werke „Das Kapital" einen populären Auszug anfertigte, welcher später im Verlage der Chemnitz'er Genossenschafts-Druckerei als Brochüre (4 Bogen stark) erschien.

Durch diese Schrift hat das deutsche Proletariat eigentlich das Marx'sche Buch erst kennen gelernt, indem dieses selbst in einem so grundgelehrten Tone gehalten ist, dass Leute ohne speziellere Vorstudien es absolut nicht verstehen können.

Es versteht sich von selbst, dass unter solchen Umständen die Zeit rasch dahingeflossen ist. Doch war es eben trotzalledem ein freudiger Augenblick für mich, als am 26. Oktober 1873 die Thüre geöffnet wurde und ich meine Freiheit wieder erlangte.

VII.

Kurze Flitterwochen.

Schon ehe ich aus dem Zwickauer Gefängniss entlassen worden war, hatte der Chemnitzer Stadtrath beschlossen, die Ausweisung über den so verhassten Agitator zu verhängen.

25

Von einer Rückkehr nach der Stätte früheren Wirkens war also nicht die Rede.

Ich begab mich deshalb nach Schlosschemnitz, einem unmittelbar bei Chemnitz gelegenen Dorfe. Kaum hatte hiervon der Amtshauptmann Kenntniss erlangt, so liess er auch schon den ungebetenen Gast rufen:

„Wenn Sie," sagte er mit hochwichtiger Amtsmiene, „nicht augenblicklich den Amtsdistrikt verlassen, lasse ich Sie arretiren und per Schub in Ihre Heimath bringen."

Ehe ich Sachsen verliess, besuchte ich noch Liebknecht und Bebel in *Hubertusburg*, dem ehemaligen Jagdschloss, berühmt dadurch, dass in dessen Mauern der Westphälische Friede, durch welchen der 30jährige Krieg zum Abschluss kam, unterzeichnet wurde, wo sie als „Hochverräther" ihre „Festungshaft," von zwei Jahren erledigten. Sie hatten die denkbar weitgehendste Bewegungs- und Genuss-Freiheit, weit mehr, als ich je genoss, obwohl ich auch bis dahin, wie mitgetheilt, wenig zu klagen hatte. Ich konnte z. B. mehrere Stunden lang mit ihnen ganz ungenirt conversiren.

Wie ein echter Schulmeister inquirirte *Liebknecht*, der sich inzwischen mir gegenüber bis zum „Dutzen" herab gelassen hatte, was ich denn eigentlich während meiner Zwickauer Gefangenschaft geleiset hätte. „Einen populären Auszug aus Marx' „Kapital" habe ich z. B. gemacht", antwortete ich. Liebknecht *grinste*, als ob er sagen wollte: *„Du bist verrückt!"* Er schnappte hernach förmlich nach Luft ehe er begann: *„Auszug* aus Marx' „Kapital"—undenkbar! Aus diesem Werk kann ja gar kein Auszug gemacht werden; es *enthält* ja kein überflüssiges *Wort*—jede Silbe, die fortgelassen wird, bedeutet eine *Verstümmelung* des Werkes."—Wahrhaftig, wenn mich nicht *Bebel* durch ein „So schlimm ist es denn doch nicht!" ermuntert hätte, war ich nahe daran, mich für einen Vandalen der Wissenschaft, Literatur etc. zu halten. So aber sagte ich mir: „Dieser Liebknecht ist schlimmer als ein Religions-Zelot" und drückte mich.

Inzwischen hatten sich die Mainzer Sozialisten an mich mit dem Ersuchen gewandt, ich möge die Redaktion der dort

26

kurz zuvor ins Leben gerufenen „Süddeutschen Volksstimme"· übernehmen.

Diesem Rufe wurde sogleich Folge geleistet, obwohl ich immerhin mit schmerzlichen Gefühlen Sachsen verliess. Ich wusste nur zu gut, dass die dortige Bewegung nach meinem Weggange der Gefahr ausgesetzt war, sich zu verflachen. Vahlteich war nämlich unglücklicher Weise mein Nachfolger in der Redaktion der „Ch. F. P" geworden und sollte gleichzeitig die dortige Gegend mit mündlicher Agitation versehen. Derselbe hat aber in einem Monat mehr an Abwiegelung geleisten, als ich zuvor in einem Jahre an Aufreizung besorgt hatte. Er verwandelte mit der Zeit die ohnehin schon ganz entnervten und muthlosen Fabrikarbeiter in reine Schlafmützen.

In Mainz angekommen, fand ich eine Situation vor, welche sehr stark derjenigen ähnelte, die bei meinem Eintreffen in Chemnitz daselbst obwaltete.

Es waren bei Gründung der „Volksstimme" zwar ca. 3000 Gulden aufgebracht worden, allein schon nach sechs Wochen war das ganze Geld verpulvert, obgleich das Blatt nur drei Mal per Woche erschien.

Ich liess es mich nicht verdriessen, mit fester Hand zuzugreifen, um das nahezu verlorene Schifflein in gutes Fahrwasser zu lenken—eine Arbeit, die um so schwieriger war, als die Parteigenossen in drei verschiedenen Cliquen abgetheilt waren, welche sich gegenseitig auf das Giftigste befehdeten.

Was zuvor ein Redakteur und ein Expedient besorgt hatten, das that ich nun allein, von der Versammlungsagitation gar nicht zu reden.

Merkwürdiger Weise fand ich trotzdem in jener Periode Zeit zum Heirathen. Zwar hatte ich mir immer mit Vorliebe den Anstrich gegeben, als ob mein Herz dem schönen Geschlecht gegenüber rein zugenagelt wäre, allein die Sache war in Wirklichkeit nicht halb so schlimm. Genug, ich hatte mich schon kurz nach meiner Ankunft in Chemnitz in ein Paar schwarze Augen verguckt, deren Besitzerin allgemein als eines der schönsten Mädchen der Stadt angesehen wurde.

27

Die Gefangenschaften hatten eine frühere eheliche Verbindung verhindert. Jetzt aber wurde der fatale Contrakt unterzeichnet.

Denn als eine totale verfehlte Sache stellte sich diese Ehe in nicht allzu ferner Zeit heraus.

Die ewigen Verfolgungen, denen ich fort und fort ausgesetzt war, überstiegen eben das Mass Desjenigen, was ein Weib, wenn es nicht gerade selber eine Art Märtyrerberuf in sich fühlt, willig zu ertragen bereit ist. Obendrein ging ich stets ohnehin dermassen im Parteileben auf, dass für das Familienleben so gut wie nichts übrig blieb.

Mit der Zeit spitzte sich für mich die ganze Angelegenheit zu der Frage zu: Partei oder Familie? Eines von Beiden musste zu Gunsten des Anderen hintangesetzt werden. Ich opferte meine Familie.

Zum Glück sind die Kinder, welche dieser unglücklichen Ehe entsprossen, bald verstorben. Die Ehegatten aber führten bis zum Jahre 1880 ein Hunde- und Katzen-Dasein. Endlich trennten wir uns; im Jahre 1882 ist die Frau gestorben.

In der Zeit, von welcher ich aber hier zunächst zu reden habe, konnte die Katastrophe noch nicht vorausgesehen werden, vielmehr hing uns der Himmel voller Bassgeigen, wie man sich in Baiern auszudrücken pflegt, wenn man einen Zustand höherer Molligkeit bezeichnen will.

Meine Geschicke waren aber nicht auf Flitterwochen zugeschnitten.

Am 22. Januar 1874 hatte ich Hochzeit gefeiert; 12 Tage zuvor war ich zu Chemnitz zum Reichtagsabgeordneten ernannt worden; und am 5. Februar reiste ich nach Berlin, um in's deutsche Parlament einzutreten.

28

Parlaments-Reminiscenzen.

I.

„Was wollen Sie? Wie können Sie gegen die Betheiligung des Proletariats am Wählen eifern—Sie, der Sie doch selber sich zwei Mal in den deutschen Reichstag wählen liessen und sogar ein drittes Mal als Kandidat auftraten?"

Das ist so ungefähr die Quintessenz der Argumente, welche mir sozialdemokratischerseits an den Kopf und den Revers derselben gepfeffert wurden, so oft ich irgendwo den Stimmkasten-Schwindel in Versammlungen „verhamatschte," denen auch „wissenschaftliche" oder unwissenschaftliche Friedens- und Gesetzmeier rothbläulicher (violeter) Couleur und „would-be"-oratorischer Qualität beizuwohnen pflegten.

Nun ist ja das schon an und für sich der „reene Kiehn," von Logik gar nicht zu reden, wenn Jemand glaubt, dass, weil ein Mensch einmal eine Zeitlang auf Holzwegen wandelte, derselbe auch, wie mittelst eines „eisengepanzerten Eides," verflucht und verdammt sei, lebenslänglich sich in solchen Irrgärten herum zu treiben und auf jede weitere Entwickelung, geistige Klärung etc., zu verzichten und dementsprechend seine Stellung im öffentlichen Leben zu ändern!

Uebrigens darf ich betonen, dass ich auch zur Zeit, als ich in den Reichstag eintrat, nicht der Meinung war, dass mittelst der Theilnahme am Parlamentarismus das Proletariat aus seiner Knechtschaft erlöst werden könne. Mir leuchtete vielmehr schon zu jener Zeit ein, was Liebknecht kurz zuvor in einer Broschüre betonte, nämlich, dass die Lösung der sozialen Frage nur auf revolutionärem Wege herbei geführt werden könne.

29

Ich war aber der, allerdings, wie ich später ausfand, sehr naiven Ansicht, dass man zu Berlin als Reichsbote immerhin, da ja im Reichstage Redefreiheit, inclusive absoluter Strafunmöglichkeit, zugesichert ist, ein „gottsträflich grosses Maul" haben und die Olympier des Bundesrathes sammt Bismarck, wie auch die Oppositionsparteien dermassen „in die Pfanne hauen" könne, dass es die Herzen des Volkes weit und breit erwärmen und mit Sympathie für die Sozialdemokratie erfüllen müsse.

Dementsprechend nahm ich auch die Agitation im stimmkastenmässigen Sinne mit in den Kauf. Ja, ich muss gestehen, dass es mich von vornherein stark gelüstete, selber so bald wie möglich, obwohl ich kaum das Wähler-Alter (25 Jahre) erreicht hatte, behufs des vermeintlichen Radauschlagens, nach Berlin entsandt zu werden.

Daran war aber, da erst kurz zuvor eine Wahl stattgefunden hatte, wenn nicht Unvorhergesehenes zu einer Reichstagsauflösung führte, nicht vor dem Jahre 1874 zu denken.

So lange war jedoch meines Bleibens, wie schon erwähnt, in Chemnitz nicht. Nichtsdestoweniger proklamirten mich die Chemnitzer Sozialdemokraten als ihren Reichstags-Kandidaten.

Abgesehen von einigen „offenen Briefen" und dgl. konnte ich persönlich zum Gelingen dieser Wahl nichts beitragen, weil ich ja wegen der Verbannung an Ort und Stelle nicht aufzutreten vermochte. Trotzdem „siegte" ich mit 10,000 gegen 7000 Stimmen, welche der Leipziger Handelskammer-Sekretär Böhmert erhielt.

Donnerwetter, dachte ich mir, als mir amtlich das „Mandat" zugestellt worden war, jetzt kann's aber los gehen. Den Brüdern—schwarzen, blauen, schwarz-weissen u.s.w.—, die da in Berlin auf Autoritäts-Stelzen einher gehen, wirst Du einmal zeigen, was 'ne Harke ist.

Mit gehobenen Gefühlen fuhr ich Anfangs Februar nach der Reichshauptstadt und mit Hast eilte ich bei meiner Ankunft daselbst in die „heiligen Hallen" der „Volksvertretung",

30

wo gerade die erste Sitzung im „Gange" war wovon ich aber nicht viel merken konnte weil ich eben noch nicht in die Geheimnisse des Parlamentarismus eingeweiht war.

Zwar wurde da, wie ich später merken konnte, das Bureau für die bevorstehende Session gewählt, allein es kehrte sich so ziemlich Niemand an die Vorgänge im „Hause".

Im Sitzungssaale selbst befanden sich nur Wenige und diese nahmen keineswegs eine „ernste und feierliche" Haltung ein, wie ich sie anzutreffen vermeinte. Der Eine schrieb Briefe, der Andere las Zeitungen, da und dort standen zwei oder drei beisammen, um zu kannegiessern oder sonstwie das Gebiet der faulen Witze zu kultiviren.

Draussen aber, in der Vorhalle und im Restaurant ging es viel lebhafter her. Da wurde gezecht, dass es nur so rauchte und schwadronirt, dass man sich an eine Effektenbörse versetzt fühlen konnte. Nur von Zeit zu Zeit begaben sich kleinere Trupps in den Sitzungssaal, um ihre Stimmzettel zu urniren.

Ich dachte damals natürlich, dass dieses Verhalten ein ausnahmsweises sei, musste mich aber mehr und mehr davon überzeugen, dass es, abgesehen von etwaigen „grossen Debatten", wie sie höchstens alle sechs Wochen einmal vorkamen, immer so herging. Die „Onkel vom Lande", welche sehr häufig von weit her nach Berlin kamen, um den Reichstag „an der Arbeit" zu sehen, schlugen ob solchem Schlendrian die Hände über den Pelzmützen zusammen.

Indem ich mir vorbehalte, später diese Seite des Parlamentarismus noch des Weiteren zu beleuchten, will ich nur hier gleich noch beifügen, das ich in London, Paris und Washington die Legislativstrolche bei der nämlichen Aufführung ertappte, wie in Berlin.

Eigentlich kann ich das den Betreffenden—nach meinen jetzigen Weltanschauungen—nicht einmal besonders verübeln. Die ganze höhere—gesetzgeberische—Parlamentlerei ist ja ein so abgeschmacktes Treiben, dass es selbst. verglichen mit den Vorgängen in den allergewöhnlichsten Arbeiter-Debattirclubs, wo wahrlich auch nicht zu wenig an Quatsch verübt wird, kei-

31

neswegs vortheilhaft absticht. Traurig aber ist es, dass sich die Völker durch derartige Affenkomödien in den Wahn wiegen lassen, dass vermitelst derselben ihre Interessen gewahrt und gefördert werden.

Als ich wieder in den Saal zurückgekehrt war, fand ich u. A. auch die übrigen sozialdemokratischen Abgeordneten vor. Alle hatten im hintersten linken Winkel seitens des Hausdirektors Plätze angewiesen bekommen.

Es waren zwar neun Mann gewählt worden, aber eingefunden hatten sich in Berlin nur sieben, weil zwei, Bebel und Liebknecht auf Hubertusburg wegen „Vorbereitung zum Hochverrath" die „Rechte" zu studiren hatten.

Wir Sieben waren aber keineswegs ein „einig Volk von Brüdern,": sondern bildeten zwei einander mit spinnfeindlichen Blicken messende Faktionen. Drei, nämlich: Hasselmann, Hasenclever und Reimer, deklarirten sich als Lassalleaner ; vier, nämlich: Vahlteich, Moteller, Geib und ich—wir bissen die „Eisenacher" heraus.

Kaum hatten wir unsere Sitze eingenommen, so konnten wir die Wahrnehmung machen, dass sich rechts vom Präsidententische, vom ersten Sitze der Bundesrathstafel aus Bismarck erhob und uns per Lorgnon zu mustern begann. Er vermochte uns aber offenbar nicht gut genug zu betrachten und begab sich daher mit Ostentation nach der linken Seite des Hauses, begleitet von einem sächsischen Bundesräthler, der uns von Weitem, indem er nach den Einzèlnen mit dem Zeigefinger deutete, dem Varzinesen (so nannte ich Bismarck im Hinblick auf seinen Landsitz Varzin) vorstellte und zwar mit einer Miene, als ob es sich um Menagerie-Thiere oder ähnliche Raritäten gehan'delt hätte, während Bismarck einmal über das andere Mal den schnodderigen Bemerkungen gegenüber, in denen sich augenscheinlich der Andere hinsichtlich unserer Personen erging, in eine helle Lache ausbrach.

Das war das erste Mal, dass ich diese zweifüssige Bestie persönlich in Augenschein zu nehmen vermochte. Der Eindruck war ein total abstossender, ungeheuer widerlicher.

32

Die übrigen Bundesraths-Chinesen kamen mir vor, wie ausgestopfte Winkeladvokaten aus dem vergangenen Jahrhundert. Alles war da altmodisch: die Kleidung, die Wäsche, die Fratzen und das ganze Gebahren.

Diese Kerle werden von den deutschen Fürsten ernannt und haben wesentlich die Aufgabe, etwaigen selbstständigen Beschlüssen des Reichstages ein schleuniges Grab in ihrem Papierkorb zu bereiten und auch sonst dafür zu sorgen, dass die Bäume der Parlamentarier nicht in den Himmel wachsen, welcher Pflicht sie denn auch stets mit der Promptheit abgerichteter Pudel nachzukommen pflegen.

Uebrigens sassen auch im „hohen Hause" selber ganz niedliche Dickhäuter, Sumpfberger und Nachteulen, besonders auf der rechten Seite.

Zur letzteren Kategorie war z. B. ganz entschieden der Bischof Räss von Strassburg zu zählen, der mich mit seinen Glotzaugen und seinem barocken Umhängsel förmlich an den Theater-Uhu in der Freischützischen „Wolfsschlucht" erinnerte.

Ueberhaupt hatten damals die Elsass-Lothringer von 15 zu ernennenden Abgeordneten nicht weniger als neun Pfaffen gewählt, was meine zuvor sehr ausgeprägte Sympathie für die Reichsländler ungemein stark herabstimmte.

Hinsichtlich der Polen erging es mir ähnlich, denn auch unter diesen war der Ultramontanismus durchweg vorherrschend.

Im Uebrigen war die Gesellschaft so gemischt wie möglich, wenn auch das jüngere Element nur ganz vereinzelt hervorstach und die „alten Knacker" mindestens eine Siebenachtel-Majorität bildeten. Manche trugen zwar Perrücken, aber sie sahen deshalb doch nicht jünger aus, als Diejenigen, welche mit ihren Original-Glatzen paradirten.

Mit diesen Bemerkungen will ich natürlich keinen Stein auf das Alter an und für sich geworfen haben, vielmehr soll damit nur angedeutet werden, dass die veraltete Anschauung, personifizirt durch diese Parlaments-Klepper, im Reichstag Trumpf war und auch augenscheinlich heute noch ist.

33

Denn alt, wie die Gehäuse dieser Leute waren, so altmodisch sah es auch offenbar in ihren Schädeln aus. Das konnte man nicht nur an ihren blöden Augen absehen, sondern es hing auch aus jeder Gesichtsrunzel förmlich ein Zopf heraus. Also, das ist die Bande, welche über das Wohl und Wehe des Volkes berathen soll, dachte ich mir. Da bist Du in eine nette Gesellschaft gerathen! Solche Eindrücke hinterliess in mir der erste Blick in die parlamentarische Welt.

II.

Nach der Geschäftsordnung des deutschen Reichstages soll stets demjenigen Abgeordneten zunächst das Wort ertheilt werden, welcher sich zuerst durch Erhebung von seinem Sitze darum bewirbt. Das ist aber nur in der Theorie und druckerschwärzmässig vorgesehen. Wenn aber nach Göthe „alle Theorie" grau ist, so sieht es mit dieser sogar gräulich aus. Ich als parlamentarisches Grünhorn nahm freilich Anfangs den Klimbim ernst, und, redebeflissen, wie ich war, liess ich es in keiner Sitzung, der ich beiwohnte, an den nöthigen rechtzeitigen „Erhebungen" fehlen, aber — ach! — das Auge des Präsidenten Forckenbeck, obgleich durch ein Monocle bewaffnet, vermochte davon niemals etwas wahrzunehmen, so dass ich mit meinem Talent, aller Aufsteherei ungeachtet, regelmässig „sitzen"' blieb. Für mich war das keineswegs nur etwa deshalb unangenehm, weil ich, wie Mancher denken mag, so keine Gelegenheit fand, mich „wichtig zu machen," sondern ganz besonders aus dem Grunde, weil meine Wähler von mir grosse Paukenschläge erwarteten und mich fortwährend brieflich zur Attacke zu reizen suchten, ja sogar mit einem Misstrauensvotum drohten, wenn ich den Anderen nicht bald gehörig „den Kümmel reiben" sollte. Ich gestehe, dass ich Angesichts einer solchen Zwickmühle nicht übel Lust verspürte, mein Mandat

34

niederzulegen. Immerhin wollte ich zuvor noch alles Mögliche versuchen, um zum Worte zu kommen.

Dabei ist das doch schon an und für sich für einen Sozialisten—damals ist mir das so recht klar geworden—eine ganz verzwickte Geschichte. Was soll man denn eigentlich als Sozialist zum nächsten besten Gegenstand, der gerade auf der Tagesordnung steht, sagen? Spricht man nicht zu demselben, so verweist Einen der Präsident per klingender Schelle „zur Sache," haut man sonst über die Schnur, so erfolgt ein „Ordnungsruf", eventuell Wortentziehung, so dass eigentlich die reichstäglich verfassungsmässig garantirte Redefreiheit auch nur auf eine solche „mit gedämpfter Stimme," respektive versehen mit moralischem Maulkorb, hinaus läuft.

Man muss also eine sogenannte „günstige Gelegenheit" ablauern, welche es ermöglicht, den Keil an der richtigen Stelle einzutreiben; wer aber, wie ich, immer Pech hat, dem passirt es natürlich leicht, dass er gerade bei solchen Anlässen das Rederecht von Anderen weggeschnappt bekommt. Abgesehen von Anderem.

Viele Leser werden nämlich denken, man könne sich ja dann durch Interpellation und Stellung selbstständiger Anträge den Weg zur Tribüne bahnen. Aber auch in dieser Beziehung sind die nöthigen Sperrketten gesetzlich vorgesehen.

Während z. B. im englischen Parlament und in der französischen Nationalversammlung jeder Abgeordnete jederzeit das Recht hat, irgend welche Fragen an die Regierung zu stellen, ist das im deutschen Reichstag nur möglich, wenn die Frage schriftlich eingereicht wird und von mindestens 30 Abgeordneten unterzeichnet ist.

Aehnlich steht es mit Anträgen—ausgenommen solchen, welche sich lediglich auf die Geschäftsordnung, wie z. B. „Schluss der Debatte" und dgl., beziehen—, indem kein Antrag entgegen genommen wird, wenn derselbe nicht mindestens 15 Unterschriften trägt. Dass da in Folge dessen solche Minoritätsparteien, wie diejenige war, zu der ich zählte (neun Mann gewählt, zwei eingesperrt, sieben in zwei feindliche Fak-

35

tionen von vieren einerseits und dreien andererseits gespalten),
so gut wie gar keine „Show" hatten, wie die Amerikaner sich
ausdrücken, kann sich ein „Baby"-Politiker aus der Wutki-
Kiste schöpfen.

Nachdem mir alle diese Dinge ordentlich „klar" gewor-
den waren, liess ich meine Parlamentarier-Ohren ziemlich
schlapp herunter hängen. Ich sagte mir: das ist ja das reine
Marionetten-Theater, dessen Drähte von den Regierungs-
Schleppträgern (die „Ordnungs"-Majoritäten stehen immer
mit der jeweiligen Regierung auf gutem Fusse) ganz nach
Belieben gezogen werden können. „Schuster," sagte ich mir
„wärst Du doch bei Deinem Leisten geblieben! Hättest Du
Dich damit begnügt, da und dort vor dem Volke Deinen
Schnabel zu wetzen und in Arbeiterblättern Deine in Gift und
Galle getauchten Pfeile wider die Menschenfeinde aller Sorten
allen Polizisten und Staatsanwälten zum Trotze, loszuschnel-
len! Denn selbst wenn Du ab und zu eingelocht wirst, so ist
das immer noch nicht so demüthigend, als wenn Du Dich als
„Volksvertreter" wie einen Bettelbuben behandeln lassen
musst!" Und so weiter.

In solchen Betrachtungen war ich gerade versunken, als
ich durch eine sehr drastische Gefühlsäusserung eines parlamentarischen Schicksals-Genossen eines Tages aus meinen
Träumen geweckt wurde.

Ein schwäbischer Postmeister, Namens Meyer, Mitglied
der würtembergischen Volkspartei, so ein kleiner Rest der
48er bürgerlichen Demokratie, rief nämlich, nachdem er, mit
einem grossen Bündel von Notizen und Dokumenten unter
dem Arme, vier Tage lang fortwährend auf der Lauer lag,
um gegen die Verdeutschung aller Partikular-Pressgesetze
(das würtembergische war nämlich bis dahin eines der frei-
sinnigsten) zu protestiren, und als ihm durch „Schluss der Debatte" die ganze Rethorik hinweg dekretirt worden war: „Dia
Kerle könne mi................" (hier folgte ein Zitat aus
„Götz von Berlichingen.") — — Das war zwar nicht „parlamentarisch" und auch nicht „offiziell," aber doch laut genug
gesprochen worden, um rings umher „allgemeine Heiterkeit"

36

zu erwecken, worin das „hohe Haus" ohnehin damals, wie auch heute noch, sehr stark, oft und viel „machte." Mir aber entfuhr unwillkürlich ein „Sehr richtig!" und ein „Hört, hört!"

Einige Tage später, als ein Gegenstand auf der Tagesordnung stand, der sich meiner Ansicht nach wohl geeignet hätte, mir Gelegenheit zum „Dreinhauen" zu geben—es handelte sich um eine Erhöhung des stehenden Heeres—, kam ich auf den Gedanken, mich schon vor Beginn der betreffenden Sitzung beim Präsidenten als Redner zu melden.

Kaum hatte sich derselbe blicken lassen, so rückte ich ihm auch schon auf's Fell. Dieser Mann hatte sich genügsam auf glatten Parquets bewegt, um den feinen Salonmenschen heraus zu beissen, weshalb er mich mit ausgesuchter Höflichkeit als „Herr Kollege" begrüsste. Dabei war es aber unverkennbar, dass eine leichte Welle bitterster Ironie über seine Visage schlich, auch war er offenbar etwas zerstreut, denn als er mechanisch eine Prise nehmen wollte, hätte er sich beinahe an Streusand vergriffen. (Auf seinem Tische standen nämlich stets zwei Holzschüsseln, wovon die eine Streusand, die andere Schnupftabak enthielt.)

Nachdem ich mein Anliegen mit der Motivirung vorgetragen, dass ich offenbar in einem viel zu entfernten Winkel meinen Sitz angewiesen bekommen hätte, als dass er meine jeweiligen „Erhebungen" wahrnehmen könne, grinste er sehr herablassend und sagte im unverfälschtesten Preussen-(Jott) Jargon:

„Sehr angenehm, Herr Kollege, wirklich sehr angenehm. Ich werde sofort den Herrn Schriftführer strikt anweisen, Sie auf die Rednerliste zu setzen. Aber leider kann ich Ihnen nicht verhehlen, dass sich bereits 60 der Herren Abgeordneten zum Worte gemeldet haben. Ferner werden Sie begreifen, dass doch zunächst die Vertreter der grösseren Parteien zum Worte kommen müssen und zwar abwechslungsweise je Einer Pro und Kontra. Sollte sich indessen die Debatte so weit ausdehnen, dass auch die kleineren Parteien berücksichtigt werden können, d. h. nämlich wenn inzwischen nicht Schluss der De-

37

batte resolvirt wurde, so werde ich mich mit dem grössten Vergnügen daran erinnern, dass auch Sie sich zum Wort gemeldet haben. Guten Morgen, Herr Kollege!" — —
Wie ich dastand? Ganz natürlich wie ein begossener Pudel.

Die Debatte fand statt, die „Grossen" der „grösseren Parteien" schmiedeten ihr Blech, bald im Moltke'schen Flüstertone der Hohenzollern-Beleckung „sans phrase", bald mit dem Pathos der demagogischen Zentrums-Dorfkapläne, bald im Tone des „gemässigten Fortschritts" und der „fortschrittlichen Mässigung" oder Deklamation sonstiger „allerunterthänigster Opposition."

Da auf einmal bemerkte ich, wie der Präsident sein Monocle fallen liess und einem Abgeordneten mit den Augendeckeln winkte, eine Manipulation, welche ihren Zweck schleunigst erfüllte.

Ein ziemlich spiesserhaft aussehendes Männchen begab sich nach dem Präsidententisch und überreichte dem Vorsitzenden einen kleinen Zettel. Jeder Kenner wusste sofort, was das zu bedeuten hatte, denn ein verständnissinniges Lächeln war überall zu bemerken.

Kaum hatte der Redner, welcher gerade „daran" war, seine Sprechschleusen geschlossen, so erhob sich auch schon der Präsident und sagte:: „Es ist Schluss der Debatte beantragt worden vom Herrn Abgeordneten Valentin."

Viele lachten, Manche, die noch „etwas auf dem Herzen" hatten, murrten. Alle aber stimmten schleunigst ab; die Majorität dekretirte Schluss. Ich für meinen Theil war wieder um eine Enttäuschung reicher geworden.

Dieser Valentin war nämlich in seiner Art ein „Original." Er hatte es sich von vornherein in den Kopf gesetzt, seine parlamentarische Thätigkeit auf Schlussanträge zu beschränken, weshalb er denn auch eines Tages von seinen nationalliberalen Parteigenossen ein ganzes Packet gedruckter Zettel, die zur Erfüllung dieses speziellen Zweckes geeignet waren, zugeschickt bekam, während man ihm im Uebrigen den Titel „Debatten-Guillotine" beilegte.

13*

Nachträglich suchte ich in die Koulissen-Geheimnisse des Reichskasperle-Theaters etwas tiefer einzudringen. Denn ohne Weiteres lernte das Unsereiner dann als umso weniger kennen, als ja die Sozialisten viel zu schwach vertreten waren, um als „Fraktion" anerkannt zu werden. Man sah dieselben vielmehr nur als „Wilde" an, wie man im parlamentarischen Jargon Diejenigen zu benennen pflegt, welche gar keiner Partei angehören.

Da hörte ich denn, wie's gemacht wird und was parlamentarischer (auch heute noch üblicher) Brauch ist.

Die Verhandlungen im „Plenum" werden nur als eine eigentlich überflüssige Volksverblendungs-Komödie angesehen, denn ehe dieselben beginnen, ist der ganze Schwindel schon „gefixt".

Eine jener Verfassungen, welche Napoleon No. 1 verbrach, bestimmte, dass das vom Volke erwählte Tribunat nur zu quatschen, aber nichts zu sagen (beschliessen) habe, während der von ihm ernannte Senat nur beschliessen und gar nicht maulen solle. Wenn die deutsche Reichsver- (besser: „miss"-) fassung ähnliche Bestimmungen enthalten hätte, so würde zwar darob Mancher verstimmt geworden sein. Jeder hätte aber doch zugestehen müssen, dass die betreffenden Konstitutions-Zu- oder Beutelschneider immerhin eine gewisse „Ehrlichkeit" in der Volks-Behumbuggung gewahrt. Denn so, wie es damals aussah und jetzt noch aussieht, läuft der ganze Schwindel nur auf Aehnliches in anderer Form hinaus, nur arbeitet die „Maschine" in umgekehrter „Ordnung". Es wird nämlich zunächst im Senat (Bundes(un)rath) in aller nichtöffentlichen Stille beschlossen, was die deutschen Puppen-Fürsten—höchstens kickte ja da noch der Delegat des zweiundsiebenzigsten Heinrich von Reuss-Greitz—auf Befehl des jeweiligen preussischen Parvenue-Königs anzuordnen „geruhten" (ein Setzer machte einmal per Druckfehler aus dem „geruht" ein „gehurt") ; hernach geht die „Materie" an den sogenannten Reichstag, welcher entweder Streusand auf die Bundesrathstinte zu streuen oder aber einen Auflösungstritt vor den Kollektiv-Hintern zu gewärtigen hat.

39

Handelt es sich um eine Bagatellsache, so geht die Beschliesserei nur so Eins, Zwei, Drei. Im höchsten Falle kommt es zum „Hammelsprung." Wenn nämlich das „Bureau" des „hohen Hauses" sich über Majorität oder Minorität durch blossen „Aufstand" oder „Sitzenbleibung" nicht einigen kann, müssen die biederen Stimmkasten-Kreaturen 'raus und haben, je nach ihrer Ja- oder Neinerei rechts oder links durch eigens dafür bestimmte Thüren in den Saal zu kommen, während sie von den Schriftführern gezählt werden, wie zur Schlachtbank getriebene Hämmel. Daher die Bezeichnung „Hammelsprung."

Hat die Geschichte einen etwas ernsthafteren Charakter, so dass dem Volke mehr Sand in die Augen gestreut werden muss, so wird die „Vorlage" einer Kommission zur Vorberathung überwiesen, einer Kommission, in welcher natürlich die Macher („Leader" nennt man sie in Amerika) der verschiedenen Parteien, nämlich solcher, die von der Regierung für „voll" genommen werden, Platz finden. Im Schoose dieser Kommissionen werden nun die betreffenden Reichskastraten seitens der Regierungsvertreter so lange gedrillt bis sie ihre etwaige Opposition auf Null-Komma-Nix reduzirt haben und höchstens noch formelle Abschliffe der Regierungs-Unverschämtheiten begutachten.

Ist auf solche Weise den parlamentarischen Quintessenzlingen der letzte, ohnehin schon sehr stumpfe Oppositionsstachel ausgezogen, so geht die dermassen verharmloste Bescheerung an die Fraktionen, welche, gleich den Kommissionen, nicht etwa öffentlich, sondern im Verborgenen, wie die Brennesseln hinter der Kirchhofmauer, tagen oder vielmehr nachten.

Da handelt es sich eigentlich um keine Berathungen mehr, sondern nur noch um die Ernennungen der Redner, welche die Sache auf Grund der vorliegenden Nurbejahungs- oder ein hundertstel (oder so darum herum) Opposition vor dem „Plenum" zu vertreten haben.

Natürlich möchte da eigentlich Jeder gerne von Zeit zu Zeit sein (Talg-) Licht leuchten lassen, aber es kommt in der Regel anders. So eine Fraktion ist nämlich, wenn schon nicht

40

geradezu ein Staat, so doch ein Kloster im Kleinen. Da herrscht Partei-Diziplin, wodurch mit allen, auch den erbärmlichsten Mitteln seitens der Fraktions-Bosse durchgesetzt wird, was geschehen soll. Kurzum: es wird irgend ein „Führer" oder ein leitendes Dioskuren-Paar ernannt, das Weitere zu befummeln. Als Ersatzreserve werden dann in der Regel noch 2—3 Andere als General-Quatschmichel nominirt, während die übrigen Fraktionsisten an die Möglichkeit verwiesen werden, günstigen Falles sich noch hinterher auf eigene Faust Gehör zu verschaffen.

Nun kommt die dritte Instanz der Regie des Parlaments-Theaters, das ist der Seniorenkonvent. Derselbe besteht aus den Aeltesten der verschiedenen Fraktionen. Denen wird seitens der Letzteren der ganze vorhergegangene Rummel mitgetheilt, d. h. die faktionellen Rednerlisten u.s.w. Sie karten dann einfach vollends die für die Oeffentlichkeit bestimmte parlamentarische Theatervorstellung ab und reichen sie dem Präsidium ein, welches dementsprechend bei der Aufführung Inspizientendienste leistet und die solchermassen doppelt und dreifach durchgesiebten und acht bis zehnfach instruirten Akteure vor die Koulissen schiebt oder lockt.

Nachdem ich mich über alle diese Parlaments-Geheimnisse genügsam unterrichtet hatte, war es mir klar, weshalb die Reichsboten sich im Allgemeinen lieber ausserhalb (namentlich in der Kneipe), wie innerhalb des Sitzungssaales bewegten und nur zu Ab- (resp. Zu-)stimmungen eilten, wenn die elektrischen Klingeln, deren Knöpfe kurz vor solchen Ereignissen oder vielmehr legislativen Unglücksfällen vom Präsidenten gedrückt wurden, sich erblicken liessen. Wie sollten sie dazu kommen, sich für Dinge zu interessiren, welche sammt und sonders zuvor schon völlig durchgedroschen und abgekartet worden waren?! — —

Interessant war es übrigens, zu beobachten, wie mitunter die Masse der Reichsboten ganz unerwartet—plötzlich—aus dem famosesten Gabelfrühstück auf- oder von der interessantesten Kannegiesserei hinweg-geklingelt wurden.

41

Da stürzten sie sich hinein in den Sitzungssaal, der Eine mit einer Serviette am Halse, der Andere noch einen Koteletten-Knochen in der Hand—auch mit dem Weinglase hatte ich schon Einige ertappt—, und wie sie dann, sich ganz nach dem Thun und Lassen ihrer Fraktionsführer richteten, ohne auch nur eine Ahnung davon zu haben, um was es sich eigentlich han lelte, so dass sie erst hintenach ausfanden, wofür oder wogegen sie eigentlich gestimmt hatten!!! — — —

Man kann sich denken, dass mein Respekt vor dem Parlamentarismus und der ganzen Gesetzgeberei nach solchen Beobachtungen und Erfahrungen stark nach dem Nordpol gravitirte.

Mein letzter Versuch, während der damaligen Session zum Worte zu gelangen, bestand darin, dass ich gelegentlich der Spezial-Debatten der sogenannten „zweiten Lesungen," wo paragraphenweise genörgelt, geschachert und sonstwie gequatscht wird, mich alle Augenblicke „erhob". Und richtig wurde ich auch einmal zugelassen, weil sich nämlich sonst Niemand zum Wort gemeldet hatte.

Es handelte sich um ein Gesetz, durch welches die Zwangsimpfung eingeführt wurde. Da ich ein Gegner aller und jeder Impferei und sonstigen Quaksalberei schon damals war, so bemühte ich mich natürlich, gegen diesen Blutvergiftungs-Zwang eine Lanze zu brechen. Leider kam ich aber bei der Generaldebatte nicht zum Wort, sondern nur bei der Spezialdebatte und zwar, als der Paragraph 6 an die Reihe kam, welcher von der Errichtung von „Impfstellen" handelte.

Meiner kurzen Rede noch kürzerer Sinn bestand darin, dass ich empfahl, als Vorbeugungsmittel gegen Pocken und andere Dreck-Krankheiten, statt Impfstellen, Freibäder in genügender Anzahl einzurichten.

Dieser Vorschlag wurde mit einem wahren Hohngelächter aufgenommen. Sogar in genössischen Kreisen wurden über diese, meine „Jungfernrede." nachträglich nur abfällige Glossen gemacht. Liebknecht, ein Impfbold erster Klasse, sah sich sogar veranlasst, mir vom Gefängniss aus wegen meiner „Eselei", wie er mein Vorgehen nannte, einen zünftigen Rüffel zu

42

ertheilen. Was ich da zusammen geschwätzt habe, sagte er, sei so viel Blech gewesen, dass man eine ganze Badewanne daraus machen könnte. Ich hätte mit meinem „unwissenschaftlichen Gesalbader" über das Impfen die ganze Partei „blamirt." U.s.w.

Mein erstes Debut als Parlamentarier war also ein grosser Fehlschlag. Ausserdem versuchte ich nur noch einmal während der dreimonatlichen damaligen Sitzungs - Periode und zwar „zur Geschäftsordnung" zu sprechen, hatte aber auch kein Glück damit. Ich konstatirte nämlich, dass ich mich etwa hundert Mal im Laufe von 10 Wochen zum Worte gemeldet und es nur ein einziges Mal ertheilt bekam, was eine Schande sei und davon zeuge, dass im Reichstage die Minoritätsparteien mundtodt gemacht werden. Kaum waren aber diese Worte dem Gehege meiner Zähne entschlüpft, als auch schon die Töne der Präsidentenschelle in mein Ohr drangen. Nicht allein wurde ich „zur Ordnung" gerufen, sondern es wurde mir auch das Wort entzogen, weil ich überhaupt nicht „zur" Geschäftsordnung gesprochen, sondern mir angemasst hätte, die übliche „Handhabung" der Geschäftsordnung zu bekritteln, was un statthaft sei etc. Wahrhaftig—mein Respekt vor dem Parla· mentarismus ging schon damals rein vollends „zum Teufel.'

III.

Wie bereits gezeigt, hat die Parlamentlerei für Leute, welche nach vorwärts streben, nicht den geringsten moralischen oder gar praktischen Werth. Und persönlich sind die Parlamentarier auch nicht auf Rosen gebettet, müssen sie doch ihre Sitzerei und eventuelle Rederei unentgeltlich leisten. Das einzig Günstige bestand damals in einem Freipass erster Klasse auf allen Bahnen von ganz Deutschland während jeder Sitzungs-Epoche, sowie je acht Tage vor und nach derselben. Heute ist auch diese Herrlichkeit ziemlich stark zu Essig geworden, indem nämlich jetzt solche Reichsboten, welche in Berlin woh-

43

nen, gar keine Eisenbahnfreikarte mehr erhalten, Diejenigen, welche anderwärts hausen, nur eine Anweisung zur Freifahrt zwischen Berlin und dem Wohnort zugestellt bekommen. Damals war das, wie gesagt, anders. Wenn es da Einer gewollt hätte, wäre er im Stande gewesen, während jeder Sitzungs-Periode Tag und Nacht zwischen einem Ende Deutschlands und einem anderen per Eisenbahn zu verkehren.

Das war insofern von agitatorischer Bedeutung, als man dadurch in den Stand gesetzt wurde, auf Reichskosten gegen das Reich zu agitiren—ein Privilegium, von welchem ich den denkbar ausgiebigsten Gebrauch machte.

Da ich in Mainz wohnte und daselbst ein dreimal wöchentlich erscheinendes „herzogliches" Blättchen (der Drucker, welcher es herstellte, hiess nämlich Herzog, ein feiner kreditfreudiger und langmüthiger ökonomischer „Märtyrer" der Arbeiterpresse) stoff- und kraftlich spaltenweise zu berieseln hatte, rollte ich zumeist nächtlicher Weile per Kourier- und anderen Blitzzügen zwischen Berlin und Mainz hin und her.

Auch sonst war ich nicht blöde und gondelte nach allen Enden und Kanten Deutschlands, wo mich nur immer irgend welche Genossen zur Propaganda heran ziehen wollten. Ich habe damals öfter im Eisenbahnwagen, als im Bett geschlafen und zwar „erster Klasse", welche sonst nur der „hohe Adel," höhere Eisenbahn-Magnaten bürgerlicher Herkunft und ähnliche „Auslese" in Deutschland zu benützen pflegt.

Da gab es denn die allerverschiedensten Begegnungen, von denen nicht immer Jeder erbaut war. In diesen Koupees erster Klasse wurde z. B. per „Anschlag" bekannt gemacht, dass das Rauchen nur unter Zustimmung der Mitreisenden erlaubt sei. Trat ich nun ein und sah, dass irgend ein Anderer bereits da sass und rauchte, so brauchte ich mich natürlich auch nicht zu geniren und saugte an meinem Glimmstengel weiter. Da ich aber meist nur jene Sorte strapazirte, welche in Handwerksburschen-Kreisen unter der Bezeichnung „Stincatores miserables" bekannt war, so schnitt der betreffende mehr oder weniger aristokratische Mitreisende ob des Gebrennsels keine üblen Grimassen. Fühlte ich dann ein menschlich Rühren und

44

schleuderte den Stummel zum Fenster hinaus, so griff in der Regel der so unangenehm beräucherte Reisebegleiter mit affenartiger Geschwindigkeit nach seinem Cigarrenetui, um mit einer wahren Todesverachtung eine Havana zu offeriren, die denn auch nicht ausgeschlagen wurde.

Deutsche Reisende, gleichviel welcher Art, unterscheiden sich von den Yankees unter Anderem auch dadurch, dass sie, nicht, wie die Letzteren, stumm vor sich hinstieren und kauen, sondern sich alsbald in Gesprächen ergehen, ohne erst formelle Vorstellungen voran gehen zu lassen.

Bei solchen Gelegenheiten kam es mitunter zu äusserst drastischen Szenen. Eines Sonntags fuhr ich z. B. von Kott-bus nach Berlin. Im Koupee sass ein Mann, dem man den Bourgeois „par excéllence" schon von Ferne ansehen konnte. Es dauerte aber nicht lange, als auch schon ein äusserst vielseitiges Gespräch im Gange war. Das zuerst seitens meines „Vis-a-vis" aufgeworfene Thema drehte sich um die damals projektirte Verstaatlichung, resp. Verreichlichung der deutschen Eisenbahnen. Dann ging es über auf die, wie der gute Mann meinte, „regierungssozialistischen" Gelüste, welche am Althergebrachten in unverantwortlicher Weise rütteln und schütteln. Ich schürte das Feuer natürlich nicht schlecht, aber so, dass der Andere immerhin nicht ausfand, aus welchem Loch der Wind eigentlich pfiff, weshalb er immer deutlicher wurde und sich einen Wurm nach dem andern aus der Nase ziehen liess. „Wir gehen ganz verzweifelten Zeiten entgegen," sagte er; „die Regierungen spielen mit dem sozialistischen Feuer, die Sozialisten selbst werden immer zahlreicher, sind auch gar keine dummen Kerle, und das Ende vom Liede wird nichts Anderes, als eine soziale Revolution sein, wie die Welt noch keine gesehen hat. Ich für meinen Theil ziehe viel aus allen Unternehmungen heraus, an denen ich betheiligt bin und kaufe nur noch englische und amerikanische Papiere, denn in diesen beiden Ländern wird immerhin noch am konservativsten vorgegangen."

So und ähnlich liess sich der Mann aus, versteht sich unter den geeigneten Zwischenbemerkungen und sonstigen Ein-

45

schiebseln meinerseits. Schliesslich näherten wir uns Berlin, und als wir in den Bahnhof einfuhren, reichte er mir seine Karte hin, aus der zu ersehen war, dass er Direktor einer Privatbahn war (sein Name ist mir leider entfallen). Ich entschuldigte mich, prinzpiell den Visitenkarten-Unfug nicht mitzumachen, nannte aber meinen Namen nebst Prädikat. Da hätte ein „Augenblicks"-Photograph ein gelungenes Bild erwischen können. Auf dem Gesichte des Eisenbahners war zu lesen:: „Da hast Du Dich schön blamirt." Beinahe wäre der gute Mann rückwärts durch's Wagon-Fenster gepurzelt, und mit einer ebenso sauren Miene, wie höflichen Geberde (so ein Art Gemisch von geronnener Milch und Zucker), verabschiedete er sich von mir!

Ein ander Mal begab ich mich in Gesellschaft mit Vahlteich von Chemnitz nach Berlin, natürlich per Express. Ich hatte mir nämlich den Zugang nach ersterer Stadt—der zuvor erfolgten Ausweisung ungeachtet—dadurch wieder erzwungen, dass ich der sächsischen Regierung zu Gemüthe führte, ausser Stande zu sein, einen Volksdistrikt zu „vertreten," dessen Bewohner ich niemals besehen, behorchen etc. könne, was denn auch massgebend durchschlug.

Wir Zwei—Vahlteich und ich—waren die einzigen Erstklasser, da die kaufmännische, fabrikantliche und dgl. Mittelklasse in Deutschland nur zweiter Klasse zu reisen pflegt, weshalb auch die Koupees erster Klase in der Regel nur höchstens sechs Sitze enthalten (wenigstens damals war es so). Wir Beide machten es uns bequem, zogen Röcke und Stiefel aus und thaten überhaupt, als ob wir „zu Hause" wären. Vahlteich, der im Uebrigen stets sehr viel darum gab, möglichst koquett und überhaupt nett zu erscheinen (sogar mit Veilchenwasser beschmierte er sich vorn und mehr noch hinten), hatte unter Anderem die Marotte, seine „Krägen" an die Hemden zu nähen, ehe er dieselben anlegte, auf dass Alles gut „sitze." Er öffnete also seinen Handkoffer und besorgte die nöthige Hemdenpräparirung. Der ganze Krempel lag auf den Sitzen umher und es sah so ziemlich wie in einer Zigeunerherberge aus.

46

Plötzlich hiess es: „Dresden!" Zunächst stieg auch da
Niemand ein. Kurz bevor aber das letzte Abfahrtssignal gegeben wurde, öffnete sich die Thüre und herein trat kein Ge-
ringerer, als das Bundesrathsmitglied, der sächsische Minister
des Inneren Nostiz von Wallwitz, der als Chef der Polizei etc.
gegen Vahlteich und mehr noch wider mich gar manchen Prozess anzetteln liess. Mit einem Blick hatte er natürlich die
Situation begriffen, aber ehe er wusste, was er aus der Bescheerung machen solle, setzte sich auch schon der Zug in Bewegung. Es blieb ihm nichts Anderes übrig, als durch das
Wagonfenster krampfhaft die ihm ohnehin schon sehr bekannte
Landschaft zu studiren, während wir uns nicht in der Unterhaltung stören liessen. Die nächste Station war Riesa an der
sächsisch-preussischen Grenze. Kaum hatte die Bremse ihren
Zweck erfüllt, so entstieg der Minister auch schon dem Waggon. „Schaffner!" „Excellenz!?" „Geben Sie mir ein anderes Koupee!" (Das wurde sehr gebieterisch gesagt.) „Excellenz, bitte unterthänigst um Verzeihung, aber es ist nur ein
Koupee erster Klasse im Zuge." (Grün und blaue Wolke am
Horizont des „Staatsmanns"-Schädels.) „Dann geben Sie mir
ein Koupee zweiter Klasse!" — Natürlich hat uns die Geschichte einen Heidenspass gemacht. Die „Excellenz" muss
zweiter Klasse fahren, um nicht Handwerksburschen Gesellschaft zu leisten, die auf Regimentsunkosten erster Klasse fahren. Jedenfalls hat sich unser „Freund" damals vorgenommen,
es uns „anderweitig" so bald wie möglich einzutränken und er
hat es auch besorgt. — — —
Wieder ein ander Mal fuhr ich von Mainz nach Berlin.
Mein Mitreisender war, wie es sich später heraus stellte, ein
„hoher" Eisenbahnbeamter, doch sagte er gar nichts, sondern
entschlummerte bald nachdem er den Train bestiegen hatte
(es war nämlich schon spät am Abend). In der Morgendäm-
merung erreichte der Zug Cassel, woselbst ein Reichsbote aus
einem hinterwäldlerischen Distrikte der „blinden Hessen"—
seinen Namen habe ich mir nicht gemerkt—einstieg. Der Andere, welcher gerade ausgeschlafen hatte, schien ihn zu kennen
und vertiefte sich alsbald in ein Gespräch mit ihm, während ich,

47

um dasselbe ungestörter mitgeniessen zu können, scheinbar weiter „schlief".

Da am nächsten Tage die Hauptabstimmung über das Impfgesetz erfolgen sollte, konnte es selbstverständlich nicht fehlen, dass auch über diese Angelegenheit alsbald „gekohlt" würde.

„Welche Stellung"—sagte der Eisenbahnite—„werden Sie dieser Frage gegenüber einnehmen?" "Ja," erwiderte der Andere, „diese Frage ist eben noch sehr fraglich. Sehen Sie 'mal, da sind doch nur drei Sachverständige, d. h. Doktoren, im ganzen Reichstag, und die sind sich auch nicht einmal einig—Zwei sind für und Einer gegen das Impfen. Was soll man da nun machen? Es bleibt mir nur übrig, mit meiner Fraktion zu stimmen, und was die während meiner Abwesenheit beschlossen hat, weiss ich nicht." — — — Mir fing an, eines jener Lichter aufzugehen, die in meinen Augen den Parlamentarismus mehr und mehr genügsam zu beleuchten sich eigneten, um ihn mir als elende Narrensposse und Volksbeschwindelung erscheinen zu lassen.

Das war Morgens um 8 Uhr, Nachmittags um 3 Uhr fand namentliche Abstimmung über den verbrecherischen Impfunsinn statt. Ich beobachtete den Urian vom Morgen genau, und richtig stimmte derselbe für die zwangsweise Volksvergiftung und etwaige Syphilisirung. Das Gesetz wurde mit 141 gegen 140 Stimmen—etwa 100 Abgeordnete fehlten, wie gewöhnlich—angenommen. Jenes Kameel, das nach eigener Angabe von der ganzen Geschichte gar nichts verstand und lediglich als Fraktionsmarionette fungirte, hatte also thatsächlich bei der ganzen Schweinerei den Ausschlag gegeben.—Das ist aber nur eine einzelne, allerdings etwas drastische Illustration dafür, dass in der Regel irgend ein parlamentarischer Schafskopf, oder vielleicht auch ein halbes oder ganzes Dutzend von ähnlichen Säugeduselthieren, den Ausschlag für Inkraftsetzung von bornirten Regierungs-Diktaten gibt, unter welchen auf Jahrzehnte hinaus gegenüber dem Volke ganz unsäglicher und unberechenbarer Schaden angerichtet wird.

48

207

Damals hatte ich mir auch die Mühe gegeben, nachzusehen, wie viele Stimmen auf die betreffenden Majoritätsbrüder bei der letzten Wahl gefallen waren. Es waren nicht mehr als 1,215,320. Das machte mich stutzig, und ich fing an über den Majoritätsbegriff und das ganze demokratische Prinzip überhaupt gründlicher nachzudenken. Da kam ich zu ganz gelungenen Konsequenzen.

Damals hatte das deutsche Reich ungefähr 40 Millionen Einwohner. Davon hatte man, als überhaupt nicht in Betracht kommend, das weibliche Geschlecht, ungefähr die Hälfte, also circa 20 Millionen, abzuziehen. Von den Männlichen aber hatten damals, da ja jeder Wähler mindestens 25 Jahre alt sein muss, nur 8 Millionen das Stimmrecht. Von diesen betheiligten sich jedoch nur circa 5 Millionen an der Abstimmung. Etwa 2 Millionen stimmten „für die Katz," da ihre Kandidaten unterlagen. Von den Repräsentanten der 3 Millionen „Sieger" aber brauchte nur die Hälfte anwesend zu sein, um als „beschlussfähig" zu gelten; wobei wiederum die einfache Majorität entschied, so dass also durchschnittlich hinter den definitiven Gesetzesmachern höchstens eine Million Stimmen stehen, während auf dem Wege der obgedachten Durchsiebungen und anderen Manipulationen sozusagen 39 Millionen „Seelen" unter die grünen Amtstische gefegt wurden. Das nennt sich dann Demokratie—Volksherrschaft, Majoritätsrecht etc. etc. Es wäre schon schlimm genug, wenn sich intelligente selbstständig denkende Menschen von Majoritäts-Idioten regieren lassen müssten. In Wirklichkeit aber steht die Sache noch ganz anders. Eine kleine verwegene Rotte von unskrupulösen Halunken beherrscht an der Spitze einer auch verhältnissmässig nicht sehr grossen Bande von Narren, welche als „Volk" hingestellt werden, ganze Nationen. Weshalb sich unter solchen Umständen der Zar von Russland weigert, eine sogenannte Konstitution zu „erlassen" vermag ich nicht einzusehen.

40

IV.

Das soeben gekennzeichnete Missverhältniss zwischen der Gesammtbevölkerung und deren parlamentarischer Vertretung erscheint noch in einem viel grelleren Lichte, wenn man erst die Wahlkreis-Geometrie in Betracht zieht, welche schon von Anfang an eine solche war, dass durch dieselbe dem waschechten Kafferismus gegenüber der städtischen Intelligenz (so weit überhaupt auch nur von einer solchen die Rede sein konnte und kann) ein absolutes Uebergewicht ein für allemal gesichert war.

Verfassungsmässig sollten durchschnittlich je 100,000 Einwohner, resp. je 50,000 „männliche Seelen," einen Abgeordneten erwählen, aber dieses Verhältniss stimmte schon zu meiner Zeit nicht, denn es gab damals nur 397 Abgeordnete, während es deren mindestens 402 hätte geben müssen. Seitdem hat sich die Bevölkerung um mehr als 20 Millionen vermehrt, die Zahl der Reichsboten ist aber noch immer die gleiche. Und da die ländliche Bevölkerung, welche damals ebenso viele Köpfe (nämlich circa 26 Millionen) zählte, wie heute, also stabil geblieben ist, während sich die Städtebewohner von circa 15 Millionen zu mehr als 30 Millionen vermehrten, wohingegen die Wahlkreis-Eintheilung immer die nämliche geblieben ist, so liegt es auf der Hand, dass das städtische Element immer stärker hinsichtlich seines Vertretungsrechtes über die Ohren gehauen wurde.

Gegenwärtig zählen z. B. die beiden total verkafferten Mecklenburge, beide Schwarzburge, Waldeck, Reuss-Greiz und Schaumburg-Lippe etwa ebenso viele Einwohner wie die „Metropole der Intelligenz," Berlin. Die erstgenannten Raubstaaten und „Ritter"-Domänen senden aber 12 Abgeordnete in den Reichstag, wohingegen Berlin sich mit 6 „Sitzen" in dem „hohen Hause" begnügen muss. Hamburg, Breslau, Leipzig, Dresden, München u.s.w. sind verhältnissmässig ihren verbauerten Umgegenden gegenüber nicht besser gestellt. Je mehr die moderne Konzentrations-Entwickelung fortschreitet, desto

50

ungleicher wird sich dieses Verhältniss hinsichtlich der Vertretung von Stadt und Land im Parlament gestalten. Und das nennt sich dann immer noch Repräsentanz auf Grund des allgemeinen Stimmrechtes.

Uebrigens liegen die einschlägigen Dinge, wie ich hier per Einschaltung hervorheben will, fast in allen parlamentarisch benasführten Ländern ganz ähnlich. In England haben sogar Boroughs (Marktflecken), welche jetzt so gut wie gar nicht mehr existiren und daher „rotton Boroughs" genannt werden, mitunter ebenso viel Stimmrecht, wie Städte von beträchtlicher Einwohnerzahl. Und in den meisten amerikanischen Staaten, besonders in den New England Staaten, sieht es geradeso aus.

Es liegt mithin auf der Hand, dass die Bevölkerung solchermassen nicht nur, wie schon früher ziffernmässig dargethan wurde, quantitativ, sondern auch qualitativ bei derartiger Repräsentanterei zu kurz kommen muss.

Ich habe bereits geschildert, welchen Eindruck der Reichstag auf mich machte, als ich denselben zum ersten Male besichtigte. Mancher wird sich gedacht haben, dass ich in meiner „Verbissenheit" von sonst und jetzt zu allerlei Uebertreibungen mich hätte hinreissen lassen.

Aber—merkwürdig!—ungefähr zur nämlichen Zeit, wo ich in New York meine Vogelperspektiv-Skizzen auf's Papier warf, beschäftigte sich ein mir persönlich völlig unbekannter Mann, der volksparteiliche Reichstagsabgeordnete Conrad, in ähnlicher Weise zu Gunsten der Leser des „Armen Teufels" und er, der dann, wie ich damals, parlamentarisches „Grünhorn" war, zeichnete genau in meiner Art, so dass damit der Beweis geliefert wird, dass sich binnen 23 Jahren in der fraglichen Hinsicht nichts gebessert hatte. Er sagte u. A.

„Ich hatte, bevor ich als Abgeordneter nach Berlin kam, niemals einer Sitzung beigewohnt. Als ich nun zum erstenmal den Sitzungssaal betrat, empfing mich ein betäubendes Getöse. Ich sah ein Gewimmel von Menschen, die sich in allerlei Lauten ihre Gefühle mittheilten. Gruppen standen umher, Gruppen lösten sich auf, eine Anzahl Menschen sass zerstreut auf den engen Klappstühlen umher, einige schrieben, andere sahen nach

51

der Decke, wo durch das milchweisse Glasdach ein graues Licht sickerte, das sich mit dem gelblichen Ton der Wände und der Möbel zu einer stumpfsinnigen Mischung verband, die besonders den zahlreichen Glatzen eine unheimliche, leichenhafte Beleuchtung gab, einige Dutzend Menschen spazierten umher, die Hände in den Hosentaschen mit unsäglich gelangweilten Gesichtern, dazwischen liefen Diener mit rothblauen Achselschnüren auf dem dunklen Livreefrack ein und aus, theilten Briefe und Zeitungen aus, oder brachten Wasserflaschen und Gläser—auf einem erhöhten Sitz in der Mitte der Längswand thronte ein stattlicher Herr auf einem Stuhl mit kolossal ansteigender Lehne—das war der einzige Mensch, der sich im Saale ruhig hielt; unter ihm, einige Stufen tiefer fuchtelte ein anderer Mensch, bleich, nervös, mit beiden Armen in der Luft und schien heftig zu sprechen, aber man verstand in der allgemeinen Unruhe kein Wort, so dass er sich ausnahm wie ein stummer Mimiker.

Ich blieb an der Thür stehen und überblickte das ungewohnte Bild. Nein, dachte ich, das ist eine hässliche, tolle Wirthschaft, was denn das eigentlich bedeuten mag? Es war ein wüster Traum.

Da trat ein freundlich lächelnder Herr auf mich zu mit der Frage: Glauben Sie, dass die Sitzung schon angefangen hat? Es war Haussmann von Stuttgart.

Ich antwortete: Nein, das ist ein grosses Orchester, bevor die Oper beginnt, alle Instrumente dudeln durcheinander, die Geiger stimmen ihre Violinen, die Trompeter und Klarinettisten probiren das Mundstück, die einen trommeln, die andern treiben was anderes—nein, ich glaube nicht, dass schon die Oper, pardon ich wollte sagen ich glaube nicht dass das schon eine Reichstagssitzung ist.

— Doch doch! belehrte mich der freundliche Herr Kollege aus Schwaben. Wir sind schon mitten d'rin. Der Herr Kollege Stadthagen spricht schon seit einer halben Stunde.

— Aber für wen spricht denn der Unglückselige? Es hört ihm ja Niemand zu?

52

— Das macht nichts für die Stenographen und Journalisten spricht er, morgen wird man's schon in der Zeitung lesen. Und dass es in die Zeitung kommt, ist ja die Hauptsache.

Inzwischen hatte der sozialistische Redner geendet, ein anderer war an seine Stelle getreten, ich hatte im allgemeinen Tumult gar nicht seinen Namen vernommen.

Wer ist's? fragte ich.

— Graf Mirbach.

Dann sprach ein anderer von seinem Platze aus, eine hohe, elegante Gestalt, ein alter Lebemann. Er sprach sehr gewandt, aber es war immer noch kein Wort zu verstehen. „Lauter! Lauter!" rief es plötzlich aus einer Ecke, und die Glocke des Präsidenten ertönte.

Wer ist's? fragte ich wieder.

— Freiherr von Stumm.

Dann lief ein Dritter auf die Rednerbühne zu, stieg aber nur die halbe Treppe hinauf und hielt seine Rede von da aus, im schönsten schnarrenden Junkerton. Endlich schrie ein Vierter von seinem Platz aus wie besessen. Er warf die Arme in der Luft herum und verdrehte die Augen wie ein Epileptiker. Lachen von verschiedenen Seiten aus dem allgemeinen Getöse heraus. Zwischenrufe.

Wer ist denn dieser magere, klapperdürre Schlangenmensch, der da rast und schreit?

— Das ist ein Gymnasiallehrer. Ein Säulenheiliger der Konservativen.

— Gott sei ihm gnädig, na, ich danke. Aber sagen Sie mir nur, worum handelt sich's denn? Ich verstehe kein Wort.

— O das ist auch gar nicht nöthig. Die Sache ist schon im voraus abgemacht. Die sprechen alle nur für ihre Parteizeitungen. Wenn sie aber partout was hören wollen, dann müssen Sie eben weiter vorgehen, ganz nah zu den Rednern hin, die Akustik ist schlecht.

— Nein, die Aufführung der Leute ist schlecht. Können die denn nicht ruhig auf ihrem Sitz bleiben und zuhören?

53

— Warum nicht gar! Zuweilen schon, wenn was Besonderes los ist. Im allgemeinen hält's aber Keiner lange aus. Wer kann denn fünf, sechs Stunden stillsitzen?"

_____

Indem ich mir eine speziellere Charakterisirung der einzelnen Reichstags-Typen für später vorbehalte, will ich zunächst nur konstatiren, dass meine parlamentarische Thätigkeit während der ersten, drei Monate währenden Session des Reichstages, welcher im Februar 1874 zusammen trat, nicht nur eine völlig verunglückte war, sondern dass man mir regierungsseitig auch unmittelbar darnach sowohl weiteres Parlamentiren, als Agitationsreisereien auf Reichskosten, gründlich versalzen und verpfeffert hat.

Ich war damals nicht „von gestern" in der Arbeiterbewegung—betheiligte ich mich doch an derselben schon aktiv seit dem Jahre 1866, und hatte ich schon manchen Strauss positiv und negativ bestanden oder ausgefressen—, aber es steckte solch' ein jugendlicher Enthusiasmus in mir, dass ich mir gar nicht vorstellen konnte, wieso es menschenmöglich sei, dass es nicht in aller Kürze zur sozialen Revolution komme. Ganz besonders haben mich damals meine ausserordentlich trübseligen Erfahrungen im deutschen Reichstag in dieser meiner Meinung bestärkt.

„Unter den Linden" war's, wo ich eines schönen Tages zu Vahlteich sagte: „Wahrhaftig, wenn es innerhalb zehn Jahren noch nicht zur Revolution gekommen ist, dann schliesse ich mich lieber einem Indianerstamm in der „Wildniss" an, als dass ich noch länger unter diesen „zivilisirten" Wildsäuen, Aasgeyern und Mauleseln leben möchte." Der also Angeredete lachte hell auf und meinte, wenn ich solche Ansichten hätte, dann thäte ich besser, auf der Stelle nach Brasilien oder Mexico auszuwandern, denn innnerhalb zehn Jahren sei an eine Revolution gar nicht zu denken. Ich knirschte mit den Zähnen weil ich da deren noch mehr besass, als heute; die Zeit lehrte aber, dass mein damaliger Optimismus denn doch etwas zu hochfliegeder Natur war und an jene Prophezeiungen grenzte, welche Bebel

54

und Engels ehedem hinsichtlich des Ausbruchs der Revolution im Jahre 1889, eventuell 1893, vom Stapel liessen.

Sei es, wie es sei, so war meine Gemüthsstimmung beschaffen und, impulsirt von derselben, habe ich auch damals, nämlich ausserhalb des Reichstags, gesprochen, wo und wenn nur immer Gelegenheit dazu gegeben war — so in Berlin u. A. auch am 23. März 1874 über die Pariser Kommune und, später, über den deutschen Militarismus. Wegen der letzteren Angelegenheit verklagte mich der preussische Kriegsminister; hinsichtlich meiner Kommune-Festrede sorgte der Staatsanwalt Tessendorff (der war nämlich aus dem „ff") dafür, dass der „Beweis" erbracht wurde, dass ich mich gesetzlich fest geredet hätte.

So lange der Reichstag „sass", sagte natürlich die Offizial-Canaille kein Sterbenswörtchen davon, was sie für ein elegantes Fangnetz inklusive Parlaments-Maulkorb für mich bereit gemacht, weil es ja damals üblich war und, merkwürdiger Weise, auch heute noch ist, dass der Reichstag stets die Einstellung eines Strafverfahrens, das gegen einen Abgeordneten angezettelt wurde (ehrenrührige Handlungen natürlich ausgeschlossen—so weit solche Bemittelten gegenüber, wie doch die meisten Abgeordneten waren und sind, überhaupt nicht als möglich angenommen werden), für die Dauer der Sitzungsperiode beschloss und durchsetzte.

Kaum war aber die Session geschlossen und ich in Mainz „for good", wie die Amerikaner sagen, eingetroffen, so näherte sich mir auch schon auf dem Bahnhofe einer jener grauberockten zweibeinigen Justiz-Jagdhunde, welche in jener Periode in Hessen-Darmstadt so ein Mittelding zwischen mittelalterlichem Nachtwächter und modernem Operetten-Polizeier bildeten, und sagte mir, dass mich der „Herr Prokurator"—so nannte man nämlich, weil „links-rheinisch" immer noch französische „Ordnung" herrschte, den Staatsanwalt—„dringend" zu sprechen wünsche. Ich natürlich wollte zunächst „keine Zeit" haben, „später kommen" u.s.w., aber „das Auge des Gesetzes wacht;" als wir uns dem Bahnhofs-Ausgang näherten, war dieses „Auge" gleich mit 12 multiplizirt zu beschauen, und

55

es wurde mir unter solcher Assistenz ebenso höflich, wie feier-
lich, mitgetheilt, dass ich arretirt sei und nach dem „Caschot"
—diesen Ausdruck hatten die Kerle sich auch aus der Franzo-
senzeit gemerkt—abgeführt und dort festgehalten werden
müsse, bis die „Papiere" von Berlin kämen.

Nun war ja das nicht das erste und auch nicht das zweite
und nicht das dritte und nicht das vierte und fünfte Mal, dass
mir solche Einladungen zum Bezug staatlicher Hotels mit Erfolg (der Teufel soll da nicht folgen, wenn die Einladung
stets mit einem Blick begleitet ist, aus welchem es ebenso poe-
tisch wie pathetisch klingt: „Und gehst Du nicht willig, so
brauch' ich Gewalt!") offerirt wurden. Und so hielt ich denn
als „Vertreter der deutschen Nation" (in der deutschen Verfassung steht nämlich, dass jeder einzelne Reichstagsabgeordnete die ganze Nation repräsentire), wohl „protected" meinen
Einzug im „goldenen Mainz" und zwar im Gasthaus zum
„Halte fest!"

Statt eines Oberkellners kam der schon erwähnte Prokurator, der mir einfach mittheilte, dass von Berlin aus telegraphisch meine Festnahme „angeordnet" worden sei und mein
Rücktransport nach dort erfolgen müsse, sobald die nöthigen
Dokumente eingetroffen seien.

Was nun folgte, werde ich eingehender im 4. Bändchen
erzählen.

V.

Nachdem ich meine mir wegen der beiden obgedachten
Reden ermöglichten 26monatlichen Studien in der Berliner
Stadtvoigtei und in der „Bastille am Plötzensee" beendet hatte,
war die zweite Hälfte des Jahres 1876 herangekommen, und
mein Reichstagsmandat „lief" nur noch bis zum 10. Januar
1877. Zudem waren die biederen Volksver(besser: zer)treter
damals nicht in „Sitzung", sondern hatten, so weit das ihre Mittel erlaubten, den Aufenthalt in der parlamentarischen Wasch-
küche mit dem in kühlen Badeorten vertauscht, um daselbst
sich von der ausgestandenen Legislatoren (lies: thoren) Langeweile zu erholen und zu neuer Lungen- und Zungen-Gym-

nastik—soweit eine solche unter dem Messer der Valentini'-
schen Schluss der Debatten-Guillotine denkbar sein mochte—zu
stärken. Meine Abgeordneten-Pflichten brauchten und konnten also auch nach meiner Uebersiedelung vom engeren in's
weitere Zuchthaus, „Freiheit" ironischer Weise genannt, nicht
erfüllt werden. Erst im Herbst ging das „Sitzen" wieder los.

Da ich nach meiner „Freilassung", d. h. Anhängung an
einer etwas längeren Kette, die unter polizeilicher und staats-
anwaltlicher Aufsicht stehende Redaktion der „Berliner Freie
Presse" (hinter das „Freie" sollte man eigentlich ein strafge-
setzbüchiges oder -büchenes Riesenfragezeichen einfügen),
aller Warnungen guter Freunde, welche von einem solchen
Wagestück nichts Gutes witterten, ungeachtet, übernommen
hatte, war für mich im Laufe der nächsten „Session" der regel-
mässige Besuch des k. k. Debattir-Clubs wenigstens nicht mit
besonderen Umständen verknüpft. Ich verlegte einfach meine
Redaktionsstube in das „hohe Haus," d. h. ich brachte meine
eingelaufenen Zeitungen und Briefschaften mit in die „Sitzung" und schmiedete „Copy," wie man sich hierzulande ausdrückt. Einer jener „Träger der Wissenschaft," welche sonst
auch unter dem Namen „Druckerteufel" oder „Offizin-Jungen"
bekannt sind, erschien von Zeit zu Zeit auf der Bildfläche und
liess mich rufen, um zu hören und zu sehen, wie viel es geschlagen hatte. Und das Manuscript war, wenigstens was die
mechanische Lesbarkeit anbelangt, meist nicht „von schlechten
Eltern", denn es war mittelst Tinte und Feder allererster Qualität auf prächtigem Papier—jedes Blatt versehen mit einem
in Relief aufgeprägten Reichsadler—manufakturirt geworden.

Abgesehen von den damaligen Eisenbahn-Nassauer-Bille-
ten bezog nämlich jeder Abgeordnete auch freie Schreibmaterialien und man kann sich denken, dass Unsereiner von solcher
„Freiheit" den denkbar ausgiebigsten—für das ganze Jahr ausreichenden—Gebrauch machte. Unter uns—zwischen den Lesern und mir—gesagt, habe ich übrigens auch „Kollegen," die
nicht „schlecht ab" waren, oft genug beobachtet, wie sie Brief-
papier, Kouverte, Siegelmarken, Federn, Bleistifte etc. in nicht
geringen Quantitäten beisteckten. Und bei der damals, wie heute

57

noch, herrschenden Diätenlosigkeit kann man auch über eine solche Abwesenheit von „Noblesse" nicht besonders viel sagen. Apropos, Diäten! Diese „Materie"—Lieblingsausdruck aller Legislaturfitzer für „Sache", „Angelegenheit" oder dgl. —hätte mir beinahe zu parlamentarischen Lorbeeren verholfen—nur schade, dass dieselben vermittelst der Präsidialglocke dermassen trocken gestellt wurden, dass sie aussahen als hätten sie schon etliche Male zur Würze saurer Brühe gedient. Immerhin war meine Diäten-Rede das „Bedeutendste," was ich je als Reichstagsabgeordneter geleistet hatte.

Seit Gründung des „Norddeutschen Reichstages," welcher nach 1871 das „Norddeutsche" abgelegt hatte, beantragten und beschlossen nämlich Jahr für Jahr die biederen Gesetzmüller mit sonst nie üblicher Majorität, dass ihnen für ihr Gequatsche und Jasagungs-Genicke ein gehöriger Lohn, was man eben im Parlaments-Jargon „Diäten" nennt, bezahlt werde. Der Bundesrath hat indessen diese Beschlüsse stets, wie man in Amerika zu sagen pflegt, auf oder vielmehr unter 'den Tisch, nämlich in den Papierkorb gelegt. Aber die diätenlüsternen „Volksmänner" liessen sich nicht abschrecken, sie entwickelten in Sachen der Diäten eine Ausdauer, welche man bei diesen politischen Kastraten, literarischen Eunuchen, bureaukratischen Katzenbucklern, und temperenzlerischen Auch-Opponenten hinsichtlich anderer Angelegenheiten sicherlich mittelst 1.000 Diogenes-Laternen nicht hätte erspähen können. Sie dachten wahrscheinlich an das Sprüchwort von dem „stetigen Tropfen," welcher den Stein höhlt, nur musste man in diesem Falle den Tropfen in „Tröpfle" umdenken. Und richtig hatte die 76'er Herbstsession noch nicht lange Wasser auf die parlamentarische Tiraden-Mühle geplätschert, so tauchte auch schon das magere, hungerbleiche Diäten-Jammer-Gespenst wieder auf. Eines schönen Mittwochs (am Mittwoch, auch Schwerinstag, der Teufel weiss weshalb—meiner Ansicht nach würde sich Schwerenothstag besser passen—genannt, werden nämlich in der Regel solche Anträge „behandelt," welche „aus der Mitte des Hauses" gestellt wurden, während sonst meist nur Regierungs-Vorlagen zu be—jahen

58

sind)—also eines schönen Mittwochs standen wieder einmal
die Diäten auf der Tagesordnung. Schon lange vor Beginn der
Sitzung waren daher die reichstäglichen „Staatsmänner" viel
zahlreicher erschienen, als man sonst, selbst wenn für den
Abend ein Bismarckisches Freibier mit belegten Brödchen in
Aussicht gestellt war, ihnen auch nur zutrauen konnte. Ein gewisser „sittlicher Ernst" grinste aus allen Mundwinkeln, die
Nüstern blähten sich, als witterten sie schon die guten Sächel-
chen, welche sie für die heiss ersehnten Diäten zu kaufen im
Stande sein möchten. Ja, man sah ordentlich von aussen, wie
diese Demosthenesse, Cicerone und sonstigen „Oratoren" ihre
Redemaschinen inwendig extraordinär eingeschmiert hatten.
Ein allgemeines Summen ging durch das „Haus", ein ähn-
liches Geräusch, wie es die Schmeissfliegen anstimmen, wenn
sich Anzeichen dafür zeigen, dass es etwas zu belecken und zu
beknappern gibt. „Jetzt oder nie!" sagte ich mir mit einer gewissen—nicht gerade Todes- aber schon mehr Selbstverachtung.
Ich wusste, dass man, wenn man sich zum „Worte" meldet, an-
geben muss, ob man Pro oder Contra reden will, weil in dieser
Hinsicht immer abwechselungsweise geplappert wird. Voraussichtlich wollte fast jeder Einzelne nur Pro reden; ich aber
hatte mir vorgenommen, Contra-Bass zu geigen, ergo hatte
ich Aussicht, meinen Schnabel wetzen zu können.

So stieg ich denn hinan zum Präsidenten und „meldete"
mich als Sprecher *gegen* die Verleihung der Diäten. Notirt
hat mich auf einen Wink des Präsidenten der Sekretär auch
sofort und zwar auf jener Stelle der Liste, wo bis dahin nur
zwei Namen von „hochadeligen" Konservativen standen, während die Pro-Rubrik aussah, wie ein Blatt eines Adressbuches.
Aber das Grinsen, welches da die präsidentliche Visage förmlich in die Seitenansicht einer Ziehharmonika verwandelte,
werde ich nie vergessen. Der Mann hielt mich offenbar für
verrückt.

Ich hatte mich noch nicht nach meinem Platze zurück begeben, als mich Liebknecht schon abfasste. „Was," sagte er,
„hattest denn Du mit dem Präsidenten zu schaffen?" „Ich
meldete mich in Sachen der Diäten zum Wort." „Ja, weisst

59

denn Du nicht, dass mich die Fraktion bestimmt hat, das Wort zu ergreifen?" „Weiss ich, weiss aber auch, dass Du *für* die Diäten reden willst, während ich das Gegentheil herausstecken werde." „Das ist ja programmwidrig." „Mag sein, aber logisch." „Dann sprichst Du hoffentlich nicht im Namen der Partei, sondern nur privatim." „Immer privatim."

Bald war die „Redeschlacht" im Gange. Erst kam ein Nationalliberaler, der mit dem ganzen „Brustton der Ueberzeugung" nach den ersehnten Goldfüchsen schielte. Hernach erklärte ein adeliger Grossgrundbesitzer (der „Herr von" Minnigerode), dass es doch sehr schmutzig sei, wenn sich die „Notabeln der Nation" für die Ausübung eines Ehrenamtes bezahlen lassen wollten. Weiter folgte ein Zentrumspfaffe, der auf den Rednertisch im Interesse der Diäten-Bewilligung einhieb, als ob er eine kulturkampfwidrige Fastenpredigt zu halten hätte. Dann kam ich. Da man mich ohnehin nur als „komische Figur" ansah, wurde ich schon von vornherein mit sehr spöttischen Mienen empfangen. Trotzdem legte ich unverzagt los, hätte auch wahrscheinlich noch lange raisonnirt, wenn ich nicht präsidial und „kollegial" alsbald abgethan worden wäre.

„Sieben Mal," sagte ich, „haben Sie nun schon diesen Antrag angenommen, sieben Mal hat ihn der Bundesrath in den Papierkorb geworfen." (Unruhe im „Hause"—Glocke des Präsidenten.) „Wollen Sie sich denn nun mit aller Gewalt ein achtes Mal blamiren?" (Allgemeiner Protestationsradau— Ordnungsruf etc.) „So lange Sie nicht im Stande sind, über die Köpfe jener Herren da (nach dem Bundesrathstische deutend) hinweg ihrem Willen Geltung zu verschaffen, sind und bleiben Sie einfach Nullen." (Gelinder Ausbruch von Massentobsucht. Einzelne rufen: „Herunter mit ihm!" Eugen Richter wirft mir ein „Hanswurst!" an den Kopf, der Präsident schellt, theils im Interesse der Ordnung, theils um mich zur „Mässigung" zu mahnen.) „Im Uebrigen erkläre ich mich überhaupt als Gegner von Diäten-Zahlung." (Hört, hört!) „Denn, wenn ich mir die Arbeit besehe, welche der Reichstag, seitdem er besteht, vollbrachte, so muss ich denn doch sagen,

60

dass dieselbe Summa-Summarum noch nicht einen einzigen Silbergroschen werth ist." (Jetzt vernahm man aber schon ein förmliches Pferdegetrampel, ein Geheul walpurgisnächtlicher Blocksbergiaden, und es musste wohl oder übel eine kleine Kunstpause gemacht werden.) „Aber einen Vorschlag in Güte will ich Ihnen machen. Sie sind sehr für Kompromisse eingenommen, der Bundesrath schwärmt für Kasernen. Wenn Sie daher mit diesem insofern kompromisseln, als Sie ihn um Errichtung von einer Kaserne angehen, in welcher unbemittelte Parlametarier freie Kost und Logis bekommen, so lässt er sich vielleicht darauf ein, Unsereiner wird ja schon ohnehin ab und zu staatlich verpflegt."

Den letzteren Theil dieser Sentenz konnte ich nur noch heraus brüllen, so gross war der Lärm, welchen mein Spott erregt hatte. Neuerdings wurde ich obendrein zur „Ordnung" gerufen, und an ein Weiterreden war schon gleich gar nicht zu denken. Es blieb mir nichts Anderes übrig, als ein resignirter Abtritt. Meine genössischen Kollegen aber sagten mir, ich hätte mich noch „glänzender blamirt", als ehedem durch meine Badewannen-Rethorik. Mir jedoch kam an jenem Tage der Reichstag erst recht wie ein armseliges Affentheater vor.

VI.

Mein „Mandat", also meine Parlamentarier-Uhr, war am 10. Januar 1877 abgelaufen. An dem gleichen Tage hatten die Neuwahlen stattzufinden, mithin war ich bis dahin trotz vorher erfolgter, aber wegen meiner Eigenschaft als Abgeordneter sozusagen temporär ausser Kraft gesetzter Ausweisung aus Chemnitz und Umgegend berechtigt, auch in den Wahlkampf dieses Distrikts persönlich einzugreifen. Hiervon machte ich den ausgiebigsten Gebrauch, obwohl ich mir nur drei Wochen Frist gab, innerhalb welcher ich mir vornahm, den Lindwurm, meinen doppelköpfigen Gegner, zu erlegen und zwar ganz allein und ohne irgend welche Inanspruchnahme der Parteikasse.

61

Letztere war nämlich damals zwar bei Weitem nicht so gespickt, wie die jetzige s. d. Bank, aber sie war auch nicht leer. Die beiden feindlichen Bruder-Faktionen („Lassalleaner" und „Eisenacher") hatten sich nämlich im Laufe meiner Gefangenschaft—im Jahre 1875—„verschmolzen," mithin war die Partei grösser und finanziell besser fundirt geworden. Sie hatte auch in manchen Wahlkreisen wahrlich keine schlechten Butterbrode zu schmieren. So verursachte z. B. damals die Wahl Hasenclever's in Altona nicht weniger als 30,000 Mark Unkosten. Dabei wurde derselbe ausserdem noch (mit etlichen Stimmen Majorität) in Berlin gewählt, nahm letztere Wahl an und lehnte für Altona ab, so dass eine Neuwahl angeordnet werden musste, gelegentlich welcher der sozialdemokratische Kandidat durchfiel, während gleichzeitig Hasenclever's Mandat von Berlin angefochten und kassirt wurde, so dass er auch da nochmals sich einer Abstimmung zu unterwerfen hatte, welcher „Witz" die Partei abermals 12.000 Mark kostete. Ich hebe diese Dinge schon deshalb einschaltungsweise hervor, weil daraus hervorgeht, dass die proletarische Parlamenterei nicht nur eine sehr problematische, sonden auch eine äusserst kostspielige Sache ist. Und—wohl gemerkt!—die Dinge haben sich seither wahrlich nicht gebessert, viel eher verschlechtert, resp. vertheuert.

Ich für meinen Theil habe allerdings der Partei betreffs der obgedachten Wahlbewegung so gut wie gar keine Unkosten verursacht. Erstens verlangte ich keinerlei Assistenz und hielt alle Reden persönlich, nämlich 36 im Laufe von 21 Tagen und zwar in der Stadt Chemnitz und 30 umliegenden Ortschaften. Zweitens stellte ich die Maxime auf, dass jeder „Krieg" seine eigenen Kosten einbringen müsse. Und thatsächlich habe ich bei einem Summa-Summarum aller Versammlungs-Kollekten von etwa 600 Mark alle Wahlunkosten für Plakate, Flugschriften, Stimmzettel, Fuhrwerke und dgl. bestritten.

Ich hatte mich mit zwei Gegenkandidaten herumzuschlagen, mit dem der sächsischen Partikularisten und dem der angeblichen Liberalen, d. h. verpreussten Reichsschwärmer.

62

Ernstlich in Betracht kam eigentlich nur der Letztere, indem hinter dem Ersteren bloss die Bureaukratie stand, während der Andere von der ganzen Bourgeoisie nebst spiesserlichem Anhängsel indossirt war; mit dem Partikularisten schlug ich mich auch weiter nicht herum, sondern ich nahm hauptsächlich den Preussen auf's Korn.

Das war Franz Dunker, Herausgeber der Berliner „Volkszeitung". Diejenigen,. welche ihn aufstellten, nannten sich zwar Nationalliberale, zogen es aber aus demagogischen Gründen vor, einen sogenannten „Fortschrittler" auf den Schild zu erheben; ja, sie verpflichteten ihn sogar, sich als „Demokrat" den Wählern vorzustellen und so freisinnig, wie nur immer möglich aufzutreten, auf dass er mir den Wind aus den Segeln nehme. Dabei kam noch in Betracht, dass dieser Mensch ein Hauptrepräsentant der (angeblich nach englischem Muster in Deutschland gegründeten) „Max Hirsch-Dunker'schen Gewerkvereine" war, stark in Schultze-Delitz'scher Spar-, Bildungs- und Konsumvereinsmeierei machte und mithin darauf pochen konnte, dass er ein Sozial-Reformer sei, ein „warmes Herz" für die Arbeiter habe u.s.w. Endlich war mit ihm abgemacht worden, dass er mit mir im Laufe des Wahlkampfes acht Mal persönliche Disputationen zu veranstalten habe.

Diese fanden auch prompt statt, endeten aber stets mit ganz gepfefferten Niederlagen des Hinum-Herum-Gauklers, wie es ja nicht anders sein konnte, da derselbe doch nur vor versammeltem Publikum den schmutzigen, verlausten Pelz der Gesellschaft waschen wollte, ohne ihn nass zu machen, während ich denselben stets ordentlich einseifte, striegelte und ausklopfte.

Aber nicht allein dieser streitbare (?) Gegenkandidat (der Andere liess sich gar nicht blicken, ausser in den speziellen Versammlungen seiner Partei) stellte mir gegenüber seinen „Mann." sondern ein ganzes Rudel von Schulmeistern, Advokaten, Journalisten, Fabrik-Superintendenten, Pfaffen und dgl. verfolgten mich von Ort zu Ort wie hungrige Wölfe und suchten mich durch alle möglichen und unmöglichen Interpellationen aus dem Text zu bringen, um, wie sich damals eine gegne-

63

rische Zeitung ausdrückte, „die schiefgewickelten Jünger des schiefmäuligen Propheten" diesem abspenstig zu machen.

Dabei war mir auch noch das Malheur passirt, dass ich mir am Mittelfinger der rechten Hand eine Entzündung zuzog, welche alsbald zu einer starken Anschwellung der ganzen Hand führte und mich nöthigte, während jener ganzen Par-Force-Agitations-Periode den rechten Arm in der Schlinge zu tragen, so dass ich meine Gegner förmlich mit der linken Hand in den Sand zu werfen hatte. Das war keine gar zu leichte Sache. Sonntags Vormittags fand in der Regel in der Stadt, und zwar in einer der allergrössten Hallen, eine Massenversammlung statt, Nachmittags und Abends, sowie an den Wochentags-Abenden ging es—in der Regel auf Bauernwagen —oft bei hundsgemeinem Wetter, auf die Dörfer hinaus. Dabei waren mir die wenigen proletarischen Begleiter, die mir, wenn auch in den besten Absichten, von Versammlung zu Versammlung folgten, noch eine Extra-Last. Erstlich liessen sie mir nie eine Minute Zeit zum Nachdenken, sondern würgten mir rechts und links „Würmer" hinein, die ein Nilpferd hätten nervös machen können, und zweitens genirte es mich, vor den Ohren dieser Leute fast tagtäglich mehr oder weniger die nämlichen Argumente und sonstigen Redensarten in's Treffen zu schleudern, wie es eben unter den obwaltenden Umständen gar nicht anders angänglich war.

Immerhin glaube ich nicht, dass meine damalige Arbeit eine ganz vergebliche war. Vielmehr bin ich der Ansicht, dass ich damals eine sehr erfolgreiche Agitation vollbrachte, hielt ich mich doch an jene Grundsätze, welche den deutschen Sozialisten überhaupt vorschwebten, als sie zur Stimmtaktik ihre Zuflucht nahmen, welche lediglich ein Mittel zum Zwecke der Ausbreitung ihrer Prinzipien sein sollte.

Leider wurde auch schon damals keineswegs allgemein in diesem Sinne operirt, so dass ich mich auf dem Gothaer Parteikongress von 1877 veranlasst sah, wider das unprinzipielle, demagogische und bauernfängerische Treiben vieler sozialdemokratischen Reichstagskandidaten ganz energisch loszuwettern, wobei ich durch Bebel tüchtig assistirt wurde.

64

Ich meinerseits weiss, dass ich mich solcher Bocksprünge nicht schuldig machte. Ich sagte es frei und offen heraus, dass die Arbeiter vom Reichstag nie und nimmer etwas Gutes zu erwarten hätten. Ich kennzeichnete auch dessen Thun und Lassen auf Grund meiner Erfahrungen so drastisch wie möglich. Ich betonte, dass ich unter solchen Umständen absolut nicht im Stande sei, wenn abermals gewählt, irgend etwas für meine Konstituenten in meiner Eigenschaft als „Volksvertreter" zu thun, und dass es mithin eigentlich ganz gleichgültig sei, ob sie mich oder etwa ein ausgestopftes Kameel in's Parlament schickten.

Ich fasse, sagte ich, die ganze Wählerei nur als eine Demonstration auf, welche mit der Abstimmung ihren Abschluss findet. Deshalb solle man in meiner Person lediglich eine Art Personifikation des sozial. Prinzips erblicken und sozusagen, indem man für mich stimme, bekunden, dass man mit demselben einverstanden sei. Und um in dieser Hinsicht jede Zweideutigkeit zu vermeiden, enthielt auch jedes Flugblatt, das ich in Zirkulation setzte, eine konsequente Prinzipien-Erklärung und keine Reformations-Sophistereien und soziale Flickschuster-Mätzchen, wie man sie leider schon damals, und seitdem immer mehr, ja fast ausschliesslich, die sozialistische Wahl-Literatur verunzieren sah.

Das einzig Praktische, das allenfalls nach der Wahl noch in Betracht kommen könne, setzte ich hinzu, sei die allgemeine Eisenbahn-Freikarte, welche es mir ermögliche, auf Reichsunkosten nach allen Richtungen hin Agitationsreisen zu unternehmen.

So habe ich agitirt, so hat man mich begriffen, so hat man mich gewählt. Der sächsisch-partikularistisch-konservative Kandidat (Böttcher) bekam ungefähr 3,000 Stimmen, Franz Dunker brachte es bis zu 6,000, während ich deren mehr als 12,000 erntete.

Das war am 10. Januar 1877. Als „Sieger", aber abgemattet, wie ein gehetzter, total verhauener Hund, kehrte ich am folgenden Tage nach Berlin zurück.

65

VII.

Ehe ich in den Chemnitzer Wahl-„Kampf" eintrat, erledigte ich meine Ritterpflichten in denjenigen Wahlkreisen, wo ich auf Verlangen als sogenannter „Zählkandidat" auftrat, nämlich in Augsburg, Lechhausen, Darmstadt, Mainz und Berlin.

In letzterer Stadt war ich, wie zum Hohn, im ersten Wahlkreis, dem Aristokratenviertel (Unter den Linden, Friedrichstrasse, Wilhelmstrasse, Leipzigerstrasse etc.), aufgestellt worden. Ich hatte da nicht nur den bisdahinigen Reichstagspräsidenten Forckenbeck und den Fortschrittler Max Hirsch, sondern auch den „grossen Schweiger" Moltke zu Gegenkandidaten. Und hier will ich gleich konstatiren, dass Letzterer den Kürzesten zog, indem ich etwas mehr als 1,300 Stimmen erhielt, während auf ihn nur etwa 1,100 Stimmen entfielen. Ueberhaupt waren in diesem schwach bevölkerten, weil meist nur Paläste und grosse Geschäftslokale, nicht aber eigentliche Wohnhäuser enthaltenden, Stadttheile nur wenige Stimmen abgegeben worden, nämlich, ausser den erwähnten, für Forckenbeck 3,521 und Max Hirsch 2,879, so dass es zwischen diesen Beiden zur Stichwahl kam, bei welcher der Letztere „siegte." Ich hielt meine Kandidatenrede im vornehmsten Lokale, nämlich im Kaiserhof, wo sich ein „piquefeines" Publikum eingefunden hatte, weil nur die Wähler dieses Distriktes einberufen wurden, auf den Plakaten aber der Redner nicht benannt war. Es gab da für mich ein Höllengaudium, für viele Hörer aber Schlappohren, lange Gesichter und verzogene Mäuler.

Zur Zeit der Stichwahl, wo ich bereits meinen Chemnitzer Feldzug beendet hatte und in Berlin umher sauste, sollte ich obendrein noch ein hübsches Intermezzo erleben. Der Zufall führte mich in eine Halle, in der die Nationalliberalen eine Versammlung abhielten. Ich horchte eine Weile zu und siehe da, mein Kollege Dernburg, Redakteur der in Darmstadt erscheinenden „Mainzeitung", vom Volke auch „Wasserblatt"

66

genannt, donnerte und wetterte über die Sozialisten nicht übel. Um dieselben mit Erfolg zu bekämpfen, sagte er, müsse man in ihre Versammlungen gehen und sie persönlich widerlegen. Da schritt ich denn mitten durch den Saal und verlangte das Wort, um dem neuen Georg sofort einen Kampf mit dem „Drachen" zu ermöglichen. Der aber wollte davon nichts wissen, und der Vorsitzende erklärte öffentlich, dass ich nicht sprechen könne. Nun ging aber ein Höllenspektakel los. Die Einen schrieen: „Reden lassen!" Andere schlugen Hinauswurf vor. Das Ende vom Liede war, dass sich die Versammlung in Wohlgefallen auflöste. — — Später warf mir Dernburg im Reichstag vor, dass ich in eine nationalliberale Versammlung „eingedrungen" sei und dieselbe kurzer Hand „gesprengt" hätte. Ich meinerseits erklärte den Hergang der Sache, betonend, dass meine blosse Bereiterklärung zur sofortigen Diskussion über den Sozialismus völlig genügte, um eine Panik in der betr. Versammlung hervor zu rufen und eine allgemeine Massenflucht herauf zu beschwören. Natürlich hatte ich in diesem Falle die sprüchwörtliche „allgemeine Heiterkeit" auf meiner Seite.

In *Lechhausen,* einem grossen Dorfe in der Nähe meiner „Heimaths"-Stadt Augsburg (Hauptort des betr. Wahlkreises ist eigentlich Friedberg), wo sehr viele Fabrikarbeiter, namentlich Spinner und Weber, wohnen, hielt ich auch nur eine einzige Rede, bekam aber 600 Stimmen, d. h. mehr denn doppelt so viel, als die beiden Gegenkandidaten zusammen genommen.

In Augsburg selbst brachte meine Kandidatur meinen Vater in eine böse Zwickmühle. Derselbe war nämlich Verwalter des katholischen Friedhofs und Sekretär des katholischen Casino. Und da er ein guter Redner war, hatte er auch im Interesse des Zentrumsmannes (Jörg) in den Wahlkampf einzugreifen. Dieser Mann glaubte nun freilich selber nichts und vermied es auch stets, Religionsphrasen zu leisten, umsomehr, als damals den Schwerpunkt der baierischen Parlaments-Klerikalen der Kampf gegen das Preussenthum bildete, welches auch mein Vater ganz riesig hasste. Er hämmerte

67

daher wesentlich auf Bismarck herum und hätte in dieser Beziehung eigentlich mit mir zusammen ein Klopf-Duett aufführen können. Da er jedoch, wohl oder übel, auch gegen den sozialistischen Kandidaten hätte Front machen sollen, so war ihm meine Kandidatur sehr unliebsam. Energisch drang er indessen in mich, dieselbe zurück zu ziehen. Als ich mich jedoch entschieden weigerte, diesem Wunsch zu entsprechen, da sträubte auch er sich, seinen „Bossen" gegenüber, was die Bekämpfung der Sozialisten anbelangt, Gehorsam zu leisten. — — — Ich war ohnehin, wie gesagt, in diesem Wahlkreis nur Zählkandidat, bekam aber immerhin zirka 2,400 Stimmen. Aehnliche Resultate erzielte ich—auch bei einem verhältnissmässig minimalen Aufgebot von Agitation—in Darmstadt und Mainz. Immerhin darf ich konstatiren, dass ich so gut wie gar keinerlei Spiessbürger-Stimmen erhielt und dass jene Proletarier, welche sozusagen meine Visitenkarte in die Wahlurne warfen, damit auch andeuten wollten, dass sie mit dem von mir öffentlich Entwickelten einverstanden, mit anderen Worten sozialrevolutionärer Gesinnung seien und eigentlich auf die ganze Wahlrummelei im Uebrigen pfiffen.

Die Session von 1877 auf 1878 förderte an und für sich nichts Bemerkenswerthes und noch viel weniger an parlamentarischen Leistungen meinerseits zu Tage, hatte ich doch damals ganz andere Dinge zu besorgen. Abgesehen von meiner Thätigkeit als Chefredakteur der „Berliner Freie Presse" und den Alltagsagitationen und Mitarbeitereien für diverse Revuen wie „Slovo" (russisch, d. h. ich schrieb natürlich deutsch und zwar unter dem Pseudonym Brücke (was nämlich auf Russisch Most heisst), „Neue Gesellschaft" (in Zürich erschienen), „Zukunft" (herausgegeben in Berlin), sowie Publikation von Broschüren, gab es da gar verschiedene „Extra's" zu erledigen. Bald folgte ich der Herausforderung des Nationalökonomie-Professors Birnbaum, welcher in fünf Thesen den Sozialismus glaubte abgethan zu haben, den ich aber vor 2000 Menschen (Kapitalisten und Arbeitern) allgemein zugestandener massen dermassen zusammen haute, dass er von da ab überhaupt nur noch in „gechlossener" Gesellschaft sprach. (Später wurde er wegen Schwindeleien verurtheilt und beging im Gefängniss Selbstmord.) Dann hatte ich wieder mit dem Professor Mommsen in einer Serie von 7 Vorträgen ein kritisches Hühnchen zu pflücken, wobei dem edlen Akademiker die Geschichtsfälscher-Maske nicht übel gelüftet und auch seine bettelpatriotische Haltung gegenüber Louis Napoleon, dessen Geschmiere über Julius Cäsar er flickte, aufgestochen wurde. Nicht lange darnach musste ich den schwarzen Stier bei den Hörnern packen, indem der Hofprediger Stöcker, Missionsdirektor Wangemann und andere Repräsentanten der egyptischen und sonstigen Finsterniss in die Reihen der Sozialisten einzubrechen versuchten. So nebenbei wurde auch der „Leibhusar der Hohenzollern," Professor Treitschke, etwas verwichst. Auch *Mehring,* der Allerweltskerl, welcher erst „Fortschrittler," dann Bändiger der Sozialistentödter, hernach selbst Sozialistenfresser, noch später wohlbestallter sozialdemokratischer Parteijournalist und allerneuestens Bebel-Liebknechtischer Hofgeschichtsschreiber der deutschen Sozialdemokratie, musste öfters über das Brett gezogen und auf gespannten Hosen mit den nöthigen „Sengen" versehen werden. Ferner kamen dann kurz hintereinander zwei Riesen-Demonstrationen anlässlich des Ablebens zweier guter Menschen— *Hinsch* und *Dentler*—es betheiligten sich mindestens je 30,000 Personen daran—vor, bei welchen Gelegenheiten ich die Haupt-Gedächtnissreden zu halten hatte. Kurz zuvor starb *Johann Jacoby* in Königsberg, wo ich Namens der Partei eine gleiche Pflicht erfüllen musste. Dann gab es wieder einen Abstecher nach der Schweiz zu machen, um in Zürich und Genf am Jahrestage der Pariser Kommune die Festreden zu besorgen. Endlich hatte ich mich gleichzeitig nicht wenig mit den Gerichten herum zu schlagen, indem ich binnen Jahresfrist 8 Anklagen (4 wegen Aufreizung zu Gewalt, 1 wegen Herabwürdigung von Staatseinrichtungen, 2 wegen Gotteslästerung und 1 wegen Pfaffenbeleidigung) mir auf den Hals lud, die ich stets als mein eigener Advokat auf's Korn nahm und in der That in 5 Fällen mit Erfolg, insofern ich Freisprechung erzielte, während ich in einem Falle zu 3, in einem zweiten Falle

69

zu 2 Monaten Gefängniss verknurrt wurde, wohingegen der dritte Fall noch „schwebte", als ich meinen Hinauswurf aus Berlin etc. erlebte, so dass ich die 6 Monate, die mir der „hohe Gerichtshof" diesbezüglich aufbrannte, den edlen Justizstrolchen „schenkte". (Ueber alle diese und ähnliche Berliner Erlebnisse wird das 5. Bändchen Näheres enthalten.)

Was sollte ich wohl bei solch' mannigfaltiger anderweiter Thätigkeit noch für den Reichstag gross übrig haben, zumal ich meinen Wählern nach dieser Richtung hin von vornherein nichts versprochen hatte?!

Erwähnenswerth ist eigentlich nur ein einziger Auftritt. Liebknecht war damals nämlich sowohl Redakteur des in Leipzig erscheinenden sogenannten Parteizentralorgans „Vorwärts", als auch Herausgeber des belletristischen Blattes „Neue Welt", welches auch als Sonntagsbeilage der „Freie Presse" ausgegeben wurde. Eines Sonntags wurde die „Neue Welt" in Berlin konfiszirt und zwar wegen eines Gedichtes das unter dem Titel „Die Flinte schiesst, der Säbel haut" erschienen war und worin unter Anderem auch die Flucht des Kartätschenprinzen in sarkastischer Weise behandelt wurde, was den Staatsanwalt Tessendorff zu einer Anklage auf Majestätsbeleidigung wider Liebknecht anregte.

Ich beantragte nun auf Grund der Immunitäts-Privilegien der Abgeordneten im deutschen Reichstag, dass das Strafverfahren wider Liebknecht eingestellt werde. In anderen Fällen wurde Derartiges nur rein formell und ohne näheres Eingehen auf den Sachverhalt erledigt, diesmal aber wich ich von dieser Regel ab. Damit die Herren Kollegen auch wüssten, um was es sich handle, sagte ich, wolle ich Ihnen auch das in Frage stehende Gedicht *vortragen*. Augenblicklich regnete es freilich Protestationen von allen Seiten. Die nützten aber nichts. Ich war gerade ausgezeichnet bei Lunge und Zunge und deklamirte, dass die Pulte wackelten und Viele vor Aerger den Sitzungssaal verliessen. Ich aber erreichte meinen Zweck: die Eintragung des anrüchigen Gedichtes in's Reichstags-Protokoll.

70

Lasker, der kleinste Knirps, der mir noch je im öffentlichen Leben begegnete, kam denn auch, als ich die Rednertribüne verlassen hatte, ganz wüthend auf mich zu und sagte: „Was haben Sie denn gemacht? Sie kennen ja gar keinen parlamentarischen Brauch. Sie machen da den Reichstag zum Tummelplatz revolutionärer Umtriebe und Agitationen." U.s.w. Ich grinste. Dieser Mann, der grösste, d. h. lebendigste, ja perpetuellste, Schwätzer seines Jahrhunderts, konnte überhaupt sein Mundwerk niemals ruhen, noch rasten lassen; war er nicht „offiziell" als Pappelfritze engagirt, so schwadronirte er innerhalb oder ausserhalb des Sitzungssaales privatim herum. Eines Tages kam er mir auch in's Gehege und zwar in Sachen des Sozialismus, und da gab er gewissermassen eine Entschuldigung seines Standpunktes (der Standpunktlosigkeit) zum Besten. „Wenn," sagte er, „der Sozialismus niemals verwirklicht werden sollte, wäre es gar nicht der Mühe werth, dass überhaupt jemals eine Zivilisation in's Leben gerufen wurde. Aber die Sache hat doch noch Zeit. Es muss ja Alles die gehörige Entwickelung durchmachen. Hätte ich Philosophie studirt, so wäre ich heute vielleicht auch Sozialist, so aber studirte ich Jurisprudenz und bin daher Realist, ein praktischer Mensch, der nur immer Dasjenige jeweilig erstrebt, was sofort erreicht werden kann." Wenn dieser Typus aller Massenquatscherei sich „erhob," um das Wort zu ergreifen, so wusste man nie, ob er nicht sitzen blieb, so wenig ragte er über sein Pult empor. Dann aber rieselte der Wortschwall über seine Zunge, wie ein Gebirgsbach über Felsengeröll — zum Schrecken der Stenographen.

Viel fürchterlicher war es, wenn z. B. Treitschke sich losliess. Dieser Mensch war nämlich total *taub.* Man denke—ein tauber Parlamentarier, ein Seitenstück zum blinden Pfadfinder! Neben ihm sass in der Regel ein gewisser *Wehrenpfennig,* welcher sein Hörrohr spielte, indem er für ihn das Wesentlichste des Gesagten notirte und zusteckte. Da Treitschke nicht einmal seine eigenen Worte zu hören vermochte, so war er auch nicht im Stande, den Ton seiner Stimme zu kontrolliren, der deshalb in der Regel in das reinste Hundegebell um-

71

schlug. Ein anderer Professor, Namens Gneist, war auch eine nette Gurke. Wenn er sprach, beugte er sich fortwährend vorne über, so dass sein Körper wie ein 45-gradiges Winkelmass aussah, schnellte aber sofort wieder empor, um auf der Stelle die vorherige Bewegung zu wiederholen und so fort, bis endlich der Rede-Dampf ausgegangen war. Wirklich gute Redner, Oratoren, welche im Stande gewesen wären, eine Volksmasse zu elektrisiren und hinzureissen, existirten damals im Reichstag sicherlich keine sechs und im Bundesrath gar keine.

Der allermiserabelste Redner war z. B. Bismarck, welcher oft förmlich in's Stottern und Stocken hinein gerieth und in seiner Verlegenheit entweder mit einem langen Bleistift oder einer riesigen Papierscheere in der Luft herum fuchtelte oder auf dem Tische trommelte (bei diesem Kerl war eben Alles riesig). Dabei stand beständig ein Diener hinter ihm, welcher in ebenfalls riesigen Gläsern Wasser und Cognac, oder vielmehr Cognac mit Wasser, zu mischen hatte, welches Gesöff er (Bismarck) nur so hinunter stürzte, um neue Anregung zu finden. Ja, ja, so sehen die „grossen Staatsmänner" aus, wenn man Gelegenheit hat, sich dieselben etwas genauer zu betrachten! Wer später das Gefasel Bismarck's in den Zeitungen las, der musste glauben, wunder was für ein „klassischer" Redner dieser Reichslümmel sei. Thatsache aber ist es, dass seine Privatsekretäre oft 2 oder 3 Mal das ganze Gequatsche gänzlich umarbeiten mussten, ehe es für druckfähig befunden und der Presse übergeben werden konnte.

Andere Bundesräthler—o weh!—die vermochten überhaupt nicht deutsch zu reden. Da hörte man ganz unverfälschtes Schwäbisch, Baierisch, Sächsisch u. s. w. Und es war ein wahres Glück für diese Partikular-Zöpflinge, dass sie selten etwas zu sagen hatten, weil eben die Preussen den ganzen Krempel in der Regel—allerdings auch nicht schriftdeutsch, sondern fritzchenhaft—ausschliesslich besorgten.

Piff-Paff-Puff! Am 11. Mai 1878 schoss der Klempnergeselle Hödel, ein Schüler Reinsdorf's, mehrmals Unter den Linden auf Lehmann mittelst eines Revolvers, traf ihn aber

72

nicht. Augenblicklich wurde ein Ausnahmegesetz wider die
Sozialisten, welche für die Schüsse verantwortlich gemacht
wurden, eingebracht, aber merkwürdigerweise kurzer Hand
mit grosser Majorität abgelehnt, weil eben das Attentat nicht
ernst genommen wurde, was indessen nicht hinderte, dass
man später mittelst eines Handbeiles auf einem Holzblock in
echt mittelalterlicher Weise dem Attentäter den Kopf vom
Rumpfe trennte.

Am 2. Juni krachte es wiederum Unter den Linden. Nobiling, der es diesmal auf den scheusäligen weiland Kartätschenprinzen abgesehen hatte, benützte zu seinem Attentate
keinen zweifelhaften Revolver, sondern eine sichere doppelläu-
fige Jagdflinte, deren Schrotladungen er mit fester Hand
wider den gekrönten Feldwebel losknallte. Er traf. aber nur in
den rechten Arm—abgesehen von etlichen Schrotkörnern. die
sich durch den Helm in die Kopfschwarte des Zielsubjektes
verirrten—in den Schädel desselben konnten sie natürlich
nicht eindringen, dazu war derselbe von viel zu büffelhafter
Qualität.

Jetzt war aber der Teufel los. Am nächsten Morgen um
5 Uhr erschienen in meiner Wohnung 16 Polizisten. welche
das Unterste zu oberst kehrten und Alles, was Gedrucktes oder
Geschriebenes im Hause war, von Dannen schleppten. Sogar
die Asche aus dem Ofen nahmen sie mit, um mikroskopisch
auszufinden, ob nicht etwa Papiere verbrannt worden seien.
die auf eine Verbindung mit Nobiling hätten hindeuten können. (Direktere, allerdings vergebliche. Versuche, mich zum
„Mitschuldigen" Nobiling's zu stempeln, wurden erst etliche
Monate später gemacht. wo ich unter Vorhalt gefälschter
Akten mehrmals stundenlange Verhöre vor dem Untersuchungsrichter zu bestehen hatte.) Aehnliche Hausüberfälle und
-Beschnüffelungen fanden an Hunderten von Plätzen—in Berlin und anderwärts—statt, hatten aber auch nur ein negatives
Resultat.

Wilhelm verzog sich, der syphilisirte Fritze. sein angeb-
licher Sohn, wurde einstweilen zur regierenden Ersatzmario-

73

nette Bismarck's ernannt. Dieser schickte den Reichstag nach Hause und schrieb Neuwahlen aus.

VIII.

Noch ehe der Reichstag aufgelöst worden war, nämlich unmittelbar nach der Ablehnung des Hödel-Ausnahmsgesetzes, begab ich mich nach Chemnitz, um dortselbst eine Volksversammlung abzuhalten—notabene nachdem zwar die Session beendet, nicht aber die Legislatur-Periode des Parlaments abgelaufen war.

Auf der Tagesordung stand Hödel's Attentat. Prompt wurde die Versammlung verboten. Zweite Anmeldung: „Die Thätigkeit des Reichstags." Der Polizeipräsident (nicht etwa zu verwechseln mit dem Bürgermeister von Mottenburg)— Siebdraht hiess dieser Offizial-Schimpanse, und in der That repräsentirte er das reinste Drahtsieb mittelst welchem der Chemnitzer Stadtrath (magistratische Unrath) Wasser auf die konservative Mühle zu schöpfen versuchte—also der Polizeigewaltige strich auch diese oratorische Mahlzeit vom öffentlichen Speisezettel. Da fasste mich der Galgenhumor an meinen Haarstoppeln und ich setzte „Das Reichsgesundheitsamt" als Unterhaltungs- und Belehrungs-Objekt auf die Tagesordnung.

Das putzelte die Offizial-Policinellen; so etwas zu verbieten, wäre doch gar zu krankhaft („cranky" würde man in Amerika sagen) gewesen, ergo liess man es dem Anmelder gegenüber bei einem vielsagenden und doch höchst wichtigen Stirnrunzeln bewenden. Auf alle Fälle aber machte man, wie ich mich später davon überzeugen konnte, „mobil."

Die Versammlung fand am Sonntag, den 24. Mai 1878 in der grossen, etwa 2,000 Personen fassenden Halle des Hotels „Stadt London" statt. Das Lokal war gepackt voll Menschen, und ich war bei ausgezeichnetem Humor und lauter Stimme.

Der offizielle Bericht des Reichsgesundheitsamtes hatte nämlich viele sanitäre Uebelstände aufgedeckt; ich zitirte das Dickste davon und knüpfte saftige und knusperige Kommen-

74

tare daran, was den Polizeikommissär veranlasste, auf seinem Stuhle beständig Rutschübungen nach rechts und links vorzunehmen, ohne dass er wusste, wie er eigentlich die Blase platzen lassen sollte. Endlich schien ihm der feierliche Auflösungs-Moment gekommen zu sein.

Bei Begründung des Hödel-Gesetzes wurde nämlich ganz besonders darauf Bezug genommen, dass der Attentäter im Momente seiner Festnahme diverse sozialdemokratische Broschüren und meine Photographie in der Tasche hatte. Bezugnehmend darauf sagte ich nun, dass man, wenn wieder einmal auf den Kaiser geschossen werde und man etwa in der Tasche des betreffenden Attentäters ein Exemplar des soeben charakterisirten Berichtes der Reichsgesundheits-Kommission finde, jedenfalls dieser die „moralische Verantwortung" hinsichtlich des fraglichen Attentates aufbürden werde.

Der Kommissarius der heiligen Hermandad wurde blass wie eine Leiche. Als ob er soeben einen Sitz auf einer Kaktus-Staude eingenommen hätte, schnellte er empor und erklärte die Versammlung für „aufgelöst." „Langsam," sagte ich, „langsam, werther Herr. Sie haben nach den bestehenden Gesetzverhältnissen gar kein Recht, so vorzugehen; und wenn sie sonst das Wort ergreifen wollen, müssen Sie sich schon gedulden, bis ich fertig bin." Und ohne ihn weiter zu beachten fuhr ich fort zu reden. Er aber setzte sich, schäumend vor Wuth, indessen nicht, ohne zuvor mit einem Detektiv etwas gezischelt zu haben, der sich gleich darauf schleunigst entfernte. In etwa 10 Minuten hatte ich meine Rede mit einem dreifachen Hoch auf den Sozialismus beendet, als plötzlich an allen Enden und Kanten des Saales uniformirte Büttel auftauchten. Ein Theil derselben umzingelte mich auf der Rednertribüne und der Kommissär erklärte mich für verhaftet. Ich wurde gleich darauf nach dem Rathhaus transportirt.

Dort fand ich sozusagen den ganzen „hohen Rath" in Sitzung. Der Bürgermeister, der Stadtkommandant, der Polizeidirektor und einige minder gewichtige Prominenzen sassen da an einer Tafel und schnitten gar grimmige Fratzen, als ich „eingeliefert" wurde. Der Kommissär meldete, dass

75

ich mich einer obrigkeitlichen Anordnung gegenüber widersetzt habe; ich meinerseits antwortete, dass umgekehrt der Kommissär ungesetzlicher Weise eine Versammlung gestört hätte und dass ich gewillt sei, deshalb gegen denselben Beschwerde zu führen. „Im Uebrigen," fügte ich hinzu, „kennen Sie mich ja ganz genau und wenn Sie mich sehen und hören wollen, wissen Sie, wo Sie mich finden können."

„Nichts da!" schrie der siebendrähtige Polizeipräsident. „Sie sind verhaftet und bleiben in unserer Gewalt!" Ich wollte weitere Einwände machen, aber ehe ich den Mund aufmachen konnte, hiess es: „Abführen, abführen!" Und mehrere polizeiliche Kraftfäuste packten mich beim Wickel und schubsten mich rascher hinaus, als sie mich vorgestellt hatten. Fort ging's nach dem Polizeiarrest, wo mir lediglich Flöhe und Wanzen für den Rest des Sonntags und die darauf folgende Nacht Gesellschaft leisteten.

Am anderen Morgen wurde ich nach der Frohnfeste gebracht, deren Inspektor in mir einen „alten Bekannten" begrüsste. Einige Stunden später hatte mich der Staatsanwalt unter den Fingern und im Laufe des Tages ward ich bereits nach dem Vereinsgesetz zu sechs Wochen Haft verurtheilt. Ich wollte appelliren und einstweilen auf freien Fuss gesetzt werden, wie das sonst in solchen Fällen niemals verweigert wurde. Aber nichts da. „Appelliren," sagte der Richter, „können Sie, aber freigelassen werden Sie nicht, denn diesen Umtrieben muss einmal ein Ende gemacht werden."

Was blieb mir Anderes übrig—wohl oder übel musste ich, wenn auch unter (ohnmächtigem) Protest, die „Strafe" antreten.

Am darauf folgenden Sonntag krachten zu Berlin die Schüsse von Nobiling, den man, wie bereits angedeutet, mir und anderen Sozialisten auf's Kerbholz zu schneiden suchte.

Nun ging es aber auch Schlag auf Schlag. Der „alte Lehmann" stellte, wie gesagt, Kronfritzen auf drei Monate als Regierungs-„Sub" (Deputy King) an, dieser löste auf Bismarck's Befehl den Reichstag auf und verordnete *sofort* vorzunehmende Neuwahlen.

76

Jetzt war seitens der Spiess-, Mast- und Minimal-Bürger von Chemnitz der Jubel gross. Dass mich die Sozialisten sofort wieder als ihren Kandidaten proklamirten, war ihnen gerade recht, wussten sie doch, dass ein Kandidat im Käfig keine Reden halten kann.

Die Genossen waren aber trotzdem guten Muthes, weil sie keine Ahnung hatten, mit welchen Mitteln die Gegner sie diesmal zu Paaren zu treiben beabsichtigten. Und in der That ist Derartiges, was in dieser Hinsicht geleistet wurde, weder vorher, noch nachher jemals vorgekommen. Immerhin wurde damals der Beweis geliefert, dass ein Arbeiter-Vertreter absolut nicht in's Parlament gelangen kann, wenn die reaktionären Gewalten das mit *allen* Mitteln ernsthaft verhindern wollen.

Zu allernächst traten die „Spitzen" der sächsischen Partikularisten, der Nationalliberalen und der Fortschrittler zusammen, nämlich Beamte, Fabrikanten, höhere Spiesser, katholische und protestantische Pfaffen, Journalisten, Advokaten usw. Man schloss ein lokales Kartell, hing jede spezielle Parteiklepperei an den Nagel und gründete einen Verein reichstreuer „Männer," dessen Programm zwar nicht ein-, wohl aber zweisilbig war und einfach „*Most 'raus!*" lautete.

Unsere Leute waren indessen unverzagt und fühlten sich durchaus siegessicher. Sie sollten aber bittere Enttäuschungen erfahren.

Die Versammlungen, welche sie einberiefen, waren zwar äusserst massenhaft besucht, wurden aber sammt und sonders „gesprengt.." So bald nämlich eine solche eröffnet wurde, erschien regelmässig eine seitens der Reaktionäre angeworbene Rotte von Lumpenproletariern, welche einen ungeheuren „loyalen" Radau machten, indem sie unaufhörlich riefen: „Es lebe der Kaiser! Es lebe Bismarck! Es lebe das Reich!" Usw. Jedesmal erklärte dann der überwachende Polizeikommissär, dass bei solcher Störung von Ruhe und Ordnung keine Versammlung stattfinden dürfe.

Man verlegte sich auf Fabrikation von Flugschriften, dieselben wurden jedoch sammt und sonders auf der Stelle polizeilich konfiszirt.

77

Als vollends der Wahltag (etwa Ende Juli) herangekommen war, sollte man noch ganz andere Bilder erleben.

Ich weilte damals nicht mehr in Chemnitz, denn der Stadtrath dieser Stadt beschloss unmittelbar nach der Reichstags-Auflösung, dass ich nach „Verbüssung" meiner Haft per Schub aus der Stadt zu bringen sei; und da inzwischen zwei andere Strafen von 2, resp. 3 Monaten Gefängniss, welche in Berlin über mich verhängt worden waren, „Rechtskraft" erlangt hatten, so wurde ich durch zwei Polizisten einfach nach Plötzensee transportirt und dort im sogenannten „Maskenflügel" einquartirt.

Die Fabrikarbeiter von Chemnitz wurden am Wahltage nicht vor 4 Uhr Nachmittags behufs Abstimmung fortgelassen. Den ganzen Tag hindurch hat man sie aber nicht nur terrorisirt, sondern auch förmlich hypnotisirt.

„Wenn Most nochmals gewählt wird," hiess es da, „verliert die Stadt jedes Ansehen, jeden Kredit und das ganze Geschäft, weshalb in solchem Falle die Fabriken vorläufig geschlossen würden etc." Traktirt wurden die Leute auch, aber äusserst mager, indem sie lediglich Dünnbier, saure Gurken und etwas Speck bekamen. Zuletzt theilte man die Leute in Distrikts-Rotten ein, versah sie mit gegnerischen Stimmzetteln und liess sie durch Werkmeister wie Kriegsgefangene nach den Urnen eskortiren. An den Strassenecken sahen sie neben den Ueberresten der mittelst Polizeidiener-Säbeln herunter gekratzten sozialistischen Plakate grosse Anschläge prangen, auf denen in Riesenlettern zu lesen war: „Most hat sich gehängt." Oberhalb des letzteren Wortes war allerdings „moralisch" eingeschaltet, aber in so winzigen Buchstaben, das dieselben Niemand zu lesen vermochte. „Wenn er sich gehängt hat," hiess es dann, „hat es auch keinen Zweck, für ihn zu stimmen." Vor den Wahllokalen trieben sich lauter *Gegner* umher, denn im Laufe des Tages hatte man alle Vertheiler sozialistischer Stimmzettel arretirt und letztere gleichfalls mitgenommen. Am nächsten Tage wurden allerdings. Sämmtliche, die man pro forma wegen „groben Unfugs" angeklagt hatte, freigesprochen, der beabsichtigte Zweck war aber erreicht. Mit 14,000

78

gegen 10,000 Stimmen ging mein Gegner—ein kreuzdummer Kerl Namens Vopel, von dem man vorher noch nie etwas gehört hatte und auch später nichts mehr vernahm—als Sieger aus den Urnen hervor. Ich aber war endgültig von allem und jedem Parlamentarismus kurirt worden.

Wem aber die hiermit beendeten Reminiscenzen aus meiner parlamentarischen Erfahrung noch nicht genug Aufklärung über die Nichtigkeit der Stimmkästnerei boten, nun, der *verdient* nach wie vor parlamentarisch über den Löffel barbiert zu werden.

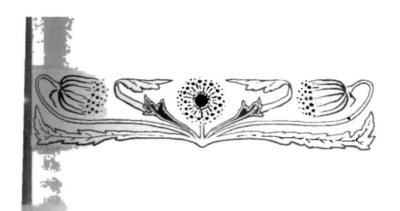

Eine Erklärung als Vorwort.

Das vierte Bändchen der Memoiren von JOHANN MOST hat lange auf sich warten lassen. Wenn es auch eine geraume Zeit vor dem Tode des allzu früh Verstorbenen für den Druck vorbereitet war, so war doch jener Umstand, der sein Wirken und seine Schaffenskraft im Vergleich zu der Grösse seines Wollens und der Vielseitigkeit seines Genies so eng begrenzte: der Mangel an dem nöthigen nervus rerum, durch den das Wort das grosse Publikum erreicht, an dem Nichterscheinen der ersehnten Aufzeichnungen schuld.

Mehr als ein Jahr ist verstrichen, seit diese ureigene Kraft der ringenden Menschheit entrissen ward, und ob auch die Herausgabe dieser nachfolgenden Aufzeichnungen oftmals in Angriff genommen ward, sind doch unüberwindliche Verhältnisse uns hindernd im Wege gestanden.

I

Es erfüllt uns deshalb mit grosser Genugthuung, in diesen Märztagen, in denen Johann Most's geistige und körperliche Kräfte in der Erinnerung an die grossen revolutionären Momente sich immer wieder zu verjüngen schienen, dass in diesen Märztagen, in denen er vor einem Jahre auf das Krankenlager geworfen ward und seine Stimme für immer verhallte, dass in diesen frühlingsfreundlichen und hoffnungsreichen Märztagen das vierte Bändchen der Memoiren sein Erscheinen macht.

Es ist nicht unsere Sache, die Arbeiten und das Wirken Most's zu preisen. Vielmehr gestehen wir, dass wir seine Grösse in ihrem ganzen Umfange zu würdigen nicht im Stande sind. Denn aus seinen Zeilen, seinen Leistungen strahlt der blendende Geist eines Feuerkopfes, und wir stossen beim erneuerten Durch-lesen alter „Freiheit"-Jahrgänge auf Eigenheiten und Pointen, über die wir früher so flüchtig hingegangen.

Hatte nun eine in ihrer Eigenart unzweifelhaft so einzig dastehende, in ihrer Agitationskraft so seltene Persönlichkeit immer mit Hangen und Bangen nach dem materiellen Stoff zu suchen, der die Tasche des Druckers befriedigt, so wird es den Lesern wohl verständlich sein, dass es jetzt bei seinen Hinter-bliebenen umso schlimmer damit bestellt ist.

Gewähren wir deshalb Helene Most das Wort zur Erklärung der Sachlage :

„Wären die Verhältnisse nicht so misslich gewesen und hätte ich irgend welchen Anhalt an einem hiesigen Organ finden können, so wären die vielen ungeduldigen Fragesteller

11

243

längst befriedigt worden. Da aber seit dem Bestehen der „Freiheit Publishing Association" keine Verbindung zwischen dieser und mir stattgefunden, so war ich auch jener Hilfsmittel beraubt, welche die Herausgabe der litterarischen Hinterlassenschaften für die Familie Most's ermöglicht hätten. Denn was immer für Unfug mit den Most-Knöpen und -Bildern getrieben ward, was immer an Gerüchten über „Ueberlieferung" von „Donirungen" in die Oeffentlichkeit gelangte, — die Hinterbliebenen John Most's tragen keine Schuld an dem Unfug und den Gerüchten, und haben keinen anderen Antheil an ihnen als den — der Kosten.

HELENE MOST."

Sollten diese Hefte den gewünschten Absatz finden, den sie verdienen, und wir dadurch die Solidarität der Genossen mit unserem Beginnen erfahren, dann hegen wir die Absicht, in einem demnächst erscheinenden Monatsheft die Biographie Most's fortzusetzen. Es wäre gewiss eine dankbare, wenn auch beim Mangel des einschlägigen Materials eine schwierige Aufgabe, den Anforderungen gerecht zu werden. Es ergeht deshalb an diejenigen Leser, welche sich im Besitze von Kritiken über Most, von Zeitungen, Broschüren der 70er Jahre, mit denen er und die sich mit ihm beschäftigten, befinden, das Ersuchen, sich mit dem Unterzeichneten in Verbindung zu setzen.

Johann Most war der bestgehasste und der verleumdetste Mann fast zweier Generationen. Sein Mund, von Natur bestimmt, die Geister zu wecken, erreichte nur das Ohr eines

Theiles von Arbeitern und Fortschrittlern, während seine Schaffensmöglichkeit einem Vulkane glich, der immer wieder eine Neugeburt erfährt.

Das innere Leben und auswärtige Wirken eines solchen Mannes zu erschauen, bietet einen eigenen Reiz. Seine Aufopferung im Dienste der Wahrheit und in der Liebe zur Menschheit lassen uns eine Klarstellung seiner Persönlichkeit als eine Schuld erscheinen, die wir der Wahrheit und der Menschheit zu entrichten haben.

F. THAUMAZO,

1631 Lexington Avenue.

New York, im März 1907.

IN MEMORIAM

MEMOIREN

ERLEBTES, ERFORSCHTES
UND ERDACHTES VON
JOHN MOST

Viertes Bändchen

NEW YORK
Druck der F. W. Heiss Co., 134 William Street
1907

Commune vor den Berliner Gerichten.

Vorbemerkung.

Der Process, welchen der berüchtigte Staatsanwalt Tessen-
ff eines von mir über die Pariser Commune gehaltenen Vor-
;s wegen gegen mich anstrengen liess und die überaus lehr-
he Geschichte desselben veranlassen mich, Alles, was ich davon
ss, zu veröffentlichen. Aus dem zu Tage Liegenden dürfte
mlich klar hervorgehen, was sich hierbei hinter den Coulissen
ignete. Es wird also dieses Schriftchen in mehr als einer
isicht lehrreich sein.

Auch die Geschichte der Commune ist bei dieser Gelegenheit
glichst kurz und klar dargestellt worden, ein Umstand, der
viss ebenfalls nicht unterschätzt werden darf.

In der zweiten Abtheilung dieses Bändchens ist der Verlauf
iner aus diesem Prozess resultirenden Gefangenschaft beschrie-
i. Beide Darstellungen waren bereits (64 und 80 Seiten stark)
zwei Broschüren erschienen, anno 1874 und 1876, seitdem
gst vergriffen, und wird deren Inhalt unter Streichung von
:m Unwesentlichen etc., dem vorliegenden Bändchen zur
undlage dienen.

JOHN MOST.

5

I.

Die Untersuchungshaft.

Kaum vom Berliner Reichstag am 29. April 1874 in
Mainz eingetroffen, wurde ich arretirt. Man brachte mich zum
Staatsprokurator, der mir mit der grössten Gemüthlichkeit
ankündigte, dass ich auf ein Telegramm des Staatsanwalts
Tessendorff verhaftet worden sei und demnächt nach Berlin
transportirt werde, sperrte mich ins sogenannte „Staatscachot“.

Hier sass ich ca. sechs Tage und wurde gut verpflegt, d. h.
Alles, was mir von Aussen zugeschickt wurde, erhielt ich ohne
Weiteres und die Gefangenhausbeamten waren sehr höflich.
Tags nach meiner Verhaftung beschwerte ich mich beim Untersuchungsrichter über meine Festnahme, natürlich ohne Erfolg und zwei Tage später wurde mir erst ein „Verwahrbefehl“
zugestellt. Von Berlin aber kam der Haftbefehl erst vier Tag
später an! — —

Hernach gings nach Berlin, d. h. auf *meine* Kosten, indem
ich vor der Abfahrt 39 Thaler baar erlegen musste. Hätte
ich diese Summe nicht einzahlen können, so würde ich, wie
ich auf das Bestimmteste habe feststellen lassen, mittelst des
gewöhnlichen „Transports“ nach Berlin gebracht worden
sein. Um diese schöne Absicht, welche man mir gegenüber

7

hatte, ganz zu begreifen, muss man wissen, wie solch' eir Transport von Statten geht. Man wird eben, zusammenge koppelt mit gemeinen Verbrechern, Vagabunden und dergl von Station zu Station, resp. von Gefängniss zu Gefängniss ge schubt und muss oft mehrere Tage des Weitertransports har ren. Von Mainz nach Berlin dürften auf solche Weise, meiner Berechnung nach, wohl gegen zwei Wochen hingehen. — — Ich hatte den Staatsprokurator von Mainz auf diese Um ständе hingewiesen und ihm zu verstehen gegeben, dass eir solches Verfahren gegenwärtig wohl gegen politische Arre stanten nirgends mehr beobachtet werde, dass es vielmehr überall als selbstverständlicher Brauch angesehen werde. Leute meiner Art wenigstens auf direktem Wege und mit Civilbe gleitung zu transportiren. Er schüttelte nur mit dem Kopfe und meinte, wenn ich nicht auf eigene Kosten mich wolle for schaffen lassen, dann könne er für mich 'nichts thun! —

Ich war mir nicht der mindesten Schuld bewusst und fuhr deshalb ganz sorglos dahin, und in Berlin begab ich mich mit meinem Begleiter voll bester Hoffnung nach der Stadt vogtei, indem ich der Meinung war, meiner alsbaldigen Frei lassung könne ebenso Wenig im Wege stehen, als meiner nach träglichen Freisprechung.

Im Ganzen genommen wurde ich in der Stadtvogtei nicht schlecht aufgenommen und behandelt, wiewohl natürlich un gemein Vieles zu rügen blieb.

Meine Zelle, in welcher auch seiner Zeit Lassalle internirt gewesen sein soll, war nicht gar zu klein und ziemlich hell, obgleich nicht nur das Fenster so spitzbubenhaft hoch ange bracht war, dass man nur durch hausordnungswidriges Stuhl steigen das bischen Aussicht auf die dickflüssige Spree und die

8

angrenzende schmutzige Strasse zu geniessen vermochte, sondern auch ausser den obligaten Eisenstäben ein englöcheriges Spatzengitter vorgenagelt hatte. Ueber der Thüre, durch welche eine Spionirklappe stets unverhofften Einblick ins Innere gewährt, befand sich in einem Mauereinschnitt, vor welchem ein Glasverschluss angebracht war, ein Gasbrenner, der Abends von Aussen in Brand gesteckt wurde. Es entstand dadurch in der Zelle eine Helle, die es nicht ermöglichte, dass dabei gelesen oder geschrieben werden konnte, die aber doch zum Schlafen höchst störend war. Die „Freistunde" war ein Hohn auf ihren Namen, da sie nur höchstens 20 Minuten dauerte. Im Haupthofe liefen die gewöhnlichen Gefangenen in langen zweigliederigen Reihen per Gänsemarsch im Kreise herum, gleich den Pferden einer Mühle, die „Selbstköstiger," zu denen ich gehörte, gingen in kleineren Partien in einem Gärtchen, gleichfalls im Kreise umher. Und doch freute ich mich immer auf diesen Rundgang, traf ich doch in der Regel den einen oder den anderen Sozialdemokraten bei dieser Gelegenheit.

Das Verfahren des Stadtgerichts war ein ganz eigenthümliches. Mit den Gerichtsräthen, den eigentlichen Richtern, kam man fast in gar keine Berührung, sondern hatte es vielmehr meist mit Referendaren und Schreibern zu thun. Da mussten oft die Untersuchungsgefangenen dutzendweise stundenlang warten. Waren sie abgefertigt, dann rief so ein Schreiber: „Der oder Die geht zurück!"

Wahrlich, eine Untersuchungshaft in Berlin zu erdulden, war mehr als peinlich! Vollständig abgeschnitten von der Aussenwelt, ohne Beschäftigung, ohne Zeitungen, ohne Rauchmaterial, fern von den Seinen, in banger Sorge für dieselben! — Das nannte sich Kultur- und Rechtsstaat, Staat der

9

„Gottesfurcht und frommen Sitte" und die Hauptstadt davon
mit ihrer Stadtvogtei war die „Metropole der Intelligenz".
Prosit Mahlzeit! —

Die Anklage und der Staatsanwalt.

Schon im Monat Januar, also zu einer Zeit, wo ich in Berlin noch gar nie gewirkt hatte, stiess der Staatsanwalt Tessendorff, dessen Gesinnung wider die Sozialdemokraten bekannt
ist, öffentlich die Drohung aus, mit mir bald einen Gang thun
zu wollen. — — —

Als nämlich mein Parteigenosse Heinsch das von H.
Greulich gedichtete und in meinem „Proletarierliederbuch"
befindliche allgemein bekannte und gesungene Arbeiterlied
„Es tönt ein Ruf von Land zu Land etc." auf der Rückseite
eines Arbeiterfest-Programms hatte abdrucken lassen (wie
vor ihm schon Viele gethan), da klagte ihn Tessendorff an,
sich gegen die „öffentliche Ordnung" vergangen zu haben
und liess ihn vor Gericht stellen. Er, der Staatsanwalt, beantragte eine Strafe von zwei Jahren Gefängniss (!!!), das
Stadtgericht sprach ein Jahr (!) aus (welches indess vom
Kammergericht in drei Monate verwandelt wurde). Zu seiner Vertheidigung hatte Heinsch angeführt, dass er das Lied
dem seit drei Jahren im Buchhandel befindlichen, bereits in der
4. Auflage erschienenen von mir herausgegebenen Liederbuche
entnomen habe und legte auch solch ein Liederbuch auf dem
Gerichtstische nieder. Da sagte Tessendorff, ich sei ein sehr
gefährlicher Mensch, mit welchem er nächstens ein „Hühnchen" pflücken werde. Er hatte dies so stark im Sinne
und konnte die Verwirklichung dieses seines Planes so wenig

10

ldig abwarten, dass er auch noch bei einer zweiten Gele-
eit, als Slauk einer kurzen Rede halber verurtheilt wurde,
dem Hühnchen zu sprechen für gut fand, dass er mit mir
ken werde. Nicht unbemerkt kann hier bleiben, dass bei
n beiden Anlässen dieselbe Deputation (die siebente) mit
gleichen drei Gerichtsräthen Sitzung hielt, vor welcher
ich später zu erscheinen hatte! — — —

Diese Hühnchenpflückergeschichte fiel mir nun freilich
genug ein, allein ich konnte sie wohl oder übel doch nur
Renomisterei halten; höchstens konnte wegen irgend einer
end meines Aufenthalts in Berlin von mir daselbst gehal-
1 Rede gegen mich Anklage erhoben worden sein. Ich
pitulirte meine Reden im Geiste, ich sann hin und her,
1 ich konnte beim besten Willen nicht entdecken, wie und
1 ich mich „vergangen" haben könnte.

Und wenn ich nun vollends in Betracht zog, dass man
1 verhaftete, sogar per *Telegramm* requirirte, was ja nur
anz besonders schweren Fällen zu geschehen pflegt, dann
le mir ganz „dumm im Kopfe". Aus meinem Haftbefehl
hervor, dass ich mich nach §§ 130 und 185 vergangen
n soll, aber dies waren ja leichte Vergehen und konnten
r mindestens meine Verhaftung nicht rechtfertigen. —

Ich drang daher zunächst darauf, dass mir die Gründe
ier Verhaftung mitgetheilt wurden, und siehe da, ich be-
sonderbare Dinge zu hören. Der Staatsanwalt Tessen-
f hatte angegeben, ich sei „ohne festen Wohnsitz, kein
ssischer Staatsangehöriger und schon so oft bestraft, dass
voraussichtlich meine freie Zeit nur dazu verwendete, neue
gehen zu begehen. (!!!)" Auf meine hiegegen erhobene
hwerde liess das Collegium zwar die beiden ersteren

11

Gründe ausser Acht—weil sie eben zu nichtig waren, klammerte sich aber desto fester an den letzteren an. Und dieser Haftgrund ist so reizend, dass jeder Staatsanwalt, besonders Tessendorff, es nur beklagen kann, dass nicht auch die Consequenzen davon durchgeführt werden können, denn diese bedeuteten meine lebenslängliche Internirung. Gewiss eine Götteridee! — Auf mein Drängen wurde bald ein Verhandlungstermin anberaumt und mir die Anklage publicirt, von welcher ich mir eine Abschrift geben liess. Dieses Aktenstück ist zu interessant, als dass ich es nicht verewigen sollte. Es lautet:

„Anklage

des Staatsanwalts bei dem Königl. Stadtgericht wider den Redakteur, s. Z. Reichstagsabgeordneten Johann Most, anscheinend ohne festen Wohnsitz" (!), 1846 am 5. Februar zu Augsburg geboren, 1871—1873 zu Chemnitz, von wo alsdann ausgewiesen und bereits nach dem vorliegenden Strafverzeichniss elfmal bestraft, darunter 1871 zu Wien wegen Hochverraths mit fünf Jahren schweren Kerker (begnadigt) und 9 Mal wegen Beleidigung bei dem Bezirksgericht zu Chemnitz in den Jahren 1871—1872, zuletzt 1872 im Dezember, eben dort wegen Majestätsbeleidigung, Beleidigung und Widerstands gegen die Staatsgewalt mit 6 Monaten Gefängniss.

Der Angeklagte, welcher zu den hervorragendsten Agitatoren der sozialdemokratischen Arbeiterpartei gehört, hat hier mehrere Reden strafbaren Inhalts gehalten.

I. In einer hier am 23. März d. J. abgehaltenen öffentlichen Versammlung der sozialdemokratischen Arbeiterpartei ·hielt

12

r eine Rede, in welcher er die Thaten der Pariser Commune erherrlichte, und unter Anderem Folgendes äusserte: „Die ommunards vertheidigten sich mit grösster Zähigkeit. Wei- er und Knaben bestiegen die Barrikaden und kämpften mit Ieldenmuth. Selbst nachdem der Kampf ausgetobt hatte, setz- en die Versailler das Hinschlachten fort und verübten die cheusslichsten Thaten durch ihre verthierten Soldknechte. Veiber entblössten die Brust, um das tödtliche Geschoss zu mpfangen, und riefen den Offizieren zu, dass sie sie bedauer- en wegen ihrer Sklavenrolle. Die Commune wurde niederge- chlagen; die Gefangenen wurden deportirt, und noch heute ind die Akten nicht abgeschlossen. Man glaube nicht, dass lurch dieses schreckliche Vorgehen die soziale Bewegung in ˜rankreich aus der Welt geschafft sei. Bald wird das Volk vieder zu seiner Kraft gelangt sein. Aus den Knochen der ˜efallenen müssen die Rächer erstehen. Es existirt keine Ar-)eiterfamilie in Paris, von der nicht ein Verwandter hingemor- let ist; alle werden das Gefühl der Rache in sich tragen, ine Generation wird heranwachsen, welche die Kraft haben vird, dem jetzigen Getriebe entgegen zu treten. Die Arbei- erbewegung wurzelt tief in den heutigen Verhältnissen und rstreckt sich bereits über die ganze kultivirte Welt. Sie flösst len Gegnern mit jedem Jahre mehr Furcht ein. Wir wollen iicht Rache, sonden auf friedlichem Wege Erreichung unseres ˜iels. Unsere Gegner haben es in der Hand; sie haben die Vahl; Reform oder Revolution. Wie sich die herrschenden ˜lassen verhalten, gut oder schlecht, so wird seiner Zeit die oziale Frage gelöst werden. Hat die Commune Fehler ge- nacht, so beklagen wir es. Warten wir ruhig ab, aber legen vir nicht die Hände in den Schooss. Trage Jeder zur Auf- :lärung des Proletariats bei, dass das Volk sozial-politisch

13

reif werde, und in dem Momente, wo für das Volk die Gelegenheit gekommen sein wird, seine Geschicke selbst zu leiten, diese Bewegung eine siegreiche sei."

„Was das Militär-Gesetz betrifft, so ist bekannt, dass Moltke geäussert, in der Kaserne werde dem Volke erst die rechte Erziehung gegeben. Für diese Erziehung bedanken wir uns schönstens. Das Drillsystem ist sehr gefährlich, weil der Geist des Menschen sehr eingeschränkt wird und das selbstständige Denken—wenige energische Charaktere ausgenommen—unterdrückt wird. In Betreff der allgemeinen Wehrpflicht ist aber zu bemerken, dass Zeiten kommen können, wo das Volk damit zufrieden sein kann, wenn ihm die Regierung gelehrt hat, mit den Waffen umzugehen . . . ."

II. In einer am 13. April dieses Jahres hier abgehaltenen öffentlichen Versammlung sprach er über das im Reichstag debattirte Militärgesetz und äusserte unter Anderem:

„Von seinem Standpunkt aus sei das stehende Heer eine nichtswürdige Institution, wodurch der Absolutismus unter allen Umständen aufrecht erhalten würde."

Demgemäss und da der Herr Kriegsminister den Strafantrag gestellt hat, wird der (!) Most angeklagt:

1. Am 23. März d. Js. hier in einer den öffentlichen Frieden gefährdenden Weise verschiedene Klassen der Bevölkerung (die Arbeiter—Besitzlosen—und die Besitzenden) zu Gewaltthätigkeiten gegen einander öffentlich angereizt zu haben.

2. Am 13. April hier die dem preussischen, als stehendem Heere angehörigen Militärpersonen in Bezug auf ihren Beruf öffentlich beleidigt zu haben, strafbar nach Paragraphen 130, 185, 196, 200 und 74 des Strafgesetzbuches.

14

Als Zeugen benenne ich:

   1. den Polizeilieutenant Hässler,
   2. den Polizeilieutenant Schultze.

Berlin, den 27. April 1874.

Der Staatsanwalt, (gez.) Tessendorff."

Der Gerichtshof und meine Verhandlung.

Auf Sonnabend, den 16. Mai, Mittags 12 Uhr, wurde mein Termin anberaumt. Da am gleichen Tage vor der nämlichen Deputation vor mir zwei andere politische Prozesse sich abspielen sollten (gegen Becker wegen Majestätsbeleidigung und gegen Kappell wegen „Communeverherrlichung", beides Mitglieder des Allgemeinen Deutschen Arbeitervereins), so war mir einleuchtend, dass ich erst spät vorkommen werde. Becker's Prozess wurde nun zwar vertagt, allein ich kam doch erst um 3 Uhr vor. Nichtdestoweniger wurde ich schon um 11 Uhr, als ich gerade mein Mittagbrod, das ich somit stehen lassen musste, verzehren wollte, aus meiner Zelle geholt und—wie dies in der Stadtvogtei üblich—nebst verschiedenen männlichen und weiblichen verkommenen Subjekten nach dem „Verhörgang" geführt, woselbst ich auf einer schmierigen Bank neben noch schmierigeren Jammergestalten über vier Stunden warten musste. So langweilig an und für sich diese Warterei war, so interessant war sie andererseits, indem sie mir Gelegenheit bot, recht mannigfaltige sociale Betrachtungen anzustellen.

Voll solcher Gedanken im Kopfe wurde ich plötzlich aufgerufen und in den Gerichtssaal geführt. Hier erblickte ich

15

im Zuschauerraum eine Anzahl bekannter Genossen, die mit mir freundliche Grüsse austauschten.

Zum xten Male wurde nun festgestellt, dass ich der und der sei, wobei ich zum wer weiss wie vielten Male zu bemerken hatte, dass ich immer als „katholisch" verzeichnet bin, trotzdem ich Atheist sei. Man glaube dazu berechtigt zu sein, weil ich noch nicht förmlich aus der Kirche ausgetreten, bedächte aber nicht, dass ich bewusst noch niemals eingetreten sei. Nachdem die Anklage verlesen war, bemerkte ich, dass ich die Aeusserung, welche ich über das stehende Heer gethan haben soll, ungeändert anerkennen wolle, indem mir deren Straflosigkeit vollkommen zweifellos sei. Nicht so ohne Weiteres könne ich aber über die andere Anklage hinweggehen. Da sei vor Allem zu bemerken, dass meinem Vortrage auch eine Aeusserung angefügt sei, die mit demselben in keinerlei Verbindung stehe, indem sie während einer allgemeinen Debatte über das Militärgesetz gefallen sei, weshalb ich Lostrennung dieses Passus beantragen müsse. Was meinen Vortrag selbst betreffe, so sei zu bemerken, dass dessen Wirkung und Inhalt nicht nach den einzelnen aus ihrem Zusammenhange gerissenen und willkürlich aneinander gereihten Sätzen, welche sich in der Anklage vorfinden, beurtheilt werden dürften, dass man vielmehr den ganzen Vortrag hören müsse. Desshalb wolle ich meinen Vortrag, dessen wesentlichsten Inhalt ich niedergeschrieben, vorlesen, der Polizeilieutenant Hässler könne ja dann sagen, ob ich so gesprochen habe oder nicht. Der Gerichtshof ging auf meinen Antrag ein. Nachdem der Polizeizeuge aufgerufen war und die üblichen Formfragen beantwortet hatte, verlas ich den Auszug aus meinem

16

Vortrag über die Pariser Commune.

„Revolutionen können nicht, wie Viele glauben, gemacht werden, sind vielmehr stets nur die Consequenzen vorausgegangener Ereignisse. Wenn man daher die Pariser Commune-Bewegung richtig beurtheilen und begreifen will, muss man genau nachsehen, was derselben vorherging. Da ist zunächst zu constatiren, dass die Idee der Commune, d. h. der Gemeindeautonomie, in Paris schon sehr frühzeitig sich bemerkbar machte und auch wiederholt sich verwirklicht hatte. Schon im Mittelalter, als einst fast ganz Frankreich unter englischer Invasion schmachtete, hatte sich Paris seine Unabhängigkeit erkämpft und über zwei Jahre bewahrt. Auch zur Zeit der ersten französischen Revolution spielte die Pariser Commune eine ganz hervorragende Rolle, indem der Gemeinderath von Paris lange Zeit tonangebend war. Es hatte also die „Commune", als sie im März 1871 proklamirt wurde, bereits eine Geschichte hinter sich und war der Einwohnerschaft von Paris eine bekannte und beliebte Sache. Ferner ist zu bemerken, dass seit Ende des vorigen Jahrhunderts sich in Frankreich eine ganze Reihe blutiger Revolutionen abspielte und dass die Arbeiterbewegung durch die Anmassungen verblendeter und rücksichtsloser Regierungen schon wiederholt vom friedlichen Wege ab und auf den der Gewalt hingedrängt wurde. Ganz besonders aber muss man sich vor Augen halten, von welchen Folgen für Frankreich und namentlich für Paris der deutsch-französische Krieg war. Der Staatsstreichs-Cäsar war gestürzt, die Republik also sich selbst wieder gegeben. Sofort machten sich aber verschiedene herrschsüchtige Parteien daran, im Trüben zu fischen. So lange der Krieg währte, liess sich dies das Volk gefallen, nach dem Kampfe jedoch begann es mehr und

17

mehr über das freche Cliquenwesen zu murren. Eine Nationalversammlung wurde ausgesprochenermassen in aller Eile nur behufs Herbeiführung des Friedensschlusses gewählt, anstatt aber nach Erfüllung dieser Mission abzutreten, masste sich die Nationalversammlung konstituirende Gewalt an, machte also einen neuen Staatsstreich. Kein Wunder, dass nun das Volk immer misstrauischer und unwilliger wurde. Und nun kam Schlag auf Schlag. Man dekapitalisirte Paris, indem man Versailles zum Sitze der Regierung und des gesetzgebenden Körpers bestimmte, wodurch die Pariser schwer verletzt, Viele auch materiell empfindlich geschädigt wurden. Dann setzte man die Mieth- und Wechselgesetze, welche während der Belagerung erlassen worden waren, ausser Kraft, ohne dass der Nothstand im Abnehmen war. Die Nationalgarde sollte aufgelöst und die Mannschaften entlassen werden, ohne dass für sie vorläufig ein anderes Unterkommen aufzufinden gewesen wäre. Gleichzeitig wollte man dem Volke die Waffen, die es mit eigenen Mitteln angeschafft hatte, abnehmen und die Gemeindefreiheiten der grossen Städte aufheben. Auch liessen die Debatten, welche in der Nationalversammlung gepflogen wurden, keinen Zweifel darüber aufkommen, dass es auf Octroyirung irgend eines Monarchen abgesehen war, dass die Republik verrathen und verkauft sei. Alle freisinnigen Elemente in Paris: Jakobiner und Freimaurer, Republikaner und Sozialisten, Arbeiter und Handwerker traten immer fester zusammen, um den kommenden Stürmen möglichst gewachsen zu sein. Die Nationalgarde wählte ein Central-Comitee und beauftragte dasselbe, ihre Interessen zu wahren. Noch immer dachte aber Niemand an den Ausbruch einer blutigen Revolution. Da auf einmal lässt Thiers bei Nacht und Nebel den Parisern ihre Kanonen fortnehmen und schlägt damit dem Fasse den Boden

18

aus. Die Nationalgardisten holen sich ihre Kanonen wieder zurück, wobei die Linie mit den Volkssoldaten fraternisirt. Bei diesem Anlasse wurden die beiden Generäle Clement Thomas und Lecomte, welche auf's Volk feuern lassen wollten, durch ihre eigenen Truppen gelyncht und nicht, wie lügnerischer Weise behauptet wurde, auf Befehl des Centralcomitees „ermordet". So ist Paris, es weiss nicht wie, in seine eigene Gewalt gegeben. Die sogenannte „Ordnungspartei" versucht es zwar, eine Demonstration zu Gunsten der Versailler Regierung zu veranstalten, macht aber schmählich Fiasko. Das Centralcomitee der Nationalgarde, welches nun eigentlich die Gewalt in Händen hatte, behält dieselbe nicht, sondern legt sie in die Hände der Gesammtbevölkerung, indem es bewirkt, dass schleunigst ein Gemeinderath gewählt wird: die Pariser Commune wird proklamirt! — Aus ihrer Mitte ging später eine Exekutivkommission hervor, welche gleichsam die Regierung von Paris bildete. Nun bestand aber die Mehrheit dieser Gemeindevertreter nicht etwa, wie vielfach irrthümlicher Weise angenommen wird, aus Socialdemokraten, wohl aber aus ehrlichen Republikanern, während freilich eine nicht unbedeutende Minorität aus Socialisten bestand, die aber verschiedenen Schulen angehörten. Unter solchen Umständen wäre, im Falle die Commune gesiegt hätte, nicht an eine Umgestaltung der Gesellschaft im Sinne des Sozialismus zu denken gewesen, wie ja überhaupt die ökonomische Entwickelung in Frankreich noch nicht so weit gediehen ist, dass eine derartige Umgestaltung möglich wäre. Wohl aber wäre dann jedenfalls aus Frankreich eine radikale Republik gemacht worden und dies hätte für die Sache der Sozialdemokratie insofern Werth gehabt, als sich dieselbe in einem solchen Gemeindewesen freier entfalten und ausbreiten kann als in einer Monarchie. (So

19

dachte ich wenigstens damals.) Welch' einen gemässigten Charakter die Commune hatte, ist am deutlichsten ersichtlich aus den höchst zahmen Forderungen, welche sie an die Versailler stellte. Sie verlangte, dass die Nationalversammlung sich auflöse und Neuwahlen anordne, dass die Gemeindefreiheiten der grossen Städte respektirt werden, dass man die Nationalgarde fortbestehen lasse und dass die Aufhebung der Nothstandsgesetze wieder zurückgenommen werde. — Die Antwort hierauf war: „Mit Rebellen werde nicht unterhandelt und die Pariser hätten sich auf Gnade und Ungnade zu ergeben." Eine Regierung, die ihre Existenz nur einem Staatsstreich verdankte und im Begriffe stand, die Volksfreiheiten an irgend einen Thronprätendenten zu verrathen, spricht von „Rebellen!" — —

„So war denn der Kampf unvermeidlich geworden. Zwe' Monate lang tobte der Streit—grösstentheils auf dem zwischen Paris und Versailles gelegenen Terrain, ohne dass eine der streitenden Parteien einen wesentlichen Vortheil zu erlangen vermocht hätte. Schon bei diesen Kämpfen offenbarten die Versailler ihre Grausamkeit. Alle Gefangenen, die sie machten, liessen sie—allem bisherigen Kriegsgebrauch entgegen — schonungslos niedermetzeln. Die Commune duldete aber nicht, dass Gleiches mit Gleichem vergolten wurde, nahm vielmehr nur Geiseln, die obendrein aus Personen bestanden, welche der Spionage verdächtig waren. Einschaltend muss hier bemerkt werden, dass das Geiselnehmen ein Kriegsmittel ist, welches z. B. im letzten Kriege von den Deutschen sehr häufig angewendet wurde, wenn die Truppen Gefahren ausgesetzt waren. Oft drohte die Commune, sie wolle die Geiseln erschiessen lassen, aber sie liess diese Drohungen trotz aller Erfolglosigkeit derselben immer unausgeführt. Als die Geiseln später doch er-

20

schossen wurden, da existirte die Commune gar nicht mehr, hatte sich vielmehr etliche Tage vorher schon aufgelöst. Diese Erschiessungen wurden vollzogen von einzelnen Gruppen Kämpfender, nachdem in den Strassen von Paris bereits drei Tage lang furchtbar gewüthet worden war, so dass angenommen werden darf, dass die Betreffenden, welche die Füsiladen ausübten, von wilder Verzweiflung erfasst waren. — Dass die Commune keine Schreckensregierung war, bekundete sie unter Anderem auch dadurch, dass sie die Guillotine öffentlich verbrennen liess und somit ihren Abscheu gegen die Todesstrafe an den Tag legte. Für die Arbeiter-Interessen war die Commune insofern eingetreten, als sie die Nachtarbeit der Bäcker abschaffte und eine Commission einsetzte, welche Mittel und Wege ausfindig zu machen hatte, wodurch die stillstehenden Etablissements in Betrieb gesetzt und an Arbeiter-Produktiv-Genossenschaften unter demokratischen Garantien abgegeben werden konnten, wie auch, auf welche Weise man sich mit den früheren Besitzern abfinden wolle. Um die allgemeine Volksbildung zu heben, wurde die Schule von der Kirche getrennt und obligatorischer, unentgeltlicher Unterricht eingeführt. Klösterlicher Unfug wurde untersagt und die todtdaliegenden Schätze der Kiche nach der Münze gebracht, wo man sie später, nachdem man in die Welt hineingelogen hatte, sie seien gestohlen worden, wohlverwahrt vorfand. Ebenso rührte man die vielen Millionen, welche auf der Bank lagen, nicht an, sondern liess derselben sogar kräftigen Schutz angedeihen. Die Selbstlosigkeit der Mitglieder der Commune geht auch schon aus dem Umstande hervor, dass sich keines mehr Gehalt zahlen liess, als ihrem früheren Einkommen entsprach, und jährlich 6000 Frcs. wurden als Maximum für die obersten Beamten festgesetzt. Eine Handlung hat der Com-

21

mune ganz besonders lebhafte Vorwürfe zugezogen, ich meine die Niederwerfung der Vendomesäule. Man mag Recht haben, wenn man sagt, die Commune hätte sich zu einer so bewegten Zeit nicht mit einer so untergeordneten Angelegenheit befassen sollen, aber sie dieserhalb zu schmähen, dazu hat man keine Ursache, am wenigsten die Deutschen, war doch die Vendomesäule ein Denkmal nationaler Ueberhebung und ein Hohn anderen Völkern gegenüber. Und in der That wollten die Deutschen, welche im Jahre 1814 siegreich in Paris einzogen, diese Säule umwerfen, hatten aber kein Geschick dazu. Durch das Niederlegen der Vendomesäule wollte die Commune einerseits beweisen, dass sie sich frei fühle von nationalem Dünkel und nicht erinnert sein wolle an die Bekriegung und Unterjochung anderer Völker, gegen welche sie die brüderlichsten Gesinnungen hegte, und andererseits wollte sie hiedurch sich eines Denkmals entledigen, das sie an den Bonapartismus erinnerte, der so namenloses Unglück über Frankreich gebracht hatte. — So steht es um die Handlungen der Pariser Commune, während man in der Presse ausstreute, es herrsche der reinste Hexensabbath, welche Wuth freilich begreiflich ist, wenn man bedenkt, dass die Armee der Versailler so gut wie vergeblich sich den Eintritt in die Stadt zu erzwingen suchte. Endlich fanden zu Frankfurt a. M. die bekannten Abmachungen zwischen Jules Favre und Bismarck statt, nach welchen ein Theil der französischen Kriegsgefangenen (Garde, Zuaven, Turkos und dergl.) den Versaillern ausgeliefert, die Vergrösserung ihrer Armee erlaubt und erobertes Kriegsmaterial an sie zurückverkauft wurde. Auch liess man die Vesailler Armee durch die deutschen Linien passiren, so dass sie von einer Seite aus in Paris eindringen konnte, wo sie die Pariser nicht vermutheten und also auch auf keinen An-

22

griff vorbereitet waren.—Und nun begann ein Morden, wie es beispiellos in der Geschichte dasteht. Neun Tage lang wurde Alles, was sich in den kampfdurchtobten Strassen zeigte— Männer, Weiber und Kinder — niedergemetzelt. Um solche Scheusslichkeiten der verthierten Soldateska der Versailler Regierung einigermassen zu rechtfertiegn, liess letztere die Mähr aussprengen, die Communalisten hätten halb Paris in Flammen gesteckt. Bald nach dem Kampfe wurde aber durch die englische Presse konstatirt, dass nur aus militärischen Gründen und zwar beiderseitig im Ganzen etwa 200 Häuser in Brand geschossen, oder angesteckt worden seien. Es lässt sich auch leicht denken, dass in einem solch' fürchterlichen Moment Niemand Zeit und Hang zu muthwilligen Brandstiftungen haben wird. Es wird damit auch das Petroleummärchen in seine natürlichen Grenzen zurückgewiesen; mit den Zerstörungen der Kunstwerke des Louvre verhält es sich ebenso. Alles wurde später unversehrt vorgefunden.—So weit es bis jetzt bekannt geworden, sind in diesen schrecklichen Tagen ca. 30,000 Menschen hingeschlachtet worden! — — Selbst nach dem Kampfe wurde noch fortgewüthet, indem die Gefangenen truppweise zusammengeschossen wurden. Wo man das Chassepot nicht für ausreichend fand, wendete man sogar Mitrailleusen an. — — Es ist unmöglich *alle* die haarsträubenden Scenen, welche sich zutrugen, zu schildern, ich will daher nur einige Einzelnheiten hervorheben. In einer Gensdarmeriekaserne wurde drei Tage lang im Hofe gemetzelt, so dass über dem Lärm, welcher hier herrschte, Leute, welche vier bis fünf Häuser weit wohnten, wahnsinnig geworden sind. *Milliere*, den die Versailler Regierung seiner schriftstellerischen Thätigkeit halber hasste, der aber ganz besonders bei Jules Favre schwarz angeschrieben war, weil er (Milliere) manch'

23

artiges Stücklein von ihm (Favre) zu erzählen wusste, wurde, obgleich er sich am Kampfe gar nicht aktiv betheiligt hatte, verhaftet und auf Befehl eines Offiziers erschossen. Man wollte sogar haben, er solle niederknieen und als er dies nicht that, *warf* man ihn auf die Knie. Er starb mit dem Rufe: *Es lebe die Menschheit!* — — Ein bonapartistischer General, Marquis de Gallifet, trieb die Frechheit so weit, zur Tyrannei auch noch den Hohn zu paaren. Wenn ihm ein Trupp Gefangener begegnete, kommandirte er Halt und rief: „Jetzt will ich auch mein 93 haben!" zählte 93 Gefangene ab, liess sie bei Seite treten und so lange auf sie feuern, bis sie todt waren. — — Aber mit der Gefahr wächst der Muth. Hatten die Communalisten gekämpft wie die Löwen — selbst Weiber und Knaben hatten mitunter die Barrikaden erstiegen, — so starben sie auch unter Henkershand mit stolzem Selbstbewusstsein in den Blicken und ungebeugtem Trotze auf den Lippen. Alle, Alle starben unter den Rufen: Es lebe die Repubik! Es lebe die Commune! Weiber entblössten mitunter ihre Brust, um das tödtliche Geschoss zu empfangen und schleuderten noch sterbend ein Wort des Mitleids oder der Verachtung den komandirenden Offizieren entgegen. Die Commune hat man niddergeschlagen, die Kämpfer massakrirt und, als sich die blutberauschten Soldknechte mattgewüthet hatten, die Ueberlebenden zu Tausenden in die Kerker geworfen. Auf der Ebene von Satory wird gestandrechtelt und ganze Schiffsladungen voll Communards werden deportirt, der trockenen Guillotine überliefert — und heute noch sind die Akten nicht abgeschlossen. Aber aus den Knochen der Gefallenen werden die Rächer erstehen — und es wird die schönste Rache sein, wenn dereinst die Widersacher des Socialismus neben den Förderern desselben leben und sich wohlbefinden müssen. In ganz

24

aris existirt kaum eine Arbeiterfamilie, von der nicht ein Ver-
andter gefallen wäre, oder die nicht sonstwie Schaden gelit-
n hätte, und es werden daher Alle mit den Anhängern der
ommune sympathisiren, gegen ihre Gegner aber mit Rache
rfüllt sein. Es wird sich bald zeigen, dass man durch solche
ewaltakte den Republikanismus und Socialismus in Frank-
ich nicht abzutödten vermag. Vielleicht ist es gerade Frank-
eich, wo sich die socialistische Idee zuerst verwirklicht, denn
)ruck erzeugt Gegendruck. Die Arbeiterbewegung wurzelt
ef in den heutigen Verhältnissen und erstreckt sich bereits
ber die ganze kultivirte Welt. Sie flösst den Gegnern mit je-
em Jahre mehr Furcht ein, ein Beweis, dass sich die sociale
'rage oben nicht mehr hinwegleugnen lässt, sondern gelöst
verden muss. Es liegt aber ganz in der Hand der herrschen-
len Klassen, wie diese Lösung sich seiner Zeit vollziehen soll.
ie haben die Wahl zwischen Reform und Revolution. Wir
önnen keines von beiden machen, aber auch keines von beiden
erhüten, denn wir haben nicht die Macht, der Weltgeschichte
hre Wege vorzuzeichnen. Warten wir die Entwicklung der
)inge ruhig ab, aber legen wir nicht die Hände in den Schooss!
rage ein Jeder, so viel in seinen Kräften steht, zur Aufklä-
ung des Proletariats bei, damit das Volk nach und nach social-
olitisch reif werde und, wenn sich ihm einmal Gelegenheit bie-
et, seine Geschicke selbst zu leiten, die betreffende Bewegung
ine siegreiche sei." —

„Dies", setzte ich, nachdem ich zu Ende gelesen hatte,
inzu, „ist das Wesentlichste meines Vortrags, und ich bin entschlossen, Satz für Satz hier und vor der ganzen Welt zu vertheidigen."

Nachdem der Polizeilieutenant unter seinem Diensteide bestätigt hatte, dass ich meinen Vortrag wahrheitsgetreu wieder-

25

gegeben, beantragte der Vertheidiger, dass das Schriftstück zu
den Akten gelegt werde, was auch geschah. Sodann folgte:

Das Plaidoyer des Staatsanwalts.

„Ich glaube, sagte er, das sich der Angeklagte mit dem
Vorlesen seines Vortrages wenig genützt hat. Ein solcher
Vortrag von einem solchen Redner soll nicht anreizen? Gewiss reizt das an! Was wollte denn die Comune? Es war ja
in Frankreich Republik. Aber freilich, sie wollte ja die socialdemokratische, oder wie der Angeklagte sich ausdrückt, die
radikale Republik. Der Angeklagte behauptet, es sei gar keine
reine Proletarier-Revolution gewesen. Allerdings haben sich
auch andere Elemente zugesellt, aber lauter solche, die mit keinem geordneten Zustande zufrieden sind. Beisitzende waren
höchstens soweit vertreten, als sie aus Paris nicht heraus konnten. Und da spricht der Angeklagte von „verthierten Sold-
knechten" und droht mit Rache! Und damit Niemand glaube,
er spreche bloss von den französischen Machthabern, betont er
ausdrücklich die „herrschenden Klassen" im Allgemeinen und
erklärt, dass sich die Arbeiterbewegung über die ganze Welt
ausdehne. Welcher Art diese Arbeiterbewegung ist, hebt er
auch hervor, indem er sagt, dass sie „den Gegnern" mit jedem
Jahre „mehr Furcht" einjage. Damit aber gar kein Zweifel
in dieser Hinsicht herrsche, kündigt er eine Revolution an,
wenn man sich nicht zu einer Reform im Sinne der Socialdemokratie verstehe. Ja, er macht zuletzt, wo er vom Militärgesetz spricht, nochmals eine ziemlich verständliche Andeu-
tung. Er sagt da, es können Zeiten kommen, wo das Volk froh
sein könne, wenn ihm die Regierung das Handhaben der Waf-

26

en gelehrt habe. Der Angeklagte mag zwar, wie er sagt, die-
en Vortrag „vor der ganzen Welt" vertheidigen, vor einem
preussischen Gerichte vermag er dies gewiss nicht zu thun.
Wir haben ja bereits gesehen, welche Wirkung der Vortrag
gehabt hat. Kaum war derselbe beendet, so springt ein gewis-
er Slauk auf die Tribüne und schreit: „Jawohl, so muss es
gemacht werden; Krieg den Palästen, Friede den Hütten!" Es
kann überhaupt gar nicht ärger angereizt werden, als es der
Angeklagte gethan. Weiter hat der Angeklagte sich eine Beeidigung schwerster Art zu Schulden kommen lassen, indem
er das ganze stehende Heer, also auch das preussische, eine
nichtswürdige Institution genannt hat, die nur zur Aufrechter-
haltung des Absolutismus da sei. Es wird dem Angeklagten
wohl nicht unbekannt sein, dass wir in Deutschland nirgends
mehr Absolutismus haben, mithin wird ihm auch die Schwere
seiner Beleidigung nicht unbewusst sein. Wenn Jemand z. B.
sagen würde, die Staatsanwaltschaft sei eine nichtswürdige Institution, durch welche nur die Sozialdemokratie unterdrückt
werden soll, so würde gewiss der Justizminister Strafantrag
stellen und das Gericht würde den Betreffenden mit schwerer
Strafe belegen. Freilich, erklärlich ist es, dass ein Sozialdemo-
krat auf das stehende Heer nicht gut zu sprechen ist, da es
doch das grösste Hindernis gegen die Verwirklichung seiner
Pläne ist. Man darf nur sich ins Gedächtniss rufen, welchen
Antrag die Sozialdemokraten im Reichstag gestellt haben.
18,000 Mann stark sollte das Heer sein und selbstgewählte
Führer haben. Jedenfalls dachten die Antragsteller, dass nun
diese Armee unter ihre und der übrigen Parteiführer Leitung
gestellt und so das geeignetste Instrument sein werde, die allgemeine socialdemokratische Glückseligkeit herbeizuführen. Sie
schielen ja auch bei jeder Gelegenheit nach der Armee hin und

27

einer ihrer Vertreter im Reichstag hat die Bemerkung gemacht, auch in der Kaserne befänden sich ihre Anhänger. Nun, die Disziplin und unsere Offiziere werden schon für die geeigneten Gegenmittel zu sorgen wissen. Genug, hier liegt eine ganz schwere Beleidigung vor, eine Beleidigung einer Körperschaft, welcher die angesehensten und hochgestelltesten Personen angehören. Das Strafgesetzbuch schreibt Gefängniss bis zu einem Jahre vor und die letztere Strafe scheint mir nur allein die angemessene zu sein. Bezüglich des Vortrags über die Commune ist noch hervorzuheben, dass der Angeklagte Reichstagsabgeordneter ist und nichts Eiligeres zu thun hatte, als hier vor seinen Parteigenossen die Thaten der Pariser Commune zu verherrlichen und zur Rache anzuspornen. Darauf gibt es nur eine Antwort: *Zwei Jahre Gefängniss!*— Beim Zusammenziehen der beiden Strafen kommt dem Angeklagten das Gesetz zugute und es erscheint mir eine Gesammtstrafe von 2 Jahren und 6 Monaten angemessen zu sein. — — Bei den vielen Vorbestrafungen des Angeklagten kann eine solche Strafe sicher nicht zu hoch erscheinen." — —

Nach diesem allerliebsten Spruch ergriff ich das Wort zu meiner

Vertheidigung.

„Meine Herren Richter! Zunächst habe ich einige Stellen, welche sich Eingangs der Anklageschrift vorfinden, ein wenig zu beleuchten. Da heisst es, ich sei „anscheinend ohne festen Wohnsitz," d. h. also, ich führe ein zigeunerartiges Leben. In Wirklichkeit besitze ich aber in Mainz eine Jahreswohnung und bin Redakteur einer dort erscheinenden Zeitung. Dies kann auch dem Staatsanwalt nicht unbekannt gewesen

28

sein, denn er liess mich noch am gleichen Tage, an welchem er seine Anklage wider mich erhob, *per Telegramm* in Mainz verhaften. Weiter ist in der Anklageschrift hervorgehoben, dass ich „einer der hervorragendsten Agitatoren der socialdemokratischen Arbeiterpartei" sei. Ich halte aber eine solche Hervorhebung für durchaus unstatthaft. Der Staatsanwalt denkt·wohl auch wie Göthe, der da sagt: „Ein Kerl, den viele Menschen hassen, der muss was sein!" Ich will aber nichts sein, als ein Arbeiter, der nach seiner Ueberzeugung handelt und seine Pflicht und Schuldigkeit thut. Ausserdem ist zu bemerken, dass die sogenannte öffentliche Meinung den Socialdemokraten keineswegs günstig ist, so dass sich der Hinweis auf meine Agitatorschaft nur dazu eignen kann, Voreingenommenheit gegen mich zu erzeugen, und hiegegen muss ich mich entschieden verwahren. Vor Gericht soll die *Sache* geprüft werden *ohne Ansehen der Person*. Ob ich socialdemokratischer Agitator, ob ich reaktionärer Demagog, ob ich Indolenter, ob X oder Y bin, darum hat sich die Staatsanwaltschaft nicht zu kümmern. Wieso es kommt, dass ich hier stehe, kann ich mir einigermassen denken, wenn ich mir vor Augen halte, dass an dieser Stelle schon zu einer Zeit, wo ich in Berlin noch gar nie gewirkt hatte, angekündigt wurde, dass man „mit mir bald ein *Hühnchen rupfen werde*", allein das *Wie*, die Art und Weise dieser Hühnchenrupferei, das Objekt der Anklage, will mir durchaus nicht einleuchten. — Nun habe ich noch einige Irrthümer zu berichtigen, in welche die Staatsanwaltschaft verfallen ist. Sie führt an, dass Slauk durch meine Anreizung dazu verleitet worden sei, gleichfalls sich aufreizende Aeusserungen zu erlauben. Was aber Slauk sagte, ist nicht auf dem Boden meines Vortrags gewachsen, sondern viel älteren Ursprungs. Als nämlich vor drei Jahren im Reichstag von der

29

Commune die Rede war, da meinte *Bismarck*, verstehen Sie, meine Herren, *Bismarck!*, die Idee, für welche die Commune kämpfe, berge einen ganz gesunden Kern in sich; derselbe lasse sich etwa dem zur Seite stellen, was wir preussische Städteordnung nennen. Hierauf entgegnete nun Bebel, dass die Commune denn doch für ganz andere Dinge kämpfe, als die preussische Städteordnung sei, denn diese wäre wahrlich keinen Schuss Pulver werth. Schliesslich sprach er sich ähnlich aus wie Slauk und ich dachte, der letztere werde wohl den betreffenden Satz aus Bebel's Rede citirt haben. Dies anzunehmen, bin ich umso geneigter, als bei beiden Reden der Schlussatz vorkommt: „Krieg den Palästen, Friede den Hütten!" welcher Satz citirt ist aus dem schon 1846 von Engels herausgegebenen Werke „Die Lage der arbeitenden Klassen in England." — Auch insofern irrt sich der Staatsanwalt, als er glaubt, das stehende Heer sei uns gegenüber der erste Stein des Anstosses. Wir sind vielmehr überzeugt, dass der heutige Staat gerade am stehenden Heere zu Grunde gehen wird. Wir sehen die Zeit kommen, wo die heutigen Staaten dauernd überschuldet sein werden, dass sie, gleichwie sich 1789 in der äussersten Noth der damalige Feudalstadt Frankreich an die bürgerlichen Klassen wandte, sich ans arbeitende Volk wenden werden—ob mit Erfolg, wird sich dann zeigen. Auf meinen Vortrag über die Pariser Commune übergehend, bemerke ich nochmals, dass derselbe nicht nach den in der Anklage zusammengestellten Sätzen beurtheilt werden darf, wenn man ihn richtig taxiren will, dass vielmehr sein ganzer Wortlaut ins Auge gefasst werden muss, wie er sich nunmehr bei den Akten befindet. Einen *strafbaren* Inhalt kann ich indess auch den *einzelnen* Sätzen, welche inkriminirt sind, nicht entnehmen, wesshalb ich auch dieselben nun einigermassen zerglie-

30

275

dern will. Da heisst es in der Anklage, ich hätte die Thaten der Commune *verherrlicht*. Was für Thaten denn? Der Staatsanwalt denkt wohl auch wie so Mancher, der nur reaktionäre Blätter liest, wenn er von der Commune spricht, nur an Raub- und Mordbrennergeschichten! Ich glaube durch meinen Vortrag gezeigt zu haben, dass hiezu keine Ursache vorhanden ist. Auch habe ich über die „Thaten" nur einfach referirt, gelobt, was mir lobenswerth erschien, und getadelt, wo ich eine Rüge für angebracht hielt. Besonders bemühte ich mich, lächerliche Märchen und freche Lügen zurückzuweisen. Von einer „Verherrlichung" ist sonach nirgends eine Spur zu sehen. Ausserdem weiss ich nicht, was sich die deutschen Behörden darum zu kümmern hätten, wenn ich wirklich die Handlungen der Gegner einer jeweiligen *französischen* Regierung verherrlicht hätte. Ich muss gestehen, ich gehe ungern auf Weiteres ein, weil ich Alles, was in der Anklage gesagt ist, für so hinfällig halte, dass es ohne viel Redens sofort in die Augen springen muss. Da aber der Kampf mit solchen Waffen wider mich einmal eröffnet ist, so will ich mich doch auf einige Vertheidigung verlegen. Ich hebe also nochmals hervor, dass der Commune-Aufstand gar keine reine Proletarier-Revolution war, dass sich vielmehr Angehörige *aller* Bevölkerungsklassen daran betheiligt hatten. Und wenn der Staatsanwalt meint, es seien eben nur insoweit Besitzende zu jener Zeit in Paris gewesen, als sie nicht heraus konnten, so irrt es eben abermals. Denn es waren selbst unter den Mitgliedern der Commune Kapitalisten, wie z. B. Beslay; andere Mitglieder waren zwar Republikaner, aber Gegner des Socialismus und ihrer gesellschaftlichen Stellung nach auch nicht zu den Besitzlosen gehörig, wie z. B. *Delescluze, Felix Pyat* usw. — Es ist auch nicht wohlgethan, wenn man, wie der Staatsanwalt die Commune eo ipso als eine

31

verwerfliche, verbrecherische Körperschaft auffast. Die Versailler Nationalversammlung und Regierung, welche notorisch nur behufs Entscheidung über Krieg und Frieden gewählt waren, hatten, indem sie sich constituirende Gewalt anmassten und gegen den Willen ihrer Mandatgeber amtirten, einen Staatsstreich in aller Form gemacht. Die Commune hingegen handelte nur im Auftrage der Einwohner von Paris, das sich den monarchistischen Verschwörungsplänen in den Weg stellte. Es ist also sehr die Frage, welche der beiden einander bekämpfenden öffentlichen Gewalten mehr Existenzberechtigung hatte; mindestens war die Commune ebenso legitim als die Versailler Nationalversammlung. Dies vorausgeschickt, wird es mir leicht, die einzelnen Punkte der Anklage anzugreifen. Da hebt die Staatsanwaltschaft zunächst hervor, wie ich die heldenmüthige Vertheidigung der Communards geschildert, und doch liegt die Wahrheit meiner diesbezüglichen Behauptungen auf der Hand. Wenn die Anhänger der Commune keinen Heldenmuth gehabt hätten, dann würden sie nicht neun Tage lang gekämpft haben, sondern wären gewiss schon am ersten Tage davongelaufen. Auch ist es erklärlich, dass jeder Communard, nachdem er wahrgenommen, dass die Versailler Soldateska Alles niedergemetzelt, sich seiner Haut zu wehren suchte, so lange es nur denkbar war. Auch die von mir beliebte Schilderung der Strassenschlächtereien während des Kampfes und die Massakres nach demselben, wie sie durch die Versailler veranstaltet worden waren, scheint dem Staatsanwalt nicht anzustehen, weil er diesbezügliche Sätze in seine Anklage aufgenommen hat. Was ich darauf sagen soll, weiss ich wahrhaftig nicht, denn mir will es ein für allemal nicht einleuchten, wieso derartige Dinge vor einen deutschen Gerichtshof gehören. Genau so denke ich dem nun folgenden Satze gegenüber, der gar *unterstrichen* ist.

32

Wenn ich prophezeie, dass aus den Knochen der Gefallenen die Rächer auferstehen werden, so ist damit doch kein Mensch *in Deutschland* bedroht. Wenn ich wirklich die Rache im unedelsten Sinne des Wortes im Auge gehabt hätte — und der Wortlaut meines Vortrags beweist das Gegentheil — so könnte doch nur an Denen Rache ausgeübt werden sollen, die am Tode der Gefallenen schuld sind, also wieder nur an Franzosen. Und wenn ich später vorhersage, dass eine Generation heranwachsen werde, die stark genug sein dürfte, dem jetzigen Getriebe entgegenzutreten, so habe ich damit nicht nur nichts Strafbares, sondern etwas ganz Selbstverständliches gesagt. Jeder vernünftige Mensch wird einsehen, dass dem jetzigen Treiben in Frankreich, wo drei, vier Parteien ihre Hände nach einer Königskrone ausstrecken, allerdings je eher je besser ein Ende gemacht werden muss, und dass dies das Volk auch so bald als möglich thun wird. Wieso aber die Staatsanwaltschaft dazu kommt, auch die Stelle anzustreichen, wo es heisst, dass die Arbeiterbewegung sich über die ganze kultivirte Welt erstrecke und tief in den heutigen Verhältnissen wurzle, ist mir ein Mysterium. Einestheils wollte ich damit konstatiren, dass unter solchen Umständen das Beginnen der gegenwärtigen Regierung Frankreichs ein nutzloses sein müsste, anderntheils schwenkte ich mit diesem Satze hinüber auf die „Moral von der Geschichte", mit der ich meinen Vortrag abschliessen wollte. Nun kommt da gleich darauf eine Stelle, wo davon die Rede ist, „dass die Arbeiterbewegung ihren Gegnern *Furcht* einflösse" und dies scheint der Staatsanwaltschaft abermals gefährlich gewesen zu sein. Nun ist es aber doch nicht meine Schuld, wenn sich die Gegner der Arbeiterbewegung vor derselben fürchten; ich konstatire ja nur diesen Umstand, um zu zeigen, zu welcher Bedeutung diese Bewegung bereits ge-

33

langt ist. Und da es später heisst, es liege in der Wahl unserer Gegner, ob die sociale Frage auf dem Wege der Reform oder dem der Revolution gelöst werde, so scheint die Staatsanwaltschaft hieraus den Beweis der Anreizung zu Gewaltthätigkeiten hinlänglich hervorzaubern zu können. Sie sieht eben nichts als lauter Revolution, Petroleum, Mord, Brand und sonstige rothe Gespenster. . . . Es ist, wie ich in meinem Vortrage gesagt habe: die sociale Frage ist da und muss gelöst werden, und die Arbeiterbewegung wurzelt tief in den heutigen Verhältnissen. Da Letzteres meist gerne zu leugnen gesucht wird, so will ich es kurz begründen. Alle unsere Verhältnisse tragen den Stempel des Kapitalismus, welcher sich durch beständige Concentration der Werthe, der vorgethanen Arbeit, zur Geltung bringt. Die Grossindustrie verdrängt den Kleinbetrieb, die kleineren Kapitalisten werden von den grösseren aufgezehrt, und so entstehen nach und nach auf der einen Seite immer weniger und dafür desto reichere Grossproducenten und · auf der andern Seite immer mehr besitzlose Proletarier, die gezwungen sind, ihre Arbeitskraft gegen Lohn ausbeuten zu lassen, gegen einen Lohn, der vermöge des Gesetzes der Konkurrenz nur knapp zur Befriedigung der nothwendigsten Lebensbedürfnisse ausreicht, während ein grosser Theil ihres Arbeitsertrags Denen zufliesst, an die sie sich vermiethen. Diese Zustände werden sich immer schroffer gestalten, so dass die grössten Gefahren für die ganze Gesellschaft, ja selbst deren Untergang, daraus entspringen kann. Gelingt die totale Knechtung der Volksmassen, so muss die Folge davon sein, dass dieselben physisch und geistig allmälig verwildern, und es stehen früher oder später Empörungen des Volks zu erwarten. Darum wird den Gegnern der Arbeiter Reform angerathen in meinem Vortrag, und darum rufe ich meinen Parteigenossen

34

zu, sie möchten zur Aufklärung des Proletariats ihr Möglich·
stes beitragen. Und deshalb sollte ich bestraft werden? . . . .
Was ich da gelegentlich einer Debatte über das Militärgesetz
sagte, ist wirklich sehr harmlos. Für meine Behauptung, dass
durch das Drillsystem der menschliche Geist zu Grunde gerichtet wird, sprechen eine Menge Thatsachen. Ich erinnere nur daran, dass sich Rekruten die Nasenspitzen verbrennen liessen,
dass sich Soldaten vor der Front auf Kommando gegenseitig
ohrfeigten, dass Soldaten auf Befehl betrunkener Offiziere
ruhig Civilpersonen durchprügelten etc. Solche Dinge könnten nicht vorkommen, wenn bei den Betreffenden das selbstständige Denken nicht aufgehört hätte. Die Worte des
Schlusssatzes sind auch ganz unverfänglich. Wenn da gesagt
ist, dass Zeiten kommen können, wo das Volk der Regierung
danken wird, dass sie ihm das Handhaben der Waffen gelehrt
habe, so lässt sich daraus Allerlei, aber nichts Bestimmtes folgern. Ueber das von der Staatsanwaltschaft beantragte Straf-
mass will ich kein Wort verlieren, denn man ist nachgerade gewöhnt, von hier aus in dieser Hinsicht die absonderlichsten
Dinge zu hören. Ich glaube die ganze Anklage hinlänglich in
ihr Nichts aufgelöst zu haben, und wenn in Berlin noch der
Wahlspruch gelten sollte, „fiat justitia, pereat mundus!" —
dann erwarte ich mit Zuversicht meine Freisprechung."

Das Urtheil.

Sodann bemerkte der Präsident, dass das Urtheil am 19.
Mai verkündet werde und damit war die Sitzung geschlossen.

Ehe ich nun das mir in Abschrift zugestellte Urtheil an-
führe, bemerke ich, dass die mündliche Urtheilspublikation in

manchen Stücken wesentlich davon abwich. So führte z. B.
der Präsident an, dass als ganz besonders erschwerender
Grund meine persönliche Stellung als Reichstagsabgeordneter,
nach welcher ich officieller Vertreter der Socialdemokratie sei,
aufgefasst wurde, weshalb jedes meiner Worte von doppeltem
Gewichte sei!!! — — — Im schriftlichen Urtheil war hiervon
keine Silbe enthalten! — —

Auf meinen Antrag bezüglich meiner Freilassung, den ich
nach der mündlichen Mittheilung des Urtheils sofort stellte,
liess sich der Gerichtshof nicht ein, verwies mich vielmehr an
den Sekretär des Hauses. Die folgenden Tage wurde ich von
X an Y verwiesen und es dauerte gerade acht Tage, bis ich im
Stande war, meinen Antrag auf Freilassung einzubringen.
Hier mag nun das Urtheil einen Platz finden.

„Im Namen des Königs!

In der Untersuchungssache wider den Redakteur, Johann
Joseph Most hat das Königl. Stadtgericht zu Berlin, Abtheilung für Untersuchungs-Sachen, Deputation VII für Vergehen,
in seiner öffentlichen Sitzung vom 19. Mai 1874, an welcher
Theil genommen haben:

Reich, Stadtgerichtsdirektor, als Vorsitzender,

v. Ossowsky, Stadtgerichtsrath, als Beisitzer,

Giersch, Stadtrichter, als Beisitzer,

der mündlichen Verhandlung gemäss für Recht erkannt: dass
der Angeklagte Redakteur Johann Joseph Most unter Kosten-
last und Freisprechung von der gegen ihn wegen Beleidigung
erhobenen Anklage wegen Vergehens gegen die öffentliche
Ordnung mit einem Jahre sechs Monaten Gefängniss zu bestrafen sei.

Von Rechts wegen.

36

Gründe.

Der Redakteur und bis zum 26. April 1874 Reichstagsabgeordnete Johann Most steht unter der Anklage des Vergehens wider die öffentliche Ordnung und der Beleidigung. Was seine Personalien anbetrifft, so ist er am 5. Februar 1846 in Augsburg geboren, nach seiner Angabe katholisch getauft, ohne sich gegenwärtig zu irgend einer Religion zu bekennen, nicht Soldat und bereits mehrfach bestraft, u. A. im Jahre 1871 in Wien wegen Hochverraths mit 5 Jahren schweren Kerkers, welche Strafe jedoch durch Begnadigung erlassen wurde, ausserdem neun Mal wegen Beleidigung von dem Königlich Sächsischen Bezirksgericht zu Chemnitz in den Jahren 1871—1872, zuletzt im Dezember 1872, ebenfalls in Chemnitz, wegen Majestätsbeleidigung, wegen Beleidigung und wegen Widerstands gegen die Staatsgewalt mit 8 Monaten Gefängniss. Er hielt während seines Aufenthalts in Berlin während der jüngsten Reichstagssession mehrfach Reden in den öffentlichen Versammlungen der socialdemokratischen Arbeiterpartei. Von diesen Reden hat die gegenwärtige Anklage zwei herausgegriffen, deren eine am 23. März, deren andere am 13. April gehalten wurde. In der ersteren Rede besprach der Angeklagte die Thaten der Pariser Commune und äusserte dabei u. A. Folgendes: — folgen die schon in der Anklage enthaltenen Citate. Dass der Angeklagte in seiner Rede vom 23. März die vorstehenden Aeusserungen gethan hat, ist erwiesen durch die diensteidliche Aussage des Polizeilieutenant Häseler in Verbindung mit dem eigenen Zugeständniss des Angeklagten. Der Letztere hat sich zu seiner Vertheidigung auf die Redefreiheit und auf die Lehrfreiheit berufen und behauptet, dass der Vortrag ein rein geschichtlicher gewesen sei, und

37

das Lehren der Geschichte doch erlaubt sei. Diesen Ausführungen des Angeklagten ist jedoch nur in beschränktem Masse beizupflichten. Was zunächst die Redefreiheit betrifft, so stand, resp. steht ihm dieselbe zu, so lange er sich auf der Parlaments-Tribüne befindet; steigt er von dieser herab und besteigt die Rednertribüne einer anderen Versammlung, so muss er sich gefallen lassen, dass ein anderer Massstab an seineWorte gelegt und genau geprüft wird, in wie weit seine Worte gegen die Bestimmungen des Strafgesetzbuches verstossen.

Auch die Lehrfreiheit muss sich in Grenzen halten und ein jeder Geschichtsvortrag muss, um als solcher betrachtet werden zu können, in den Grenzen der Objektivität, des Doktrinären, bleiben, er muss die Geschichtsquellen aller Parteien benutzen und citiren und darf sich nicht hüllen ins Gewand der Leidenschaftlichkeit. Tritt der Geschichtsvortrag aus diesen Grenzen heraus, stützt er sich ausschliesslich auf einseitige Quellen einer Partei und wird er mit der Erregtheit gehalten, welche der Angeklagte im Audienztermin und offenbar auch in jener Arbeiter-Versammlung an den Tag gelegt hat, so wird ein solcher Vortrag zu einem Parteivortrage; er verliert damit den Charakter eines gewöhnlichen Geschichtsvortrags und kann dann nicht mehr den Anspruch erheben auf die Immunität eines objektiv gehaltenen, rein doktrinären Lehrvortrags, mus sich vielmehr die Frage nach der Strafbarkeit gefallen lassen. Der Angeklagte hat nun die Grenzen eines gewöhnlichen Lehrvortrags bei weitem überschritten, er hat über die Commune-Bewegung des Jahres 1871 in Paris durchaus keine objektiven Mittheilungen gemacht, sondern hat sich mit ausgesprochenster Parteinahme auf die Seite der Commune und der Communisten gestellt, hat diese Letzteren dargestellt als den unschuldig leidenden Theil, ihre Gegner, die Versail-

38

r, als die ungerechten Sieger, welche ihren Sieg nur ihrer
ebermacht zu verdanken gehabt hätten, gegenüber der hel-
!nmüthig kämpfenden Minderheit der Communisten. Ange-
chts eines solchen Verfahrens des Angeklagten kann er sich
cht wundern, wenn eine Prüfung seines Vortrags nach der
ichtung hin vorgenommen wird, ob das von ihm Geäusserte
:setzlich erlaubt ist oder nicht. Und diese Frage ist unbe-
ngt zu verneinen, zumal, wenn man Ort, Zeit und begleitende
mstände berücksichtigt. Zweifelhafter würde die Vernei-
.ng der eben aufgeworfenen Frage sein, wenn der Vortrag
einer Versammlung von Gegnern der Commune gehalten
orden wäre. Der Angeklagte hat aber gesprochen vor lauter
nhängern der Commune und hat dabei ausdrücklich hervor-
:hoben, dass die Commune-Bewegung weit hinausgehe über
rankreichs Grenzen, er hat den Communalismus erweitert in
en Socialismus, resp. beide Begriffe mit einander identificirt
d hat beide Prinzipe dargestellt als tief wurzelnd in den
erhältnissen aller cultivirten Länder, also auch Deutschlands,
elches der Angeklagte vermuthlich doch auch zu den culti-
rten Ländern rechnet. — Anzuerkennen ist in dieser Be-
ehung, dass der Angeklagte nicht den seichten Einwand ge-
iacht hat, er habe lediglich von Frankreich gesprochen, es
erbiete sich also eine Exemplifizirung auf Deutschland von
:lbst. Im Gegentheil hat der Angeklagte vielmehr diese Ex-
nplifizirung selbst vorgenommen,damit aber auch die Kritik
:ines Vortrags nach dem deutschen Strafgesetzbuche provo-
.rt. — Betrachtet man von diesem Gesichtspunkt aus die ein-
elnen inkriminirten Aeusserungen des Angeklagten, erwägt
ian, dass er sogar ganz ausdrücklich von französischen Ver-
ältnissen auf deutsche Verhältnisse hinübergesprungen ist,
on „unsern Gegnern" gesprochen hat, welche die Wahl zwi-

39

schen Reform und Revolution hätten, so leuchtet ein, dass
die Commune-Bewegung in Frankreich mit der Arbeiter-B
wegung in Deutschland identificirt hat und dass damit au
von selbst gegeben ist die Identificirung der sogenannten Ve
sailler mit der sogenannten deutschen Bourgeoisie, welc
letztere der Angeklagte noch ganz express „unsere Gegne
nennt. Damit hat er sich auf den exclusiven Standpunkt ein
Agitators der socialdemokratischen deutschen Arbeiterpart
gestellt, nicht auf den Standpunkt eines unparteiischen G
schichts-Lehrers; einem solchen würde es auch nicht anstehe
von „unsern Gegnern" zu sprechen und von Rache ihne
gegenüber. Als die schönste Rache hat der Angeklagte zw
Erreichung „unseres" Zieles auf friedlichem Wege bezeichne
er hat aber anknüpfend an das Zugeständniss, dass die Con
mune auch Fehler gemacht habe, zwischen den Zeilen, rea
Worten hindurchlesen lassen, dass die Rache möglicherwei
auch weniger sanftmüthig und weniger ideal ausfallen könn
und dass die schliessliche Lösung der sozialen Frage, resp. d
Art dieser Lösung von dem guten oder schlechten Verhalte
der herrschenden Klassen abhänge. Alle diese Aeusserunge
sind absolut aufreizender Natur und es bleibt sich dabei gan
gleich, ob der Angeklagte ausser dem oben Angeführten auc
noch vieles Andere gesagt hat. Durch das Herausreissen de
inkriminirten Stellen aus dem „Anderen" verlieren die inkr
mirirten Stellen nichts von ihrem aufreizenden Charaktei
denn das „Andere" enthält nirgends Abschwächungen un
würde selbst in diesem Falle das einmal ausgesprochene Auf
reizende nicht alteriren. Der Gerichtshof musste hiernach fü
thatsächlich festgestellt erachten: dass der Angeklagte z
Berlin am 23. März 1874 in einer den öffentlichen Frieden ge
fährdenden Weise verschiedene Klassen der Bevölkerung (di

40

)eiter, Besitzlosen und die Besitzenden) zu Gewaltthätig-
ten gegen einander öffentlich angereizt hat.—In der am 13.
ril gehaltenen Rede nannte der Angeklagte geständlich das
1ende Heer eine nichtswürdige Institution, wodurch der Ab-
.1tismus unter allen Umständen aufrecht erhalten würde."
· in diesen Worten von der Anklage erblickte Beleidigung
preussischen Armee, resp. der zu ihr gehörigen Militärper-
en, kann der Gerichtshof nicht als vorliegend erachten, weil
Angriff auf eine Institution, wie beispielsweise auch die In-
ution der direkten Steuern, nbch keineswegs identisch ist
einem Angriff auf die dieser Institution dienenden Per-
en. Eine thatsächliche Feststellung hat sich daher in Be-
; auf diesen zweiten Punkt der Anklage nicht gewinnen las-
. Dagegen unterliegt der Angeklagte der Strafbestim-
ng ,des Paragraphen 130, Strafgesetzbuch, und erschien
: Rücksicht auf seine zahlreichen Vorstrafen eine andert-
bjährige Gefängnisstrafe angemessen.

gez.: Reich, v. Ossowsky, Giersch

Gegen dieses Urtheil appellirte ich natürlich sofort und
lickte an's Kammergericht folgende

Appellations-Rechtfertigung

s Redakteurs Johann Most, angeklagt wegen Vergehens
gen die öffentliche Ordnung.

1 das Königliche Kammergericht zu Berlin.

Gegen das wider mich unter'm 19. ds. Mts. in der An-
agesache wegen Vergehens gegen die öffentliche Ordnung

41

vom Königl. Stadtgericht hierselbst abgegebene Urtheil h
ich bereits am 20. ds. Mts. Appellation angemeldet, indem
mich dadurch für beschwert erachte, dass ich auf Grund
Thatsachen zu anderthalbjähriger Gefängnissstrafe vei
theilt wurde, welche als erwiesen angesehen wurden, es a
keineswegs waren, und dass ich nicht vielmehr auf Grund
wahren Sachlage freigesprochen wurde.

Zur Motivirung meiner Appellation bemerkte ich ur
Anderem Folgendes:

Das Urtheil geht fast ausschliesslich von falschen Vora
setzungen aus, zieht demgemäss durchweg falsche Schlü
und würfelt obendrein die einzelnen Worte meines Vortra
welcher Gegenstand der Anklage ist, in der mannigfaltigs
Weise durch einander, je nachdem sie zum Argumentiren
geeignet erachtet werden. . . . . . Den Schuldbeweis in
Hauptsache macht sich das Urtheil recht bequem, indem es
Basis etwas annimmt, was *nicht* ist! Nachdem es einfach
ersten Theil der Anklage wörtlich citirt, constatirt es g
flott, es sei erwiesen, dass ich diese Aeusserungen in mei
Rede vom 23. März gethan, und sucht sich dabei auf die die
eidliche Aussage des Polizeilieutenant Häseler und —
meine eigene Aussage zu stützen! — Kaum traue ich mei
Augen! Es ist mir nicht im Traum eingefallen, das Samn
surium aus dem Zusammenhange meines Vortrags herausge
sener, kunterbunt durcheinander gemengter und willkürl
zusammengestoppelter Satzfragmente als mein geistiges P
dukt anzuerkennen. Aus diesem Grunde—und nur aus e
sem Grunde—habe ich ja das Wesentlichste meines Vortra
niedergeschrieben und beim Audienztermine vorgelesen. U
der von mir zu Papier gebrachte, bei den Akten befindliche u
vom Belastungszeugen, Polizeilieutenant Häseler, für *rich*

42

fundene Vortrag ist einzig und allein von mir zugestanden
d vertheidigt worden. Ein einziger Blick genügt aber, um
dermann zu überzeugen, dass mein Vortrag und das in der
iklage zusammengequirlte, gramatikalisch wie logisch un-
rantwortliche Wortgemengsel zwei wesentlich verschiedene
inge sind. Uebrigens vermag ich selbst aus den in der An-
age zusammengestellten Sätzen, die ich angeblich ausgespro-
en haben soll, keinen strafbaren Inhalt zu ersehen, zumal die
.nze Geschichte in solcher Gestalt-gar keinen Sinn hat. Ueber
is, was das Urtheil von der Redefreiheit sagt, will ich hin-
:ggehen, um mich ein wenig mit den sonderbaren Ansichten,
elche das Urtheil von der Lehrfreiheit hat, zu befassen. Dass
n Geschichtsvortrag objektiv sein soll, gebe ich zu, behaupte
ier, dass mein Vortrag dieser Anforderung entsprach, obgleich
h einige allgemein gehaltene Schlussfolgerungen daran
iüpfte. Dass aber ein Geschichtsvortrag doktrinär sein
üsse, um als solcher anerkannt zu werden, diese Ansicht ist
ir neu. Ich habe vielmehr mit Freuden in jüngster Zeit die
/ahrnehmung gemacht, dass die jüngeren Gelehrten sich eine
ipuläre Sprache angewöhnen und dem Doktrinarismus mehr
r.d mehr den Rücken kehren. Der Ansicht, dass zu einem
eschichtsvortrage die Quellen aller Parteien benützt werden
iüssen, Leidenschaftlichkeit demselben fernbleiben solle,
flichte ich wiederum bei, nehme aber diese Merkmale für
ieinen Vortrag in Anspruch. Den Beweis, dass ich aus allen
)uellen, und zwar fast ausschliesslich aus Quellen schöpfte,
reche dem Schoosse söcher Parteien entsprosen sind, die der
'ariser Commune gegenüber feindliche Gesinnungen haben,
edenke ich zu erbringen und die nöthigen Belege hiefür zur
itelle zu schaffen, wodurch ich auch im Stande sein werde, die
.n einer andern Stelle des Urtheils ausgesprochene Behaup-

4 3

tung, als hätte ich nur die Quellen der Commune selbst zu Basis meines Vortrags genommen, zurückzuweisen. Ebens werde ich auf gleiche Weise darzuthun vermögen, dass nicl nothwendiger Weise Leidenschaftlichkeit im Spiele sein mus wenn haarsträubende Begebenheiten in so lebhaften Farbe geschildert werden, als nöthig ist, um sie den Zuhörern genü gend anschaulich zu machen. Wenn wir in irgend einem Ge schichtswerke die Zerstörung Jerusalems, die Eroberung von Magdeburg, die Bartholomäusnacht oder die sicilianische Ves per nachlesen, dann duftet uns auch kein Rosenwasser unt Weihrauch entgegen; die Niederwerfung der Pariser Com mune, resp. die Art und Weise, wie dieselbe ausgeführt wurde ist aber oben erwähnten und ähnlichen Schauerdramen minde stens an die Seite zu stellen. Uebrigens ist es eine falsche An sicht, wenn man glaubt, ein Geschichtslehrer dürfe sich nicl auf den Boden irgend einer Partei stellen. Eine Durchsich der verschiedenen Geschichtswerke lehrt vielmehr, dass alle bis herigen Geschichtsschreiber die Ereignisse der Vergangenhei und Gegenwart durch die Brille irgend einer Partei ins Aug fassten, dass die Einen sich für Dinge begeistern, welche der Anderen als Gräuel erscheinen. Mehr oder weniger lebhaft Farben lieben sie fast alle unter Umständen. Man höre docl z. B. einmal Treitschke oder Johannes Scherr über vaterlän dische Geschichte dociren und über die Erbfeinde, „unsen Gegner" loswettern! Welche Begeisterung, oder, wie das Ur theil sagen würde, welche „Leidenschaftlichkeit!" — Der Vor wurf der Leidenschaftlichkeit, den das Urtheil meinem Vor trag macht, scheint ihm aber nachträglich nicht stark genug erschienen zu sein, denn es behauptet später, dass ich den Vor, trag mit „Erregtheit" gehalten hätte. — Als Beweis für diese Annahme führt das Urtheil — man höre und staune! — meine

44

Erregtheit an, die ich beim Audienztermine an den Tag gelegt
haben soll. — — Nun will ich zugeben, dass ich beim Audienz-
ermine ziemlich stark aufgeregt war, aber diese Aufregung
dürfte man begreiflich finden, wenn man Folgendes ins Auge
fasst: Erst wurde ich wider allen sonstigen Brauch wegen
Verdachts, ein *Vergehen* begangen zu haben, trotzdem ich
bestimmten Erwerb und festen Wohnsitz innerhalb des deutschen Reichsgebietes habe, und obgleich ein Fluchtverdacht in
keiner Weise naheliegend ist und trotzdem dies unstreitig der
Staatsanwaltschaft nicht unbekannt war, in Mainz verhaftet
Dann hatte man die Absicht, mich — o Schmach! o Schande!
— auf dem gewöhnlichen Transportwege in Gemeinschaft
von Räubern, Dieben, Prostituirten, Vagabunden u. dergl. von
Ort zu Ort, resp. von Gefängniss zu Gefängniss schleppen zu
lassen, und nur dadurch, dass ich Alles opfere, was ich an
Baarschaft aufzutreiben vermag und so die direkten Trans-
portkosten erlege, entgehe ich dieser unerhörten Procedur.
Hier verweigert man mir Zeitungen, Cigarren und Schreibmaterialien (ein Verfahren, das politischen Gefangenen gegenüber *nirgends* mehr beobachtet wird) und, damit das Klein-
liche zu den grossen Unbilden sich geselle, werde ich am Tage
der Verhandlung gezwungen, vor Beginn derselben vier volle
Stunden lang auf dem sogenannten „Verhörgang" auf einer
Bank neben ganz verkommenem Gesindel zu warten! — man
halte sich zudem noch vor Augen, dass ich über die Anklage an
und für sich schon sehr ungehalten war, dann wird man wahrlich meine „Erregtheit" beim Audienztermin begreiflich finden. Wie es sich aber mit der Logik, ja nur mit dem allergewöhnlichsten Folgerungsvermögen vereinbaren lässt, aus
einer durch so vielerlei schwerwiegende Ursachen erzeugten
„Erregtheit" zu schliessen, es habe mich eine solche auch be-

45

herrscht, als ich meinen Vortrag gehalten, dies mag das Urtheil vor den Gesetzen der Vernunft und vor dem Rechts-
grundsatze der peinlichen Genauigkeit zu verantworten suchen,
gelingen wird ihm dies Kunststückchen auf keinen Fall. —
Nachdem nun das Urtheil, wie ich gezeigt habe, unbegründete
Behauptung an unbegründete Behauptung gereiht und auf
Grund dieser zahlreichen falschen Annahmen ebenso viele falsche Schlüsse gezogen, kommt es zu dem Resultate, dass mein
Vortrag kein Geschichts-, sondern ein Partei-Vortrag gewesen
sei, sich also die Frage nach seiner Strafbarkeit gefallen lassen müsse. Und nun schleppt das Urtheil zu den allgemeinen
grundlosen Behauptungen Special-Annahmen ebensolcher
Natur herbei. Weil ich nicht wie mancher gedankenlose
Mensch, der mit dem grossen Haufen läuft und Das für baare
Münze nimmt, was gebildete und ungebildete Politiker bewusst und unbewusst gegen gute Bezahlung von gewisser
Seite dem Volke über die Pariser Commune vorgelogen haben,
die faustdicken, mehr als abgedroschenen Fabeleien, welche
über die Commune kolportirt worden, in meinem Vortrag einge-
flochten habe, mich vielmehr nur an erwiesene Thatsachen
hielt (den eingehendsten durchweg auf unanfechtbare Belege
gestützten Beweis hiefür behalte ich mir, wie gesagt, vor)
und weil ich auf Grund der auf solche Weise gewonnenen Resultate nicht einzustimmen vermochte in das „Wehe den Be-
siegten!" vornehmer Ignoranten, weil ich nicht das gegen die
Commune von ihren Widersachern ausgesprochene Anathema
blindlings unterschrieben habe, weil ich die Tapferkeit der
Communards und die Grausamkeit der Versailler Armee wahr-
heitsgemäss geschildert (auch dies werde ich durch unanfechtbare Belege beweisen); weil ich nicht, wie der grosse
Tross, den Erfolg angebetet und den Misserfolg verhöhnt habe,

46

daraus schliesst das Urtheil, dass ich durchaus keine objektiven Mittheilungen über die Pariser Commune-Bewegung gemacht habe. Logik! Logik!

. . . . Zuletzt findet sich das Urtheil bemüssigt zu erklären, dass es gar nicht darauf ankomme, ob die fraglichen Aeusserungen einzeln oder in Verbindung mit dem sonstigen Inhalt meines Vortrages ins Auge gefasst werden, denn „durch das Herausreissen der inkriminirten Stellen aus dem „Andern" verlieren die inkriminirten Stellen nichts an ihrem aufreizenden Charakter!" — — Das ist ziemlich naiv. Die betreffenden Stellen „verlieren auf solche Weise freilich nichts an ihrem aufreizenden Charakter," aber sie bekommen denselben erst auf solche Art! — Was ist nun von all' den vielen Argumenten, durch welche der Gerichtshof als „thatsächlich festgestellt" erachtete, dass ich ein Vergehen im Sinne des Paragraphen 130, Strafgesetzbuch, begangen, geblieben? Nichts! Absolut gar Nichts! Es ist dem Urtheil keineswegs gelungen, wie es annimmt, festzustellen, dass ich verschiedene Klasssen der Bevölkerung *zu Gewaltthätigkeiten* gegen einander öffentlich angereizt habe und hiedurch den öffentlichen Frieden gefährdete, und doch sprach es sein „Schuldig" über mich aus und diktirte mir — kaum hält man es für denkbar — ein Jahr und sechs Monate Gefängniss! Es dürfte in richterlichen Kreisen sicherlich nicht unbekannt sein, dass dem Zustandekommen dieses Gesetzesparagraphen lebhafte Debatten vorhergegangen sind, und dass er mehrfache Umgestaltungen zu erleiden hatte, ehe er acceptirt wurde. Die Gesetzgeber fühlten eben, dass dieser Paragraph leicht zu Missbräuchen und sehr bedenklichen Interpretationen führen könnte, wenn er nicht möglichst präcise gefasst sei. Darum wurde festgestellt, dass nicht bloss eine Anreizung verschiedener Klassen der Bevölkerung gegen einan-

4 7

der stattgefunden haben muss, wenn die Strafbestimmungen des Paragraphen 130 Platz greifen sollen, sondern dass zu Gewaltthätigkeiten angereizt worden sein muss, und dass hiedurch der öffentliche Friede gefährdet ward. Der Versuch, welchen das vorliegende Urtheil machte, aus meinem Vortrage diese Kriterien heraus oder vielmehr in denselben hinein zu folgern, scheint mir ein sehr misslungener zu sein, weshalb ich erwarte, dass das Königl. Kammergericht dieses Urtheil wieder aufheben und ein freisprechendes dafür fällen werde.

Berlin, den 27. Mai 1874.

Joh. Most."

Fünf Tage vor der Verhandlung beim Kammergericht theilte mir dasselbe mit, dass es entgegen meinem Antrage beschlossen habe, mich nicht persönlich vorführen zu lassen, da „ein besonderer Grund hiezu nicht vorliege". Ich stellte daher meine Vertheidigungsrede, die ich niedergeschrieben hatte, meinem Anwalt zur Verfügung, welcher sie aber in der Tasche behielt. Immerhin fügte ich dieselbe jener Broschüre ein, welche ich damals über den Prozess erscheinen liess. Hier würde eine Reproduktion zu weit führen.

Das Urtheil zweiter Instanz lautete auf

19 Monate Gefängniss!

Tessendorff's Appellation (ihm war das Urtheil zu niedrig) hatte also Berücksichtigung gefunden, während die meinige verworfen wurde. Um nicht die Meinung aufkommen zu lassen, als fügte ich mich diesem Urtheil, erhob ich Nichtigkeitsbeschwerde, deren Erfolglosigkeit freilich selbstverständlich war.

48

Die Bastille am Plötzensee.

I.

Aufzeichnungen an Ort und Stelle.

Ein schöner Anfang.

Den 14. Oktober 1874.

Meine Verurtheilung hatte „Rechtskraft" erlangt, eine fünfmonatliche Untersuchungshaft wurde gänzlich unbeachtet gelassen, so dass das eigentliche „Sitzen" erst jetzt beginnen sollte, und meine Ueberführung nach der Strafanstalt am Plötzensee war seit dem 8. ds. Mts. stündlich zu erwarten. Von diesem Staatsinstitut hatte ich in letzterer Zeit Allerlei gehört, was nicht geeignet war, grosse Hoffnungen auf eine anständige Gefangenschaft in mir rege zu machen, obwohl mir andererseits berichtet wurde, dass der Redakteur der „Germania", welcher kürzlich eine gedruckte Unthat durch zweimonatlichen Aufenthalt in besagter Anstalt sühnte, ganz zu seiner Zufriedenheit behandelt worden sei, sich selbst beköstigt und literarisch beschäftigt habe usw. Jedenfalls war meine Situation eine unbehagliche—, um so unbehaglicher, als ich die letz-

51

teren Wochen gar nicht aus der Aufregung herausgekommen war. Zu Anfang September hatte meine Frau beim Berliner Stadtgericht ein Gesuch, meine vorläufige Entlassung betreffend, eingereicht; diesem Gesuche lag ein gerichtsärztliches Attest über ihren damaligen Gesundheitszustand bei — das Gesuch wurde einfach abgeschlagen. Zwei Wochen später traf mich die Nachricht, dass meine Frau einen Knaben geboren habe, welcher bald nach der Geburt starb (kein Wunder!); und, um das Mass voll zu machen, kam gleich darauf die Botschaft, das meine Frau sehr schwer erkrankt sei. Alle diese Dinge hinderten das Berliner Stadtgericht, resp. die siebente Deputation desselben, nicht, meine Entlassung aus der Haft hartnäckig zu verweigern und zwar unter der Begründung, ich könnte meine Freiheit zur Ausübung neuer Vergehen missbrauchen! So standen die Dinge, als mir die Obertribunals-Entscheidung mitgetheilt wurde. Glücklicher Weise besserte sich der Zustand meiner Frau allmälig; vielleicht hätten mich sonst die neuesten Aufregungen selbst niedergeworfen.

So transportirte man mich denn gestern Vormittags nach jenem Ablagerungsorte des Bodensatzes der Stadt Berlin, welcher am Plötzensee errichtet ist—; ich sage: man transportirte mich, denn meine Fortschaffung war in der That ein Transport in des Wortes scheusslichster Bedeutung. Als der Polizeiinspektor der Stadtvogtei mich aufforderte, mich reisefertig zu machen, und als er bei dieser Gelegenheit so etwas von „grünem Wagen" murmelte, stellte ich sofort den Antrag, man möge mich doch auf eigene Kosten per Droschke befördern; allein dieses mein Verlangen schien dem Manne ganz unerhört zu sein sonst hätte er mir wohl schwerlich mit einem ganz verdutzten Gesichte erklärt, dass solche Sachen in Preussen gar nicht vorkämen.

52

Meine sieben Sachen hatte ich in ein Handkofferchen gepackt, Soll und Haben meiner von Staatswegen geführten
Wirthschaft in der Expedition als richtig gebucht anerkannt—,
dann hiess es: „Antreten!" Gemeinschaftlich mit sieben Ex-
emplaren des Berliner Louis- und Gaunerthums hatte ich auf
der Flur Front zu machen; sodann ging's nach dem „grünen
Wagen". Zusammengepfercht wie Häringe in einer Tonne,
fuhr nun die gemischte Gesellschaft von dannen. Während
der Fahrt, die über eine Stunde gedauert haben mag, entwickelte sich mehr und mehr eine Atmosphäre, die sich der
genaueren Beschreibung entzieht, weshalb ich herzlich froh
war, als der Karren anhielt und das erlösende „Aussteigen" ertönte.

Den Boden, welchen ich jetzt unter meinen Füssen fühlte,
erkannte ich alsbald als Pflaster eines Gefängnisshofes, denn
von allen Seiten starrten mir massive, aus rothen Ziegeln er-
baute und mit zahlreichen vergitterten Fenstern versehene Gebäude entgegen. Indessen war zum Umsehen keine Zeit, weil
sogleich eine zum Verwaltungsgebäude führende Thür sich
aufthat, durch welche der ganze „Zugang", nämlich ich und die
7 Spitzbuben, Einlass fand. Da musste neuerdings Front gemacht werden; und damit gleich von vornherein den nunmeh-
rigen „Sträflingen" der gehörige Respekt vor der strafenden
Amtsgewalt in die Glieder fahre, befahl vor Allem ein Aufseher
die Abnahme der Kopfbedeckung. Dann wurden 2 Reihen
formirt und „Vorwärts" kommandirt. Nachdem man eine
Treppe hinan gestiegen war und auf einem langen schmalen
Gange abermals Front gemacht hatte, wurde ich endlich von
der sauberen Gesellschaft befreit. Ein Aufseher rief meinen
Namen und forderte mich auf, ihm zu folgen.

Eine kleine Reise über diverse Stiegen und Gänge war

53

bald zurückgelegt; dann wurde ein ziemlich geräumiges Zimmer geöffnet und mir zum vorläufigen Aufenthalte angewiesen. Hier sah es gar nicht übel aus.. Ein ungeheures Fenster spendete reichliches Licht und gewährte eine ganz hübsche Aussicht; und wenn auch das Meublement einfach war, so fehlte es doch nicht an den nöthigen Sachen. Mein erster Gedanke war daher der: „Wenn dies dein Gefängniss ist, dann wird sich auch das Weitere finden." In dieser illusionären Ungewissheit schwebte ich den ganzen Nachmittag, bis ich endlich um 6 Uhr Abends in etwas derber Weise belehrt wurde, dass es nicht gut ist, wenn man zu viel hofft.

Ich wurde zum Oberinspektor gerufen, welcher mich nicht unhöflich empfing, dem es aber gleich anzusehen war, dass er im Begriffe stand, eine ihm unangenehme Aufgabe instruktionsmässig zu erfüllen. Er suchte mir so sachte beizubringen, dass ich zu Zwangsarbeit angehalten werden solle und . . . . hier stockte er in seiner Auseinandersetzung, weil der Direktor anscheinend zufällig, in Wirklichkeit aber kaum ohne die Absicht, mich einmal zu betrachten — ins Zimmer trat. Nachdem derselbe leise einige Worte mit dem Oberinspektor gewechselt hatte, schickte er sich an, sich wieder zu entfernen und zwar mit den Worten: „Ganz recht, fertigen Sie nur erst den Gefangenen Most ab!" Auf das Wort „Gefangenen" legte er einen ganz besonderen Nachdruck, was mich einigermassen verletzte. Nun dachte ich mir aber gleich, der Eingetretene müsse der Direktor sein, weil seine Aussprache den süddeutschen Accent sehr deutlich erkennen liess, und weil ich in Erfahrung gebracht hatte, dass dieser Beamte ein Süddeutscher sei. Sofort war ich daher entschlossen, die günstige Gelegenheit wahrzunehmen, und mich mit Demjenigen gründlich auseinanderzusetzen, in dessen Gewalt ich für lange Zeit gegeben

54

bin. „Herr Direktor", sprach ich, „hier scheint es nicht mit rechten Dingen zuzugehen; man will mich zu Zwangsarbeiten anhalten und wer weiss was sonst noch mit mir treiben; 'da ich aber politischer Gefangener bin ... " Weiter kam ich nicht; denn der Angeredete fiel mir sofort ins Wort indem er sagte: „Sie sind doch kein politischer Gefangener—; das giebt es überhaupt gar nicht!" „Nun", entgegnete ich, „als Majunke vor Kurzem hier war, ist er doch auch nicht wie ein gemeiner Verbrecher behandelt worden; und was für diesen recht war, wird wohl für mich billig sein." Jetzt nahm das Gespräch mehr und mehr den Charakter eines heftigen Disputs an. „Majunke", rief der Direktor aus, „befand sich in einem ganz anderen Falle, wie Sie; der war wegen Pressvergehens hier und Sie sind es nicht; der wurde nach dem Pressgesetze verurtheilt, während gegen Sie das allgemeine Strafgesetzbuch in Anwendung kann." Mit solchen Gründen liess ich mich natürlich nicht abthun. „Es liegt auf der Hand", antwortete ich, „dass sich ein gedruckter Satz von einem gesprochenen nicht unterscheidet; ja, wenn man von Strafbarkeit reden will, so muss sogar das gedruckte Wort schwerer wiegen, als das gesprochene; übrigens irren Sie sich, wenn Sie glauben, Majunke sei nach dem Pressgesetze verurtheilt gewesen; denn in seinem Falle kam so gut ein Strafgesetzparagraph in Anwendung wie in dem meinigen." Nun hatte die Trommel des Direktors offenbar ein Loch; es erfolgte eine kleine Pause; sodann suchte mich der sichtlich erregte Mann mit dem Machtspruch abzuthun: „Es giebt nur eine Art Gefängniss, und von nun ab wird auch Jedermann gleichmässig behandelt werden!" Da schien es mir denn an der Zeit zu sein, etwas schwereres Geschütz aufzufahren. Ich verwies auf das Strafgesetzbuch, nach welchem hinsichtlich der Behandlung überhaupt ein

55

sehr grosser Spielraum gelassen sei, ja in Bezug auf die Beschäftigung sei sogar ausdrücklich davon die Rede, dass die Gefangenen auf Wunsch in einer ihren Gewohnheiten und Verhältnissen entsprechenden Weise zu beschäftigen sind. Und da ich mich seit Jahren schriftstellerisch beschäftigt habe, so glaubte ich ein Anrecht zu haben, auch hier literarisch thätig zu sein. Alles umsonst! Der Direktor beharrte auf seinen „Gleichheits"-Prinzipien, wie zum Hohne meiner Bestrebungen. „Sie sind ja ein Buchbindergeselle und als Buchbinder wird man sie daher auch hier beschäftigen" — sagte er schnippisch; und ironisch lächelnd setzte er hinzu: „Wir kennen diese „ „Schriftsteller" " schon! Gegenwärtig sitzt hier z. B. ein Maurergeselle, welcher sich auch für einen Redakteur ausgiebt; der hat sich aber gegen gute Bezahlung für einen Anderen einsperren lassen, ist also ein ganz charakterloses Subjekt". Wieder zog ich ein anderes Register. „Wenn Sie", sagte ich, „keine politische Vergehen kennen wollen, so werden Sie wenigstens zugeben, dass meine Handlungsweise, wegen welcher man mich mit einer ganz unerhörten Strafe belegte, keine ehrenrührige ist, und schon daraus muss ich folgern, dass man mich mit Spitzbuben und Raufbolden nicht auf gleiche Stufe stellen darf." Anstatt nun endlich ein Einsehen zu haben, brauste der Direktor erst recht auf. „Darauf", rief er, „kommt es schon gleich gar nicht an; die Gefährlichkeit ist am massgeblichsten; und Ihre Handlungsweise dürfte denn doch bedeutend gefährlicher sein, als die eines Diebes oder eines Körperverletzers. Solche Leute schädigen ja nur Einzelne, Sie aber wollen gleich die ganze Gesellschaft auf den Kopf stellen!" — — Ich muss gestehen, meine Hand hat gezuckt, als mir diese Worte ins Gesicht geschleudert wurden; das Blut schoss mir zu Kopfe, und meine Selbstbeherrschung

56

war nahezu auf den Nullpunkt gesunken. Doch kam ich gleich wieder so weit zu mir selbst, dass ich vom Handeln abstand und zu einer Drohung meine Zuflucht nahm—zu einer legalen Drohung. „So bleibt mir also nur das Eine übrig", sagte ich nach einer kleinen Pause, während welcher mir die Stimme versagte, „die Beschwerde beim Justizminister!" Der Direktor stutzte einen Augenblick, gewann jedoch bald wieder sein Bewusstsein gewohnter Machtvollkommenheit. „An das Justizministerium wollen Sie sich wenden", fragte er gespreizt, „das werde ich schon selber thun, und da ich morgen ohnehin in die Stadt komme, will ich diese Frage gleich mit erledigen." — (Pause.) „Für 24 Stunden mögen daher Ihre Angelegenheiten auf sich beruhen; wenn sich aber der Herr Minister nicht veranlasst sieht, spezielle Anordnungen zu treffen, dann werden Sie die Hauskost essen, das Pensum liefern, streng isolirt werden und die Jacke anziehen!" Jetzt hatte meine Entrüstung den höchsten Grad erreicht. „Von Allem, was Sie mir da in Aussicht stellen", rief ich nun gleichfalls fortissimo, „kann ich nur die Isolirung acceptiren, die ich selbst wünsche; das Uebrige halte ich für gänzlich unzulässig. Vollends die Jacke! Ich bin u. A. auch Reichstagsabgeordneter, also Repräsentant der deutschen Nation. Ueberlegen Sie es sich, ob es angänglich ist, einen solchen in die Gauneruniform zu stecken!" — Abermalige Pause. — Endlich fand dieser skandalöse Auftritt damit seinen Abschluss, dass mir der Direktor andeutete, dass ich abtreten könne.

In dem früher erwähnten Zimmer war ich kaum angelangt, als mich ein Aufseher aufforderte, ihm mit Sack und Pack zu folgen. Man brachte mich nach dem Isolirflügel und sperrte mich in eine gewöhnliche Zelle. Einen Napf voll Suppe, welcher mir angeboten wurde, verschmähte ich, da ich begreif-

57

licher Weise nicht den mindesten Appetit verspürte. Eine Zeit lang ging ich in der Zelle auf und ab, dann streckte ich mich auf's Lager, leider ohne schlafen zu können.

Heute Morgens um halb 6 Uhr vernahm ich schon mancherlei Geräusch auf den Gängen, weshalb ich mich erhob und ankleidete. Bald darnach wurde auch meine Zellenthüre geöffnet und ein Eimer voll Wasser dargereicht, aus welchem ich meinen Wasserkrug füllen konnte. Etwas später schloss man eine in der Thür befindliche Klappe auf und schob mir Suppe herein — ähnlich wie man den Thieren einer Menagerie das Futter reicht —; auch ein Stück Kommissbrod ward mir auf gleichem Wege verabfolgt. Die Suppe bestand aus Mehl und Wasser, sah aus wie Kleister und schmeckte dem entsprechend. Zwei Löffel voll habe ich davon gekostet, das Uebrige jedoch fortgegossen. Inzwischen war der helle Tag angebrochen; ein Sonnenstrahl stahl sich durch die Gitter des unmittelbar unter der Decke meiner Zelle befindlichen, für mein Gesicht unerreichbaren Fensters, als beabsichtige er, mich von der Aussenwelt zu grüssen. Dieser freundliche Schimmer wirkte einigermassen erfrischend auf mich ein, so dass ich endlich im Stande war, meine Umgebung einer Musterung zu unterziehen. Die Zelle, welche mir jetzt zur Wohnung dient, ist im Grunde genommen als Gefängniss ganz annehmbar, obwohl das Zimmer von gestern dagegen einen Salon vorstellt. Der Raum mag etwa 1200 Kubikfuss betragen; die Wände sind weiss getüncht, der Fussboden ist mit brauner Oelfarbe gestrichen. Die Möblirung besteht aus einem zum Aufklappen eingerichteten Bette (zunächst besteht es aus einer Matraze nebst Kopfkissen, dann Leintuch und wollener Decke, die in blau-weissem Ueberzuge steckt), einem sehr kleinen Tischchen, einem Schemel (viereckiges Brettchen mit vier Füssen), einem Regalchen zum

58

Tragen des Waschbeckens aus Zink, des Essnapfs und des Wasserkrug — beide aus weissem Thon —, endlich einem Wandspindchen, in welchem sich ein blecherner Trinkbecher, 2 Büchsen zu Putzpulver und Schuhwichse, Bürsten, eine Butterdose, Messer und Löffel, sowie Katechismus und neues Testament befinden. Alles ist gründlich en miniature gearbeitet, bis auf den Essnapf, der eine wahre Familien-Suppenschüssel vorstellt. Aber richtig, ein Möbel hätte ich fast vergessen, und noch dazu ein ganz wichtiges, das Kloset. Dieses befindet sich in einer Ecke, steht mit einem Abzugskanale in Verbindung und wird durch einen Mechanismus mit Wasser durchspühlt—eine sehr vortheilhafte Erscheinung im Verhältniss zu den in anderen Gefängnissen üblichen Eimern oder dergl. An der Wand, wo der Tisch steht, befindet sich ein Gasarm, welcher bis Abends 8½ Uhr benützt werden kann. Als Schmuck der übrigen Wände glänzt ein kleiner Thermometer neben mehreren Bekanntmachungen etc., während zu beiden Seiten des Spindchens Handfeger und Kehrichtschaufel hängen. Aus den Verhaltungsvorschriften ist zu ersehen, dass man nicht zum Fenster emporsteigen darf, dass man auf ein mit der Glocke gegebenes Zeichen aufstehen muss, dass die Aufseher bei Widersetzlichkeit von ihrer Waffe—Seitengewehr—Gebrauch machen können, dass man unter Umständen Fesseln angelegt bekommen oder sonstwie disziplinarisch bestraft werden kann usw., usw. Die Lebensluft ist so leidlich, weil Ventilationsvorrichtungen vorhanden sind. Schliesslich darf das Guckloch in der Thüre nicht unerwähnt bleiben. Es ist dies ein Gegenstück zum Ohre des Dionysius. Hat es dieser Tyrann einst fertig gebracht, seine Opfer in den Kerkern durch ein raffinirt ersonnenes Requisit zu belauschen, so genirt sich die heutige Justiz nicht, die ihr Verfallenen durch ein klei-

59

nes Loch — ein Auge des Dyonisius — heimlich beobachten zu lassen. Diese Einrichtung ist so recht ein moralisches Marterinstrument. Denn das Bewusstsein, dass alle Augenblicke Jemand heranschleichen und Einen betrachten kann, ist so peinlich, dass nur derjenige sich eine Vorstellung davon machen kann, welcher selbst einmal damit beseelt war. Im Allgemeinen vermag ich anzuerkennen, dass die Zelle sammt Einrichtung sauber und überhaupt so beschaffen ist, wie wohl selten in einem Gefängniss der Aufenthaltsort von gewöhnlichen Sträflingen. Aber damit kann ich mich natürlich nicht satt essen, noch sonst zufrieden stellen. Im Gegentheil denke ich mit Sehnsucht an den „rothen Thurm" von Chemnitz zurück, wo es zwar weniger spielwaarenmässig aussah, als in meiner jetzigen Zelle, wo ich aber in Bezug auf leibliche und geistige Nahrung, wie überhaupt hinsichtlich meines ganzen Thun und Treibens, keiner weiteren Beschränkung unterworfen war.

Gegen 10 Uhr Vormittags hiess es: „Zum Doktor!" Man führte mich durch eine Menge Thüren über viele Gänge und Höfe, bei welcher Gelegenheit ich von der bedeutenden Ausdehnung der Anstalt einen kleinen Begriff bekam. Unterwegs erhielt ich zahlreiche „Kollegen" in Uniform zur Gesellschaft. Die Herren Spitzbuben schienen übrigens, trotzdem sie ärztliche Hülfe in Anspruch nahmen, bei ganz guter Laune zu sein, denn sie gaben sich der ausgelassensten Zotenreisserei hin und liessen sich durch das „Nicht so laut" des Aufsehers wenig inkommodiren. Als das Lazareth, ein stattliches Gebäude, erreicht war, hatte sich eine ganz ansehnliche zweigliederige Kolonne Doktorbedürftiger gebildet — ich musste mitten d'rin in Reihe und Glied marschiren. Auf der Flur wurde die unvermeidliche Front gebildet; und wer weiss, wie lange ich unter der lieblichen Rotte noch hätte verweilen müssen, wenn nicht

60

der Arzt so höflich gewesen wäre, mich zu allererst rufen zu lassen. Dieser Mann machte überhaupt einen sehr guten Eindruck auf mich, und sein ganzes Benehmen flösste mir neuen Muth ein. Er meinte, ich beköstige mich wohl selbst, und als ich sagte, dass diese Frage noch nicht definitiv entschieden sei, versicherte er mir, dass er mir schlimmsten Falls alle erlaubten Zulagen verschreiben werde, indem er einsehe, dass schon meine schwächliche Körperbeschaffenheit dies nöthig mache.

Kaum war ich wieder in meiner Zelle angekommen, so ertönte auf den Gängen das Geklirr diverser Suppenkessel, die wahrscheinlich karambolirt waren. Alsbald hörte ich, wie der Riegel an meiner Thürklappe zurückgeschoben wurde, dieselbe öffnete sich und ein befehlendes „Essnapf!" drang in meine Ohren. Mechanisch reichte ich den geforderten Gegenstand hin, der mir sogleich wieder zurückgeschoben wurde, angefüllt mit einer braun-grauen, undefinirbaren Substanz. Der „Kalfaktor" (ein Gefangener, welcher die Rolle eines Stationshausknechts spielt), welchen ich um Auskunft bat, sagte mir, das Gericht nenne man hier „Rumfortsch" — sollte wohl Rumforter Suppe heissen—und gelte als eine der besten Speisen. Die Rumforter Suppe hatte ich schon oft loben hören, wesshalb ich mich daran machte, mir nähere Kenntnisse darüber zu verschaffen; aber — o Grauen! — das Zeug schmeckte entsetzlich. Da ich nun aber einmal beim Untersuchen war, so wollte ich wenigstens wissen, woraus denn eigentlich der sonderbare Quark bestand, daher fischte ich die einzelnen Ingredienzien heraus. Da fand ich: Erbsen, Graupen, Kartoffel, Brodkrusten, Bohnen, Gewürzel u. dgl. Diese Nahrungsmittel sind ja an und für sich ganz gut—wenn sie gehörig zubereitet sind! — ; allein als Chaos servirt erinnern sie lebhaft an die berüchtigte Melopia, jene Klostersuppe, womit

61

die spanischen Mönche das ausgesaugte Volk abfütterten, und die aus lauter Küchenabfällen zubereitet wurde. Obgleich ich Hunger empfand — seit ca. 8 Stunden hatte ich fast gar nichts genossen — goss ich wohl oder übel das wüste Gemengsel fort und ass lieber ein Stückchen trockenen Brodes. Vorschriftsmässig reinigte ich das Geschirr und stellte es an den gehörigen Ort.

Den Nachmittag über kam ein Beamter nach dem andern zu mir, unverkennbar von Neugierde getrieben. Der protestantische Prediger, der Schulmeister, der Ober-, der Arbeits und der Polizei-Inspektor, der Oberaufseher etc. Jeder knüpfe ein Gespräch an, und das Thema war natürlich meine Situation. Ich hielt mit meinem Missfallen über die mir drohende Behandlung nicht zurück; allein die Solidarität der Verwaltung veranlasste diese Leute zu den mannigfaltigsten Ausflüchten. Der Eine sagte ironisch, das Recht der Selbstbeköstigung sei eigentlich ein Unrecht, weil es nur dem Reichen zu Gute komme, worauf ich indess erwiderte, dass diess im Grunde genommen seine Richtigkeit habe, dass es aber so lange das Minimum von Begünstigung politischer Gefangener sei, als man sich nicht entschliesse, denselben *ex officio* ein menschliches Essen zu verabreichen, was allerdings dringend gewünscht werden müsse. Ein Anderer wollte mich mit dem „Rechtsstaat" hänseln. Früher, zur Zeit des Absolutismus, sei freilich manchem Gefangenen erlaubt worden, sich selbst zu beköstigen, das sei aber die grösste Ungerechtigkeit gewesen. Heutzutage werde streng nach dem Gesetz verfahren, und dies kenne nur gleichmässige Strafen. Liege im Gesetz selbst ein Fehler, so müsse eben dies geändert werden. „Sie sind ja selbst Gesetzgeber", fügte der Betreffende spöttisch lächelnd hinzu. Ein Dritter begann ein Geschichtchen von

62

der Unbotmässigkeit, Genusssucht, Faulheit u. s. w. der „niederen Schichten" zu erzählen, wobei natürlich die Steinträger mit ihren „Fünf-Thaler-Taglöhnen" und die Maurer mit ihren „Portwein- und Rehrücken-Extravaganzen" die Prachtbeweisstücke bildeten. Diesem Geschwätz machte ich damit ein Ende, dass ich sagte, Jeder, der an derartige Flausen glaube, könne nichts Besseres thun, als selbst unter die Steinträger und Maurer zu gehen, um Antheil zu nehmen an der Goldernte. Noch ein Anderer sprach vom „Besserungsprinzip"; und so ging es, wie gesagt, den ganzen Nachmittag fort.

Abends liess mich der Direktor rufen. Derselbe hatte ein Blatt Papier vor sich liegen und gab folgende Erklärung ab: „Die Direktion hat beschlossen, Sie streng isolirt zu halten, weil Sie Reichstagsabgeordneter sind, weil Sie es selbst wünschen, und *weil Sie aufreizende Reden halten!"* Man wird begreifen, dass ich hier wohl oder übel lachen musste. „Ja, das ist sehr ernst zu nehmen", sagte der Direktor, dem mein Lachen nicht entgangen war, „denn Niemand ist mehr geneigt, Aufreizungen Gehör zu schenken, als ein Gefangener." Was hätte ich wohl hierauf bemerken sollen? Ich lachte abermals. Der Direktor aber, welcher sich gedacht haben mag, das Nachfolgende werde mir das Lachen schon verleiden, fuhr in seiner Erklärung fort: „Die Selbstbeköstigung kann Ihnen nicht gestattet werden, ebenso wenig, dass Sie sich beliebig beschäftigen, vielmehr sind Sie der Kartonnage-Abtheilung zugewiesen und verpflichtet, das Pensum, welches Ihnen auferlegt wird, zu liefern. Dagegen wird Ihnen, mit Rücksicht auf Ihre Eigenschaft als Reichstagsabgeordneter, das Tragen Ihrer eigenen Kleider gestattet."

In meinem Hirnkasten fing es an zu tanzen; und das Gefühl, ein ohnmächtiger Sklave des vor mir sitzenden Be-

63

amten zu sein, verschnürte mir die Brust. Aber nur einen Moment lang beherrschte mich der Pessimismus; und alsbald ballten sich meine Hände krampfhaft zusammen; wie wenn ein elektrischer Strom mich getroffen hätte, schoss mir gleichsam Lebenskraft in alle Glieder; und mein Entschluss war rasch gefasst. Das Einzige, was unter den gedachten Verhältnissen am Platze sein kann, ist ein energischer Kampf! Diesen mit Ausdauer zu führen, nicht nur, um für mich und meine Nachfolger einen günstigeren Platz auf der modernen Folterbank zu erobern, sondern auch, um meinen Geist rege zu erhalten und mich vor Stumpfsinn zu schützen, — dahin ging mein Gelöbniss. „So hat man also die Absicht, mich systematisch zu Grunde zu richten?" fragte ich, den Direktor scharf ins Auge fassend. Dieser blieb ganz ruhig, offenbar hatte er sich schon auf eine Szene gefasst gemacht und gerieth daher nicht, wie gestern, gleich in Exstase. „Wenn Sie glauben", replizirte er eben so kalt, als gelassen, „dass Ihnen Unrecht geschieht, so steht Ihnen der Beschwerdeweg offen, und zwar verweise ich Sie zunächst an die Aufsichts-Kommission, die am kommenden Sonnabend hier tagt." Sofort eignete ich mir diesen Gedanken an und meldete meine Beschwerde in aller Form. Dann wollte ich gehen; in diesem Augenblicke trat aber der Ober-Inspektor ins Zimmer und brachte mehrere Zeitungen, die für mich eingelaufen waren. Er wies die Blätter dem Direktor und fragte ihn, ob er sie mir aushändigen solle. Da that der Letztere jedoch, als wäre er aus den Wolken gefallen. „Zeitungen!" rief er höchlichst erstaunt, „im Gefängniss Zeitungen?!" Damit war das Signal zu einer langwierigen Debatte gegeben. Bemerkte ich, dass ich ja zum Hottentotten werden müsse, wenn ich von der Tagesgeschichte nichts erfahre, so war er mit der Redensart bei der Hand, ich

64

ıätte eben dafür sorgen sollen, dass ich unbestraft blieb. Nach angwierigen Auseinandersetzungen kam es doch dahin, dass nir vorläufig die „Vossische Zeitung" gestattet wurde; deinitiv solle die Aufsichts-Kommission über diesen Gegenstand ntscheiden. Dann wollte mich der Mann noch ermahnen, ügsam zu sein, was mich veranlasste, ihm unter Bezugnahme ıuf seine gestrige beschimpfende Aeusserung, dass meine Handlungsweise gefährlicher sei, als die eines Diebes etc., zu)emerken, dass er eigenthümliche, aber total falsche Ansichten ıber mich zu haben scheine. Ich rieth ihm, Einsicht von meiıen Prozessakten zu nehmen, damit er sich selbst überzeuge, lass meine Verurtheilung, resp. die über mich verhängte Strafe, in gar keinem Verhältniss zu meiner Handlungsweise stehe. Aber Alles war umsonst. Die Beschimpfung von ßestern wurde *nicht* zurückgenommen; im Gegentheil kam las landläufige Vorurtheil über die Sozialdemokraten erst recht zum Ausbruch. Mit sichtlichem Gruseln und mit tragischem Pathos rief der Direktor: „O, ich bin fest überzeugt, wenn Sie und Ihresgleichen könnten, wie Sie wollen, so würde die Guillotine aufgefahren und geköpft nach Noten, weder Leben noch Eigenthum wäre sicher, und Mord und Brand würden herrschen, wie man es in Frankreich erleben musste!". — Darauf resultatloser Disput. Endlich konnte ich abtreten. Da ich einen Bleistift und diverses Papier vor der Visitation gerettet hatte, so setzte ich mich gleich nach meiner Ankunft in der Zelle nieder und schrieb mir Alles auf, was ich gestern und heute erlebte. Auch eine Unterhaltung! —

65

II.

Die Aufsichts-Kommission.

Den 18. Oktober 1874.

Zu den grossen Reformblüthen, welche der Liberalismus gezeitigt hat, gehört auch das Institut der Gefängniss-Aufsichts-Kommission, und die Süssholzraspler der sogenannten „öffentlichen Meinung" singen wahre Hymnen auf diese Einrichtung. Früher seien die Gefängnissvorstände reine Autokraten gewesen, welche in tyrannischer Weise das Szepter der Willkür resp. die Knute schwangen, jetzt aber sei ein wahrhaft „revolutionärer Fortschritt" bewerkstelligt worden, indem eine Kommission gleichsam als Allweisheit und Allgerechtigkeit über den Strafvollzug wache und nicht allein die Gefängnissverwaltungen kontrollire, sondern auch eine Beschwerde-Instanz bilde, bei welcher jeder Gefangene Schutz gegen Ungehörigkeiten finde. Da ich mich nun für alle revolutionären Fortschritte sehr interessire, habe ich mich schon längst nach der gedachten Kommission eingehender erkundigt. Allein was ich da in Erfahrung brachte, war durchaus nicht geeignet, mir eine hohe Meinung über die erwähnte Korporation beizubringen. Dieselbe besteht nämlich aus einem Obertribunalsrath, einem Kammergerichtsrath, dem Direktor des Berliner Stadtgerichts *und aus den akademisch gebildeten Beamten der betreffenden Strafanstalt,* wo eine Sitzung stattfindet, was alle vier Wochen einmal der Fall ist. Wie kann denn aber eine Behörde beaufsichtigt werden, wenn sie selbst in ihren massgebendsten Personen dem Aufsichtsinstitut einverleibt ist oder gar die Majorität desselben bildet? Ein Gefangener will sich über einen Strafanstaltsdirektor beschweren und findet denselben am Tische der Beschwerde-Instanz! Ist das

66

310

nicht heiter? Ich habe nichts dagegen, wenn die Aufsichts-Kommission die Strafanstaltsbeamten nach Belieben vernimmt, obgleich schon hiermit mancherlei Nachtheile für die Gefangenen verknüpft sind, weil ihnen eben weniger geglaubt wird, als den Beamten; aber wenn die höheren Funktionäre einer Strafanstalt geradezu Theil nehmen an den Sitzungen, Berathungen und Beschlüssen einer Kommission, die sie überwachen soll, dann hört denn doch die Gemüthlichkeit auf. Jedermann weiss, dass es eine Ungeheuerlichkeit ist, wenn Kläger und Richter eine Person bilden; hier sind aber unter Umständen die *Angeklagten* ihre eigenen Richter! — Als ich gestern Abend um 6 Uhr vor die Aufsichts-Kommission geführt wurde, beseelte mich immerhin das angenehme Gefühl guter Erwartung. Wie sehr ich mich jedoch der Illusion hingab, zeigte sich nur zu bald.

Als ich eintrat, herrschte einige Augenblicke eine ganz peinliche Stille, die mich um so unangenehmer berührte, als der Eindruck, welchen die Gerichtsbeamten auf mich machten, ganz niederdrückend war. Jeder Gesichtszug schien ein Paragraphenzeichen darzustellen; und nicht eine Faser von Wohlwollen traf mein Auge. Da fiel mir unwillkürlich die Inschrift ein, welche *Dante* an die Pforte seiner Hölle setzte: „Ihr, die Ihr hier eintretet, lasst die Hoffnung hinter Euch!" Am liebsten wäre ich gleich wieder meiner Wege gegangen. Indess der Vorsitzende — der Obertribunalsrath — forderte mich nun auf, meine erhobene Beschwerde zu begründen. Mechanisch, fast hoffnungslos, kam ich diesem Verlangen nach; ich betonte den politischen Charakter meines angeblichen „Vergehens", wies auf die neuzeitliche humane Praxis hin, welche in jedem Kulturstaate in derartigen Fällen bisher fast durchgängig beobachtet wurde, und forderte Entbindung von

67

der Zwangsarbeit, Gewährung der Selbstbeköstigung und Un-
beschränktheit meiner Lektüre.

Ohne nur eine Gesichtsmuskel zu verziehen, starr, wie
aus Stein gemeisselt, hörten mich diese Leute an, in derer
Hände für neunzehn Monate mein Wohl und Wehe gelegt
ist, und die im Begriffe standen, mit einfachem Ja oder Nein
darüber zu befinden. Als ich geendet hatte, hiess man mich
abtreten. Es dauerte aber gar nicht lange, so wurde ich wieder aufgerufen. Wieder herrschte peinliche Ruhe, eisige
Kälte, selbst die Lampe, welche auf dem Tische stand, schien
juristisch angekränkelt zu sein, denn sie leuchtete so schlecht,
dass die ganze Szene gewissermassen ins Düstere gehüllt war.

Der Vorsitzende warf sich alsbald in eine autoritätsbe-
wusste Positur und gab eine Erklärung ab, welche in folgenden
Sätzen gipfelte:

„Nach der Hausordnung *kann* die Direktion solchen Gefangenen, die, wie Sie z. B., im Besitze ihrer bürgerlichen
Ehrenrechte sich befinden, die Selbstbeköstigung gewähren;
allein dieselbe (die Direktion) hat sich *im Hinblick auf Ihre
zahlreichen Vorbestrafungen und auf die Art Ihres Vergehens* (!) *nicht* veranlasst gesehen, Ihren diesbezüglichen
Wünschen zu entsprechen. *Dieses Verhalten des Herrn Direktors wird von der Aufsichts-Kommission gebilligt, während
Sie mit Ihrer Beschwerde, weil dieselbe unbegründet ist, hiermit abgewiesen werden.* Mit der Verweigerung der Selbstbeköstigung wird aber das Recht auf beliebige Beschäftigung
ganz von selbst hinfällig, indem dieses nach der Hausordnung
nur dann statthaft ist, wenn sich ein Gefangener selbst beköstigt. — Uebrigens dürfte die Ihnen zugetheilte Arbeit ganz
angemessen sein. Publizistisch waren Sie ja nur als Autodidakt und obendrein in einer solchen Weise thätig, welche Sie

68

ständig mit den Strafgesetzen in Konflikt brachte. Und da
: in Wirklichkeit Buchbinder sind, so kann es nur von se-
nsreichen Folgen sein, wenn Sie durch die hierortige Be-
äftigung wieder Ihrem eigentlichen Berufe zurückgegeben
rden." — —

Damit wollte mich der Sprecher entlassen; allein nun hub
r Direktor an: „Da sind für den Gefangenen Most auch
erlei Zeitungen u. dgl. eingelaufen, lauter „Volksfreunde",
'olksboten", „Bauernfreunde", „Volksstaats", „Volkskalen-
r" und wer weiss was sonst noch. In diesen Blättern wird
er den Most'schen Prozess wüthend losgezogen und auch
nst über alles Mögliche dermassen raisonirt, dass man doch
ihrhaftig den Strafzweck vereiteln würde, wenn man eine
rartige Lektüre gestattete."

Angeregt durch solchen Amtseifer, ergriff nun der Vor-
zende wieder das Wort: „Diese Drucksachen", sagte er,
ie man Ihnen zugesandt hat, sind durchweg sozialdemokra-
cher Natur und deren Lektüre wäre daher nur geeignet, Sie
Ihren Anschauungen neuerdings zu bestärken, wozu un-
öglich durch eine Behörde die Hand geboten werden kann.
a Sie aber vorhin behaupteten, dass es für Sie ein unent-
hrliches Bedürfniss sei, mit der Tagesgeschichte vertraut zu
eiben, so wird Ihnen die Wahl gelassen zwischen der „Nord-
eutschen Allgem.", „National-" und „Vossischen Zeitung".

Ein meinerseits gemachter Versuch, wenigstens die
Frankfurter Zeitung" zu retten, wurde einfach mit Kopf-
hütteln beantwortet. So entschied ich mich denn für die
ante Voss. Damit war die Szene zu Ende. In meiner Zelle
ngekommen, fand ich einen Napf voll Hafergrütze, dem zur
echten der gefüllte Wasserkrug und zur Linken ein Stück
ommissbrod assistirten.

69

III.

Die Beamten-Konferenz.

Den 20. Oktober 1874.

Jeden Montag Vormittag treten sämmtliche Oberbeamten der Anstalt zu einer Konferenz zusammen. Bei diesen Zusammenkünften stellt der Direktor jedesmal die im Laufe der vergangenen Woche eingelieferten Gefangenen, welche längere Strafen zu verbüssen haben, den übrigen Beamten vor und theilt mit, was über dieselben verfügt ist. Ausserdem werden die Wochenereignisse, wie sie zur Kenntniss der Einzelnen gelangten, oft die untergeordnetsten Dinge, bekannt gegeben; und mitunter wird über Massregeln berathen, die in besonderen Fällen zu ergreifen sind. *Der Wille des Direktors ist stets massgebend.* Denn dass diesem Niemand zu opponiren wagt, das bewies mir schon der Umstand, dass Jeder, mit dem ich bisher sprach, obgleich er vielleicht im Stillen ganz anders denkt, das Prinzip des Direktors bis ins Kleinste vertheidigt, und dass sich Keiner erniedrigt fühlte, wenn er sagte, zu befehlen habe hier *lediglich* der Direktor. Es ist, wie wenn ein absoluter Fürst mit seinen Statthaltern verhandelt; und die Devotion übersteigt alle Begriffe. Und doch ist eine Gefängnissverwaltung weiter nichts, als eine personifizirte Zuchtruthe!

Bei der gestrigen Konferenz wurde u. A. auch ich vorgestellt, obgleich mich die sämmtlichen Beamten schon einzeln kennen gelernt hatten. Bevor jedoch die Sitzung begann, liess mich der Direktor zu sich rufen, um mir, wie es schien, ins Gewissen zu reden. Er meinte, ich hätte nun gesehen, dass auch die Aufsichtsbehörde meine Anforderungen missbillige demgemäss werde es wohl am besten sein, wenn ich mich end-

70

lich beruhige. Im persönlichen Umgang könne ja ein Unterschied mit mir gemacht werden —, soweit ich mich angemessen betrage. Mit solchem Sirenengesang war mir jedoch nicht besser beizukommen, als mit dem früheren Gepolter, vielmehr beantwortete ich denselben damit, dass ich um Schreibmaterialien nachsuchte, um beim Justizminister eine Beschwerde einreichen zu können. Da sich nun aber der Direktor — wahrscheinlich mit ziemlichem Grunde — des ministeriellen Beifalls sicher fühlte, genehmigte er mit lächelnder Miene mein Gesuch. Damit er indess nicht gar zu sehr im Hochgenuss der excellenten Gunst schwelge, stellte ich als weiteren Schritt eine Denkschrift an den Reichstag in Aussicht.

„Ja, meinen Sie denn, dass sich der Reichstag Ihrer annehmen werde?" frug mich der unerbittliche Mann, dessen Wohlbehagen an dem zu erwartenden ministeriellen Bescheid sichtlich im Abnehmen begriffen war. „Ja," sagte ich, „das erwarte ich ganz bestimmt, so wenig ich sonst von unserem ganzen Parlamentarismus halte. Ich bin mir in dieser Beziehung um so sicherer, als bereits früher einmal über eine vorgekommene ungehörige Behandlung politischer Gefangener im Reichstage die tiefste Entrüstung ausgesprochen worden ist." Hierauf wäre offenbar nichts mehr zu sagen gewesen; der Direktor wollte aber um jeden Preis Recht haben, daher warf er mir mit geringschätziger Miene entgegen: „Diese Herren Reichstagsabgeordneten sind in Bezug auf den Strafvollzug fast lauter Nichtsachverständige und haben schon deshalb keine Ursache, Einwände zu erheben, weil sie selbst das Gesetz gemacht haben, nach welchem alle Strafen verhängt und vollstreckt werden. Freilich *Sie* könnten nachgerade wissen, was Brauch ist; denn Sie sind doch schon oft genug eingesperrt gewesen. In Zwickau z. B. wird Ihnen der Herr

71

d'Alange wohl das Nöthige klar gemacht haben." Das war Wasser auf meine Mühle. „Gewiss!" replizirte ich mit Nachdruck, „ich hatte bereits mehrere Male *die Ehre,* meiner Ueberzeugung halber hinter Schloss und Riegel gebracht zu werden; allein Gefängnisskost habe ich *noch nie* gegessen, und Zwangsarbeit ist mir *noch nie* zugemuthet worden; und was den Herrn *d'Alange* betrifft, so kann ich Ihnen die Versicherung geben, dass mich derselbe höchst human und anständig behandelt hat. Dieser Beamte betreibt eben *Individualisirung . . . ."* Der Herr Direktor, welcher ganz verdutzt darein sah, fiel mir nun ins Wort. „Individualisirung", rief er, „wird hier auch getrieben; so hat man sie z. B. isolirt u. s. w." Ich lächelte; weil aber die Individualisirung mir als Gnadenbrocken vorgehalten wurde, glaubte ich doch eine Bemerkung daran knüpfen zu sollen. „Die Isolirung", entgegnete ich, „hat hier ein seltsames Aussehen. So muss ich z. B. gemeinsam mit etwa einem Dutzend ruppiger Strolche im Gänsemarsch pilgern. was jenen Subjekten — vermuthlich, weil sie bereits erfuhren, wer ich bin, und weil jedem Verwahrlosten Schadenfreude eigen ist — gewaltigen Spass bereitet. Da möchte ich doch vor Allem um Aenderung bitten." Hier trat eine Kunstpause von etlichen Minuten ein, während welcher der Direktor mehrere Male zum Sprechen ansetzte, jedoch nicht weiter kam, als bis zu einem „Hm — ja." Endlich hatte er die schwierige Materie hinlänglich durchdacht und eröffnete mir, dass ich künftighin *allein* spazieren gehen könne. Dann blies er in eines der vielen neben einander befindlichen, aus der Mauer seines Zimmers hervorstehenden Sprachrohrmundstücke, was zur Folge hatte, dass in einiger Entfernung ein schriller Pfiff ertönte, offenbar ein Signal für irgend einen Untergebenen. Kaum eine Minute später erschien auch bereits ein dienstbarer

72

ʒeist in Aufseheruniform und stellte sich in unteroffizier-
1ässige Achtungspositur, ein „Der Herr Direktor befehlen?"
spelnd. Diesem Manne wurde der Auftrag zu Theil, Stühle
1 besorgen, worauf er mit einem „Zu Befehl Herr Direktor!"
1ilitärisch-stramm abging.

Jetzt glaubte ich, mich empfehlen zu können; als jedoch
.er Direktor meine Absicht merkte, hiess er mich dableiben.
n wenigen Minuten war eine Anzahl von Stühlen gebracht
1nd im Halbkreise vor dem Tische des Direktors aufgestellt
rorden; und fast gleichzeitig füllte sich auch das Gemach mit
len Oberbeamten, welche nach einander eintraten. Sie nah-
nen auf den Stühlen Platz, und die Konferenz begann ohne
reitere Formalität mit meiner Vorstellung. Der Direktor ver-
as meine Personalien und theilte mit, wie es mit mir gehalten
rerden solle, wobei mitunter wahrhaft erheiternde Momente
·orkamen. Im Allgemeinen machte die Prozedur überhaupt
:einen ernsten Eindruck auf mich, vielmehr dachte ich dabei
in die reisenden Thierbuden-Besitzer mit ihrem: „Da, da
st er; er frisst Stahl und Eisen etc."

Bei dem Punkte „Religion" meinte der Explikant: „Ja,
la steht katholisch; und da steht wieder konfessionslos . . ."
‚Das Letztere ist richtig!" warf ich dazwischen. „Aber von
Hause aus sind Sie doch katholisch?" wendete sich jetzt der
Direktor an mich. „Habe aber längst mit dem Katholizismus
ʒebrochen", antwortete ich; „überhaupt *glaube* ich *gar nichts*
ınd bin jetzt *Materialist!*" Ein leises Summen durchzog bei
liesem Worte die Reihen der Beamten; der evangelische Pre-
liger verhüllte sein Gesicht mit der Hand, ob aus Betrübniss,
ɔder weil er lachen musste, weiss ich nicht; und auf dem Gesichte des Direktors spiegelte sich der Ausdruck des Staunens
ab. — *„Materi—alist* sind Sie?" frug er mich, wie Jemand, der

73

317

über die Höllenfahrt einer armen Seele soeben die Hände über dem Kopfe zusammengeschlagen hat. „*Diesen* Standpunkt werden Sie im Gefängniss wohl bald aufgeben; da wird manche Stunde kommen, wo Ihr Gemüth des Trostes bedarf; da wird es schon besser sein, wenn Sie sich vom Kirchenbesuch nicht fernhalten." Die Einladung ganz entschieden ablehnend und gegen die Möglichkeits-Annahme hinsichtlich des Wechsels meiner Grundsätze protestirend, bemerkte ich ironisch: „O, ich habe schon erfrischende Psalmen in Bereitschaft, wenn sich bei mir Gemüthsbedürfnisse einstellen sollten; ich rezitire in solchen Fällen einfach diverse Kernsprüchlein von *Herwegh, Freiligrath* und ähnlichen Dichtern."

Hinsichtlich des Verkehrs mit der Aussenwelt wurde mir mitgetheilt, dass sich derselbe nur auf die Korrespondenz und die Besuche ganz naher Verwandter beschränke. Wolle ich einen Brief schreiben, so müsse ich erst um Erlaubniss nachsuchen; und wenn mich Jemand besuchen wolle, so müsse der Betreffende um eine diesbezügliche Vorladung bei der Direktion einkommen. „Der Verkehr mit sogenannten guten Freunden", zuchtmeisterte der Direktor mit väterlicher Würde, „hört ebenso auf, wie die Lektüre von sozialistischen Schriften. Selbst mit den Aufsehern dürfen Sie nicht politisiren — Herr Polizei-Inspektor, notiren Sie sich dies! —; dagegen können Sie gegenüber den übrigen Herren Beamten Ihre Ansichten entwickeln; d. h. so lange Sie durch dieselben angehört werden. Denn ohne solche Massnahmen kann der Zweck der Strafe, *die Besserung*, nicht erreicht werden! . . ." Diese unverfrorene Ankündigung einer zwangsweisen Proselytenmacherei für den „Liberalismus" — was könnte denn sonst meine „Besserung" sein? — ging mir denn doch ein wenig über die Hutschnur, und ich fühlte mich verpflichtet, derselben

74

sofort einen Dämpfer aufzusetzen. „Vom sogenannten Bessern", erklärte ich kategorisch, „kann bei mir gar keine Rede sein. Denn nur ein Mensch ohne Charakter und Ehre lässt sich seine Ueberzeugung abpressen!" Die Beamten steckten die Köpfe zusammen; eine solche Verstocktheit war ihnen in ihrer Praxis vermuthlich noch nicht vorgekommen. Der Direktor aber liess sich nicht verblüffen; dieser Mann scheint sich jenen Erzieher der „Fliegenden Blätter" zum Muster genommen zu haben, welcher seinen Jungen jeden Tag prügelte und dabei ausrief: „Will doch sehen, ob ich dir keine Zuneigung beibringen kann!" Im „liberalen" Zeitalter ist der Haslinger freilich nicht mehr in Anwendung, aber am Plötzensee wird man tagtäglich gleichsam auf den Magen geprügelt und noch obendrein mit Zwangsarbeiten malträtirt. Und diese barbarischen, raffinirten, weil unblutigen und dennoch Körper und Geist langsam zerstörenden Folter-Mittelchen sollten mich für Staat und Gesellschaft begeistern — für einen Staat, der dieselben in Anwendung bringen lässt, für eine Gesellschaft, die den Sport ruhig mit ansieht! Solchen Illusionen schien sich aber der Direktor hinzugeben. Denn anstatt mit meiner unzweideutigen Erklärung sich endlich zufrieden zu geben, sagte er lakonisch: „O, das können Sie jetzt noch gar nicht wissen, wie Sie später denken." Jetzt hielt ich es nicht mehr meiner Würde angemessen, Weiteres zu sagen, daher schwieg ich. Und gleich darauf war die Vorstellung beendet.

Tinte, Feder und Papier erhielt ich Nachmittags, wo ich mich auch sogleich daran machte, an den Justizminister einen geharnischten Brief zu schreiben. Ob er etwas nützen wird?—

75

IV.

Der Sechsgroschen-Kuli.

Weihnachten feiert gewöhnlich auch derjenige, welcher mit dem Christenthum nichts zu schaffen hat; denn die *welt-liche* Seite dieses Festes, das ja eigentlich nur eine Modifizirung einer altrömischen Feier, der Saturnalien, bildet, interessirt fast *Jeden.* Man macht Geschenke und lässt sich welche machen (soweit man natürlich Geld und Gönner hat) und freut sich seines Daseins. So machte ich denn auch meiner Frau ein Präsent. Ich schickte ihr ein Modell meiner Gefängnisszelle sammt Allem, was sich darin befindet, mich selbst nicht ausgeschlossen. Und da das Ganze von meiner Hand gearbeitet worden war, so fand die seltsame Bescheerung auch Anklang. Mir hingegen konnte Niemand etwas bescheeren, einfach weil die Gefängnissverwaltung hiesigen Orts den Staatssklaven noch tiefer stellt, als die altrömischen Acker-sklaven einst durch ihre Eigenthümer gestellt worden waren. Der finstere, gefühllose Römer hatte wenigstens zur Zeit der Saturnalien ein Einsehen und ermöglichte es seinen Sklaven, dass sie sich ausnahmsweise erquickten; der moderne „Staats-verbrecher" bleibt dagegen Jahr aus, Jahr ein auf die gleiche magere Küche angewiesen, und seine „liberalen" Zuchtmeister lassen ihn mit der grössten Seelenruhe auch zur Weihnachts-zeit schmachten. Indessen ich tröste mich mit den vielen Tausenden armer Familien, die auch kein Huhn im Topfe haben, trotzdem sie vielleicht durch die Arbeit ihrer Hände manchen Luxuskram geschaffen, mit welchem in diesen Tagen faule Laffen und träge Putzdämchen prunken. In der heutigen miserablen Gesellschaft ist ja leider ein Gefangener noch nicht

76

einmal in der schlimmsten Lage; der „freie" Arbeiter ist oft weit misslicher gestellt. Also, fort mit den Grillen!

Am Tage nach der Konferenz, bei welcher ich den Beamten vorgestellt worden war, erschien der Werkmeister des Notizbücher-Unternehmers und liess durch einen Gefangenen Werkzeuge und Rohstoffe in meine Zelle schaffen. Er gab mir Wachstuch-Brieftaschen zu machen, und zwar sollte ich davon täglich zwei Dutzend liefern. Der Arbeits-Inspektor theilte mir mit, dass ich nach Ableistung meines Pensums mich geistig beschäftigen könne. Dies war wohl nur Hohn; denn bisher war ich nicht einmal im Stande, mit dem Pensum fertig zu werden, geschweige denn, dass mir zu geistigen Arbeiten am Tage Zeit geblieben wäre; und Nachts wurde um 8½ Uhr das Gaslicht abgedreht.

Neben der gewerblichen Arbeit giebt es noch mancherlei sonstige Frohndienste. Gleich Morgens um 6 Uhr, wenn man sich reglementsmässig auf ein gegebenes Glockenzeichen vom Lager erhoben, angekleidet und gewaschen hat, muss das „Bett" gemacht werden; dann sind die Stiefel zu putzen, die Zelle muss mit einem Handfeger in gebückter Stellung ausgekehrt werden u. s. w. Nach jeder Mahlzeit ist der Napf auszuspülen und der Löffel zu putzen, worauf besagte Gegenstände an ihrem gehörigen Orte parademässig aufzustellen sind. Aber nicht allein Stubenmädchen und Hausknecht muss man spielen, sondern auch die Scheuerfrau. Gleich am zweiten Sonnabend meines Hierseins stellte man mir einen mit Wasser gefüllten Eimer sammt Hadern und Bürsten in die Zelle und befahl mir, sämmtliche Mobilien, die Fenster, die Thüre und den Fussboden gehörig zu reinigen.

Die Kost, welche ein Staats-Kuli hier erhält, lässt hinsichtlich der *Quantität* gar nichts zu wünschen übrig, indem

77

täglich Jedem Morgens, Mittags und Abends je eine Schüssel voll Suppe — zusammen 3 Liter — verabfolgt wird, wozu noch 2 tüchtige Stücke Kommissbrod kommen. Was aber die *Qualität* anbelangt — o weh! Bloss in Wasser wird zwar nicht gekocht, aber von dem Fett — Talg, Schmalz oder Butter — merkt kein Mensch etwas, weil es sich eben auf zu ungeheure Mengen vertheilt. Drei Mal in der Woche giebt es Mittags auch Fleisch; aber hiermit steht es ähnlich, wie mit dem Fett. Wenn ich nicht irre, kocht man pro Kopf 70 Gramm; jedoch muss Einer von Glück sagen, wenn er einige Stückchen in seiner Suppe zu sehen bekommt. Das Fleisch wird nämlich im Ganzen kurz und klein gehackt und im Tausend-Portionen-Kessel sammt den übrigen Suppen-Ingredienzien gehörig gekocht. Gewöhnlich unterscheiden sich daher die Suppen an sogenannten Fleischtagen so viel wie gar nicht von den gewöhnlichen Suppen. Heute, am ersten Weihnachtstag, wie auch zu Ostern und Pfingsten, erhält jeder Gefangene einen „Sperling", das ist ein richtiges Stück Rindfleisch, angeblich 250 Gramm. Und an den Abenden dieser Festtage wird auch per Kopf ½ Liter Dünnbier — *sehr* dünn! — gespendet. Alle Suppen schmecken mir gleichmässig, das heisst, ich finde sie sammt und sonders geschmack*los*. Man unterscheidet früh: Mehlsuppe (Kleister) und „Kaffee" — Blümchenskaffee dritter Qualität; Mittags: Bohnen, Erbsen, Linsen, Rumforter, Sauerkohl, Reis, Kartoffeln und Mohrrüben; Abends: Brod-, Kartoffel-, Hafer-, Buchweizengrütze- und Mehlsuppe. Für jedes Gericht kennt die Gaunersprache eine eigenthümliche Bezeichnung. So nennt man z. B. die Buchweizengrütze-Suppe „blauen Heinrich", die Mohrrüben gelten als gekochte „Polizeifinger" u. s. w.

Dem völligen Hungerleiden in der ersten Woche meiner

78

Haft folgte ein wüthender Heisshunger, welcher etwa 14 Tage lang anhielt, so sehr, dass ich über die verabfolgten Suppen gierig herfiel und sie mehr verschlang als ass. Es war mir immer, als könnte ich gar nicht mehr satt werden. Da auf einmal stellte sich wieder der alte Ekel ein, welcher bis heute vorwaltet. Zum Glück hat der Arzt alsbald sein Möglichstes gethan. Er verschrieb mir Semmel statt des Brodes und die sogenannte „Mittelkost" erster Klasse. Die besteht in ½ Liter Milch per Tag und in vier Mal per Woche (an den Tagen, wo das allgemeine Essen keine Fleischfäserchen enthält) verabreicht werdenden Fleischrationen von je 125 Gramm sammt der daraus gewonnenen Suppe. Alle 4 Wochen muss um Erneuerung dieser Verordnung eingekommen werden. Ist nun auch dieses Extrafutter ganz geniessbar und kräftig, so ist es doch viel zu wenig, als dass es den Genuss der Kommiss-Suppen gänzlich überflüssig machte, ergo ist und bleibt die Nahrungsfrage eine brennende — oft *sod*brennende.

Nach der Hausordnung erhalten diejenigen Gefangenen, welche sich makellos betragen, je nach Fleiss, einen Antheil am Arbeitsverdienst. Abgesehen von Geschenken, welche die Unternehmer als „Prämien" für geleistete Ueberpensa bewilligen, und die der Empfänger erst nach Verbüssung seiner Strafe in die Hand bekommt — den Fall einer nothwendigen Unterstützung hülfsbedürftiger Angehöriger ausgenommen—, abgesehen hiervon, beträgt der Verdienstantheil höchstens 60 Reichspfennige per Woche, die zu „Zubusse-Zusätzen", d. h. zum Ankauf von Viktualien etc. verwendet werden dürfen, während das Uebrige erst bei der Entlassung verabfolgt wird. (Einzelne haben schon 200—300 Mark und noch mehr weggetragen.) Die Auswahl der Dinge, die gekauft werden können, ist nicht gross, was schon die vereinzelte Lage der An-

79

stalt mit sich bringt. Brod, leichtes Bier, Butter (gewöhnlich ganz ranzig), Schmalz, Speck, Häringe, „Kuhkäse" (kleine Käschen zum Preise von je 5 Reichspfennigen) und Schnupftabak bilden die ganze Sonntagsgenuss-Liste. Da ich nun meine Pensa nicht immer lieferte, geschweige denn ein Mehreres, so musste ich froh sein, dass man nicht disziplinarisch gegen mich einschritt und sogar nach und nach „Zubusse-Zusätze" bewilligte. Im Monat Oktober bekam ich allerdings gar nichts, wohingegen mir im November schon gestattet wurde, wöchentlich für 20, später sogar für 60 Reichspfennige einige Kleinigkeiten zu kaufen. Zur Weihnachtsfeier wurde sogar ganz speziell die Verzehrung von „Zubussen" im Werthe von einer Reichsmark verwilligt. Dagegen bin ich bisher wiederholt, aber immer vergeblich, bei der Direktion um die Erlaubniss eingekommen, mir aus eigenen Mitteln wöchentlich für 3 Mark Viktualien anschaffen zu dürfen. Da wäre eher ein Stein zu erweichen, als der Direktor von seinem „Prinzip" abzubringen. Wahrhaftig ein recht nettes Prinzip — diese Menschenquälerei. Wer will es mir verdenken, dass ich bei solcher Sachlage zu *unerlaubten* Mitteln griff und den Weg des *Schmuggelns* betrat? — Schmuggel ist ein hässliches Wort; allein für denjenigen, welchem alle legalen Wege, die zu seinem körperlichen Wohle führen, mit Büreaukratismus verrammelt werden, existirt nicht allein ein — allerdings ungeschriebenes — *Recht,* sondern die entschiedenste *Verpflichtung* zur Selbsthülfe um *jeden* Preis. *Wie* ich nun den Schmuggel betreibe, das bleibt besser mein Geheimniss. Es genügt, wenn ich notire, dass die Sache ihre grossen Schwierigkeiten hat, dass grosse Vorsicht beobachtet werden muss, und dass es mir bisher glückte, allerlei Fleischwaaren, Chokolade, Getränke, ebenso Cigarren und sozialistische Zeitungen

80

von Zeit zu Zeit in meine Hände zu lootsen, ohne dass mein Aufseher oder ein anderer Beamter auch nur eine Ahnung davon bekommen hätte.

Eine ganz besondere Leckerei war es jedesmal, wenn mein Schmuggler mich mit 10—12 Nummern des „Volksstaat" versah; denn die Limonade der Dame Voss ist mitunter doch gar zu matt; und das Bewusstsein, durch eine Gefängnissverwaltung selbst auf literarische Hungerdiät gesetzt zu sein, bloss weil sich dieselbe einbildet, Gesinnungen auf solche Weise vertrocknen zu können — dieses Bewusstsein ist — nicht peinlich, nein, es ist zornerregend, bisweilen zur Wuth aufstachelnd und sehr „aufreizend" gegen Staat und Gesellschaft, die Hirn wie Magen quälen lassen.

Mit dem Briefschreiben war es bisher eine üble Sache. Die barbarische Regel des Hauses, wonach ein Gefangener nur alle 4 Wochen je einen Brief empfangen und absenden darf, kam mir gegenüber zwar nicht in Anwendung; allein der Formalitäten, die eingehalten werden müssen, giebt es mehr, als hinreichend ist, um diesen Gegenstand in das Licht der Lächerlichkeit zu setzen. Erstlich darf ich nur an Sonntagen schreiben und muss jedesmal schon am Sonnabend früh durch den Aufseher unter Angabe der Person, an welche ich schreiben will, um Erlaubniss einkommen, welche mir indess seither stets zu Theil wurde. Ferner muss ich ganz bestimmte Briefbogen von bläulich-grüner Farbe und mit einem gedruckten Direktorial-Ukas an der Spitze, der den Empfänger über die Hausordnung hinsichtlich der Korrespondenz und des Besuchswesens instruirt, in Gebrauch nehmen. Dass derartige Formulare auf die Empfänger keinen sympathischen Eindruck machen, liegt auf der Hand, die Direktion besitzt aber nicht so viel Zartgefühl, dies einzusehen; im Gegentheil nahm kürz-

81

lich der Direktor spöttische Bemerkungen, welche ich in einem Briefe an meine Frau an die Kommissbogen knüpfte, zum Anlass, das betreffende Schreiben zu den Akten zu legen. Letzteres kommt überhaupt öfters vor, sobald irgend ein Satz dem Zensor nicht ansteht.

Mit den Besuchen hat man es bisher nicht gar so genau genommen, als bei der Konferenz vom 19. Oktober d. J. angekündigt wurde. Nicht nur meine Frau konnte mich einige Male besuchen, sondern auch mehrere der so sehr gefürchteten guten Freunde.

Damit, wie sich *Marat* ausdrücken würde, Alle, die es angeht, nochmals *zur Scham* aufgerufen werden können, habe ich bereits vor mehreren Wochen eine Denkschrift beim Reichstag über die mir zu Theil werdende Behandlung im Gefängniss, in Verbindung mit einem Antrag auf Herbeiführung einer Aenderung, eingereicht. Selbst *Lasker* und *Windthorst* haben bei der Petitions-Kommission, welcher mein Schriftstück zur Begutachtung überwiesen ist, ihren Einfluss zur Geltung gebracht, so dass ich, wenn nicht auf Abhülfe, so doch auf eine gehörige Brandmarkung des gegen mich beobachteten Verfahrens hoffen darf. Dass irgend etwas Derartiges geschieht, ist um so nöthiger, als der Justizminister meine Beschwerde, die ich vor zwei Monaten an ihn eingesandt hatte, einfach aufs Kammergericht ablagerte, welches dieselbe wiederum dem Stadtgericht zugeschoben hat. Und von diesem, wie nicht anders zu erwarten, bekam ich einen gedruckten Zettel zugesandt, auf dem nur Name, Datum etc. schriftlich ausgefüllt waren, und dessen Inhalt besagte, dass meine Eingabe beim Justizminister keiner Befürwortung würdig befunden worden sei.

Der persönliche Umgang mit den Beamten hat nach und

82

nach einen etwas leidlichen Charakter angenommen, vermuthlich weil die guten Leutchen allmälig begreifen lernten, dass es mit meiner Petroleum-Mordbrennerei nicht gar so weit her sein kann, wie man nach *Tessendorff* hätte glauben mögen. Freilich, ich hatte die Pariser Kommune vertheidigt, dieselbe war aber selbstverständlich nach der Meinung dieser loyalen Staatsbürger und -Diener, wie überhaupt nach der Meinung jedes Alltagsmenschen, dem seit Jahren durch literarische Lotterbuben in der Leib- und Magenzeitung über die Pariser Kommune ein zäher Lügenbrei aufgetischt wurde und noch wird, so ungefähr das denkbar Entsetzlichste, eine Ausgeburt der Hölle. Und wenn ich solche unerhörte Dinge anerkannte und sogar belobigte, so musste ich schon selber auch ein Ungeheuer sein. Aber ach! das Monstrum tobte nicht, schrie nicht, sah überhaupt höchst unmonströs aus; man trat daher näher und näher an den gefährlichen Menschen heran, staunte zwar vielleicht noch, dass er Niemanden in die Finger biss, überwand jedoch schliesslich die vorgefassten Meinungen so weit, dass der Verkehr demjenigen zivilisirter Menschen entsprach. Mit dem *Direktor* komme ich nur selten in Berührung, weshalb ich auch noch nicht klug aus ihm werden konnte. Seine Umgangsformen sind jetzt so anständig, dass ich gar nicht begreifen kann, wie dieser Mann am ersten Tage meines Hierseins mir so schroff und beschimpfend entgegentreten konnte. Manchmal klingen seine Reden fast weichherzig, was jedoch nicht hindert, dass *jede* Bitte unbeachtet bleibt, die sich auf eine Verbesserung meiner materiellen Verhältnisse bezieht. Wer dies nicht, wie ich, erlebt hat, der ist nicht im Stande, zu begreifen, wie Jemand, der soeben gemüthlich mit Jemandem plauderte, demselben im nächsten Augenblicke mit der Starrheit eines *Alba* erklären kann, mit der Gefängniss-

83

kost *müsse* es sein Bewenden haben, dieselbe gehöre zum Wesen der Gefängnissstrafe, die ein *Leiden* hervorrufen solle und
selten ohne körperliche Beschädigung vollstreckt werden
könne. Mir ist ein Mann, der *solche* Härte mit scheinbarem
äusserlichem Wohlwollen zu verbinden vermag, ein Räthsel.

Die *Prediger* (deren giebt es jetzt 4 Stück, 2 protestantische, einen katholischen und einen jüdischen) lassen sich,
seitdem sie von meiner ungläubigen Verstocktheit Kenntniss
erlangt haben, gar nicht mehr sehen, was mich natürlich nicht
betrübt. Dagegen besuchen mich die *Inspektoren* und der
Schulmeister öfters. Meist wird über Sozialismus gesprochen,
wobei natürlich die allergewöhnlichsten Zeitungs-Plattheiten
herausgesteckt werden, was mich um so mehr amüsirt, als
ich so Gelegenheit habe, die Leutchen gründlich *ad absurdum*
zu führen. Ob mit solchen Diskussionen die angekündigte
„Besserung" erzielt werden soll, weiss ich nicht, vermuthe es
aber. Wenigstens wüsste ich sonst nicht, zu welchem Zweck
man mir z. B. immer mit einem vor Freude strahlenden Gesichte vom „Rückgang der Sozialdemokratie", wie er sich angeblich zusehends vollziehen soll, erzählt, obgleich ich stets
erkläre, dass ich an keine Zeitungsenten glaube. Ganz besondere Mühe giebt sich der Schulmeister mit mir.

Mit den zuletzt erwähnten heiteren Disputationen sind
die Vergnügungen des Sechsgroschen-Kuli — mein Kontraktor bezahlt nämlich täglich 6 Groschen für meine Arbeit an
den Staat — indess keineswegs erschöpft; vielmehr wird der
Hauptspass ganz heimlich verlebt — ich sage *Spass*, obgleich
neben der Komik die Tragik herläuft. Gegenwärtig „sitzt"
nämlich hier eine ziemliche Anzahl von Sozialisten. Natürlich
soll ich mit denselben *nicht* verkehren; allein der Reiz des
Verbotenseins macht den Verkehr nur desto piquanter. Meh

84

:re, wie z. B. *Heinsch, Körner* etc., befinden sich leider in
nem viel zu entlegenen Winkel der Anstalt, als dass mit den-
lben regelmässig verkehrt werden könnte; dagegen befinden
:h im gleichen Trakt, wo ich sitze, noch 4 Sozialdemokraten
Slauk, Ecks, Hurlemann und *Pitsch*); und mit denen, na-
entlich durch die vermittelnde Thätigkeit *Slauk's*, stehe ich
regstem Verkehre. *Alle werden ganz genau so behandelt,
ie Spitzbuben,* sogar die *Züchtlingsjacke* ist ihnen nicht er-
art geblieben. Allein trotz alledem und alledem sind Alle
i gutem Humor, so dass mir die Richtigkeit der *Freiligrath'*-
hen Worte, in dem Gedichte *„Die Revolution",* gleichsam
' *oculus* demonstrirt wurde; und ich habe die betreffende
:elle oft mit gehobener Brust rezitirt:

!nd ob Ihr von der hohen Stirn das weh'nde Lockenhaar ihr schort;
1d ob Ihr zu Genossen ihr den Mörder und den Dieb erkort;
1d ob sie Zuchthauskleider trägt — im Schooss den Napf voll Erbsen-
> brei —,
1d ob sie Werg und Wolle spinnt, — doch sag' ich kühn Euch: *sie
> ist frei!"*

Denn sie war in der That frei, die in Banden geschlagene
:volution! Alle, wie sie hier sassen und sitzen von der so-
ildemokratischen Partei, trugen ihre Fesseln mit dem Trotz
if den Lippen, und ihre Augen sprühen Begeisterung, wenn
: einander heimlich die Hände drücken. Der schriftliche
erkehr ist derartig organisirt, dass ich seit einiger Zeit im
ande bin, ein *„Wochenblatt"* herauszugeben, das freilich nur
einem (geschriebenen) Exemplare erscheint, das aber rasch
:kulirt und die nöthigsten Bedürfnisse meiner Genossen, die
ine Zeitung halten können, befriedigt. Die Tante Voss kann
1 denselben nicht zukommen lassen, weil mir jede einzelne
ummer, sobald ich sie gelesen habe, gleich wieder abgenom-

85

men wird. In kürzester Zeit wird übrigens die Freude ei
Ende haben, weil die sozialistische Kolonie ihrer Auflösung
insofern entgegensieht, als nun Einer nach dem Andern seine
Theil abgesessen haben und entlassen werden wird. Doch
Tessendorff wird ja für neuen Zuzug sorgen! —

V.

Auf dem Wege der „Besserung".

Den 5. März 1875.

Allmälig *bessert* er sich nun — der *Direktor* nämlich, er,
der *mich* „bessern" wollte. Ob hiezu die Debatten im Reichstage, wo die Bastille am Plötzensee in der vorletzten Sitzung
der abgelaufenen Session bei Berathung meiner Denkschrift,
die allgemein gebilligt und an den Bundesrath übergeben ward,
ganz exemplarisch bearbeitet wurde, oder was sonst noch dazu
beigetragen haben mag, will ich dahingestellt sein lassen; die
Hauptsache ist das Faktum der Besserung an sich. Es war
aber auch hohe Zeit, dass der verstockte Mann wenigstens in
einigen Stücken zu besserer Einsicht kam; denn die Rück-
sichtslosigkeit war bereits bis zu dem Grade gediehen, dass
politische Gefangene, wie z. B. meine Parteigenossen *Zabe*
und *Gerstenberg*, in *gemeinsamer* Haft mit ca. 50—60 Spitzbuben gehalten wurden. Wenn ich hier vom *Direktor* in erster
Linie rede, so hat dies darin seinen Grund, dass er *und er
allein* anordnen kann, was ihm beliebt; der Direktor ist sozu
sagen das personifizirte Gefängniss und nach der hiesigen
Hausordnung geradezu allmächtig.

Ein Fortschritt besteht darin, dass ich seit Neujahr vom
Sechsgroschen-Kuli zum Haussklaven avancirte. Die „wud

86

derbare Wendung" trat übrigens durch Zufall ein. Das Zellenmodell, welches ich für meine Frau angefertigt hatte, fand nämlich bei der Direktion so grossen Anklang, dass sie auf den Gedanken kam, mich ähnliche Modelle für die Anstalt, resp. für die Oberbehörden anfertigen zu lassen. Und als man mich *fragte* — schon darin liegt ein Symptom der Besserung, da ich vorerst nicht gefragt, sondern einfach einem Arbeitsposten *zugetheilt* wurde —, ob ich derartige Artikel anfertigen wolle, ging ich um so lieber darauf ein, als es sich dabei nicht allein um eine wenigstens nicht völlig geistlose Arbeit handelt, sondern als mir gleichzeitig der Wegfall des Pensums angekündigt wurde. Ein solches hätte hierbei nicht leicht festgestellt werden können, weil eben Niemand hier ist, der sich auf den Artikel versteht. Nichts ist aber für einen Menschen, der Ehrgefühl besitzt, schimpflicher, als wenn man ihm aufgiebt, was er leisten *muss*, als wenn man die Pensum-Peitsche über ihm schwingt. So fabrizire ich also jetzt moderne Zuchtmittel im verkleinerten Massstabe, nämlich Gefängnisszellen u. dgl.

Bezüglich meiner Verpflegung ist auch eine Besserung, wenn auch nur eine sehr geringfügige, zu verzeichnen. Nach wiederholten Attaquen brachte ich es nämlich dahin, dass mir die Erlaubniss zu Theil ward, von meinem Arbeitsverdienstantheil, ausser der hausordnungsmässigen Wochenausgabe von 60 Pfennigen für Viktualien, noch täglich 5 Pfennige für Dünnbier auszuwerfen. Ebenso habe ich es mit Hülfe des Arztes durchgesetzt, dass ich mir an den 4 Tagen in der Woche, wo es von Hause aus Morgens keinen „Kaffee" giebt, für eigenes Geld, um je 10 Pfennige, welchen kaufen kann.

„*Mehr Licht*", und zwar im doppelten Sinne, eroberte ich mir gleichfalls. Erstlich wurde mir vor einiger Zeit die Er-

87

laubniss zu Theil, mir eine Lampe kommen zu lassen, welche ich jedoch längstens um 10 Uhr auslöschen soll, was indess nicht gar zu genau genommen wird. Zweitens brachte ich es nach vielem Unterhandeln dahin, dass ich die „*Vossische Zeitung*" mit der „*Frankfurter Zeitung*", deren Lektüre aber als die äusserste Grenze des Zulässigen bezeichnet wurde, vertauschen durfte. Wieder etwas später erkämpfte ich mir noch die „*Waage*", die mir Herr Dr. *Guido Weiss* gratis liefert; und noch etwas später durfte ich auf „*Die Natur*" abonniren. Broschüren u. dgl. scheint der Direktor mit ganz besonders scheelen Augen zu betrachten. Derartige Schriften, meint er, könne man füglich einem Gefangenen nie und nimmermehr in die Hände geben. Und wenn ich auch immer und immer wieder erkläre, dass ich selbstständig zu denken gewohnt sei, und dass man mich weder „aufreizen", noch „bessern" könne, so sagt mir der Direktor im Hinblick auf die letztere Eventualität jedesmal, er müsse es wenigstens *probiren*. Grössere Werke, die ihren Radikalismus nicht gleich am Titel erkennen lassen, scheint der gute Mann für harmlos zu halten, indem er mir bisher glücklicher Weise keines beanstandet hat. So konnte ich beispielsweise *Dühring's* Werke, deren Lektüre mir manche genussreiche Stunde bereitet, ruhig in Empfang nehmen. Mit *Buckle's* Geschichte der englischen Zivilisation und mehreren anderen Werken von ähnlicher Tragweite verhält es sich ebenso.

Endlich ist es sogar so weit gekommen, dass ich mich binnen Kurzem werde literarisch beschäftigen können. Diese Angelegenheit regelte sich so. Eines Tages besuchte mich Parteigenosse *Geib;* der Direktor hielt selbst die „Sprechstunde" ab und mischte sich auch, wie gewöhnlich, diesmal *zum Glück*, in die Debatte. Als nun von der Beschäftigung, welche

88

ich habe, die Rede war, sagte ich u. A., ich vermöge gar nicht einzusehen, weshalb der Arbeitgeber eines Gefangenen nicht auch ein Buchhändler sein könne. Da warf der Direktor dazwischen: „Ja, wenn Ihre Arbeitskraft ein Buchhändler pachten will, so habe ich nichts dagegen!" Wahrscheinlich dachte er, es werde sich eben kein Buchhändler für mich finden; aber er hatte die Rechnung ohne — *Geib* gemacht; denn dieser ist ja Buchhändler, was dem Direktor nicht bekannt war. *Geib* trat nun auch sofort wegen der Bedingungen in Unterhandlung und erhielt die Auskunft, dass für literarische Arbeiten die Anstalt täglich 1 Mark beanspruche.

Vorgestern theilte mir nun der Direktor zu meinem grössten Erstaunen mit, dass die Frage der literarischen Beschäftigung der Aufsichts-Kommission vorgelegt und von derselben in bejahendem Sinne entschieden worden sei. Also trotzdem ich „eigentlich" Buchbinder bin! — Meine Ueberraschung steigerte sich, als ich ferner zu hören bekam, dass durch die gedachte Kommission festgestellt worden sei, dass Diejenigen, welche sich literarisch beschäftigen, den dritten Theil des an die Anstalt einzuzahlenden Betrages, also ca. 2 Mk. per Woche, verzehren können. Den höchsten Grad erreichte meine Ueberraschung, als mir nun gar die Mittheilung ward, dass endlich die Kommission für Literaten auch das Rauchen von Zigarren (jedoch nur 2 Stück per Tag) erlaubt habe. Es ist nämlich noch gar nicht lange her, seitdem mir der Direktor gelegentlich einer Debatte über die Rauchfrage sagte, das Rauchen werde in Deutschland *nie* gestattet werden. Nun, die Besserung geht eben in erfreulichem Massstabe von Statten; dies vermag ich nur anzuerkennen. Wer Andere „bessern" will, muss selbst mit gutem Beispiele vorangehen.

89

VI.

Dichtung und Wahrheit.

Den 12. April 1875.

Der Lustspieldichter Dr. *Paul Lindau* hatte kürzlich eine sogenannte „Gotteslästerung" durch vierzehntägige Sitzung allhier zu sühnen; und da seine Farbe die des Nationalliberalismus, resp. die der Bismarck-Aera ist, eine Couleur, in welcher auch der Bastillen-Direktor vom Scheitel bis zur Zehe strahlt, so war man in Verwaltungskreisen über *Lindau's* Hieherkunft ganz entzückt. Der Parteigenosse, dachte man, werde die Flecken schon wieder fortwischen, die der Staatsfeind dem Kulturideal, dem Nationalzuchthaus, eingebrannt hatte. Und um ja recht sicher zu gehen, hat man denselben förmlich auf den Händen getragen. Es ist wahr, *formell* verweigerte man auch ihm die Selbstbeköstigung, suchte ihm aber einzureden, dass man dieselbe „leider nicht zugestehen *dürfe"*, während nach der Hausordnung ausdrücklich bestimmt ist, dass der Direktor diese Beköstigungsart zugestehen *„kann"* —; er kann, aber er *mag* nicht! Andererseits hat man *Lindau* eine vollständig *eigenartige* Verpflegung angedeihen lassen und ihm weiss gemacht, was er erhalte, sei die sogenannte „Mittelkost".

Der Extra-Küchenzettel hätte indess *Lindau's* Bedürfnisse nicht zu befriedigen vermocht, wenn nicht noch andere Begünstigungen nebenher gelaufen wären, so namentlich *die Begünstigung des Schmuggels.* Während der Besprechungen, die *Lindau Tag für Tag* mit Angehörigen und Freunden hatte, *kümmerte man sich um ihn so wenig, dass er Ess- und Trink-*

90

vaaren aller Art — ganze Paquete — in Empfang zu nehmen vermochte. Auch hat man seinen Koffer bei seiner Ankunft hieselbst nicht visitirt, und dieser war mit Delikatessen förmlich gespickt! — Wahrscheinlich dachte man, ein reichsfreundlicher „Gotteslästerer" werde nicht den Versuch machen, die Justiz um ihre Diät zu prellen. Zeitungen las Lindau ganz nach Belieben; und ein „Kalfaktor" spielte seinen Kammerdiener. Die Frage liegt nahe, woher ich dies Alles so genau weiss? Nun, *aus dem Munde Lindau's selbst!* — Der Zufall wollte es, dass wir — *Lindau* und ich — im Spazierhöfchen zusammentrafen; und da wir gleichmässig an Langeweile während der „Freistunden" ganz bedeutend litten, so setzte es *Lindau* ins Werk, dass für den Rest seiner Haftzeit unsere Promenaden gemeinsam gemacht wurden. Bei diesen Gelegenheiten hatte *Lindau* sogar die Gefälligkeit, manche Schmuggelei *für mich* zu ermöglichen, so dass auch ich von der milden Behandlung *Lindau's* Einiges profitirte.

Als Lichtseiten sind wiederum einige Besserungen zu verzeichnen. Seit ca. 4 Wochen ist meine literarische Beschäftigung geregelt, so dass ich endlich nach Belieben arbeiten kann und in den Schreibmaterialien nicht mehr beschränkt bin. Freilich die Auswahl der zu bearbeitenden Stoffe will behutsam getroffen, die Stilisirung eiertänzerisch durchgeführt sein, wenn der Rothstift des Zensors nicht jeden Augenblick auf der Bildfläche erscheinen soll.

Ist auf solche Weise die Zwangsarbeit zwar *formell* noch beibehalten, in Wirklichkeit jedoch total überwunden, so steht mit diesem Fortschritt auch ein solcher hinsichtlich der Verpflegung in Verbindung. Denn nun darf ich ja täglich 2 Zigarren rauchen und wöchentlich 2 Mk. für „Zubussen" ausgeben.

91

Und nun die *Schattenseiten* meiner Lage! Durch die erwähnten, per Woche zu verausgabenden 2 Mark, in Verbindung mit den Milch-, Kaffee- und Semmel-Zulagen bin ich in den Stand gesetzt, Morgens und Abends auf die Hauskost gänzlich zu verzichten; auch vermag ich mit meinen Früh- und Abend-Mahlzeiten mich zufrieden zu geben. Ganz anders steht es hingegen mit dem Mittagessen. Der Quark aus dem Riesenkessel erscheint mir nachgerade dermassen ekelhaft, weil völlig überdrüssig, dass ich ihn nicht mehr riechen, geschweige denn essen kann. So habe ich daher an 4 Tagen in der Woche nichts als ein kleines, bis zur lederartigen Zähigkeit ausgekochtes Stückchen Rindfleisch und etwas leere Fleischsuppe; und an 3 Tagen, die man — wie zum Hohn — Fleischtage nennt, wo die Suppen aber nicht um einen Gedanken besser sind, als an anderen Tagen, an diesen Tagen muss ich Mittags von *Wasser* und Brod leben. Ist es da ein Wunder, dass ich täglich schlaffer und matter und zuletzt bettlägerig wurde? Ja, wer weiss, wohin es mit mir gekommen wäre, wenn ich nicht ab und zu Gelegenheit hätte, mir durch Schmuggel einen kräftigen Imbiss zu verschaffen.

Die Osterfeiertage und die halbe darauffolgende Woche verlebte ich *im Bette,* wo mich ein allgemeines Schlaffsein nebst Fieberanfällen und Halsentzündung festhielten. Das letztere Uebel schrieb ich dem Umstande zu, dass ich immer auf den zugigen Gängen mit dem Hute in der Hand umherlaufen muss. Ich sagte dies nachträglich auch dem Direktor, welcher meinte, die Hutfrage sei so ängstlich nicht. Daher setze ich jetzt immer meine Kopfbedeckung auf, sobald ich die Zelle verlasse — zum nicht geringen Entsetzen meines Aufsehers, dem ich jedoch nachgerade so viel Respekt eingeflösst habe, dass er sich nichts zu sagen getraut. Zur Kuri-

92

rung meiner Schlaffheit sollte ich Medizin anwenden, dagegen erklärte ich dem Arzte, dass mir eine *stärkende* Kost und ein *guter Trunk* zuträglicher sein werde. So bekam ich denn täglich 2 Mal Fleischsuppen mit Fleisch, reichlich und von ausgezeichneter Qualität. Und siehe da: in Zeit von vierzehn Tagen war ich wieder gesund, ein Beweis, dass meine ganze Krankheit *nur eine Folge der mangelhaften Ernährung war.* Leider wurde mit meiner Genesung auch die bessere Kost wieder abgeschafft, so dass wohl eine Reaktion nicht auf sich warten lassen wird, wenn nicht — recht viel Gelegenheit zum Genuss *verbotener* Früchte sich darbietet.

In der jetzigen Zeit thut mir überdies eine rationelle Diät schon deshalb noth, weil mich eine anderweite Angelegenheit einigermassen aufregt. Zu Anfang dieses Jahres erschien nämlich bei *Bracke* die von mir während meiner Haft in der Stadtvogtei verfasste Broschüre, in welcher der Prozess, dessen Nachspiel noch immer in Form einer sogenannten Strafvollstreckung, wie sie mit mir gegenwärtig vorgenommen wird, andauert, dargestellt und gebührendermassen beleuchtet wurde. Diese Schrift ist nun vor mehreren Wochen auf Antrag der Braunschweiger Staatsanwaltschaft konfiszirt worden; und vor etwa 8 Tagen begab sich ein Berliner Untersuchungsrichter nach der Bastille, um mich zu fragen, ob ich auch richtig der Verfasser sei, was ich bejahte. Hieran knüpfte der erwähnte Justizpflegling die Bemerkung — allerdings nur privatim, — dass mir diese Broschüre wohl üble Folgen bereiten dürfte, er habe dieselbe gelesen u. s. w. u. s. w. So wenig ich nun irgend eine Verletzung von Strafgesetzesstellen in meiner Schrift zu entdecken vermag, so sehr sind die von mir gemachten, mehr als üblen Erfahrungen auf kriminellem Gebiete hinlänglich geeignet, pessimistische Gedanken zu er-

93

wecken, die bei Zellenhaft geradezu wie Gift wirken. Schliesslich wurde die Confiskation übrigens aufgehoben.

Es ist unter solchen Umständen ein wahres Glück, dass vor einigen Tagen auf 2 Monate — *vorläufig,* später ist noch Mehreres zu erledigen — ein Bismarckbeleidiger schwärzester Sorte, nämlich von ultramontaner Couleur, hier eingetroffen ist und mit mir gemeinsam „Freistunden" geniesst. So kommt Abwechslung in die Bude. Erst der Verkehr mit gesetzten Sozialisten, die leider jetzt theils ausgeflogen, theils in einen mir unzugänglichen Winkel des Hauses verlegt sind; dann die Unterhaltung mit einem „gotteslästerigen", „liberalen" Gegenwarts-Dichter, und nun die Ironie auf das Bündniss zwischen der schwarzen und rothen Internationale! Uebrigens muss ich auch hinsichtlich des Spaziergangs noch eine Besserung anderer Art verzeichnen. Ich entdeckte zufällig einen ungemein grossen, mannigfach gestaltigen Hof und bewarb mich um die Erlaubniss, denselben benutzen zu dürfen, die mir auch nach einigem Verhandeln zu Theil ward. Jetzt kann man wenigstens *etwas* grössere Sprünge machen.

VII.

Vermischte Erlebnisse.

Den 20. Juni 1875.

Unter ziemlich schwierigen Verhältnissen übersiedelte im Monat Februar meine Frau nach Berlin, nur um mich öfters besuchen zu können. Ich bat mir beim Direktor die Erlaubniss aus, dass ich sie wenigstens wöchentlich einmal sprechen könne; allein dieser Mann besass die Hartherzigkeit, nur einen Besuch alle vierzehn Tage zu gestatten, eine Entscheidung, die

94

um so rigoroser war, als bei *Lindau, Majunke* und *von Schröt-ter* (das ist mein jetziger Spaziergangs-Kollege) hinsichtlich des Verkehrs mit Angehörigen und Bekannten *gar keine* Beschränkung festgesetzt wurde. Bei solcher Sachlage hielt ich es nicht für der Mühe werth, dass meine Frau in der ihr ganz fremden Stadt Berlin noch länger weile und veranstaltete deren Rückkehr in die Heimath. Es ist besser, man weiss eine grössere Strecke Landes zwischen sich und den Seinen, als dass man in der Schranke ausschliesslich einen Gefängnissdirektor erkennen muss, weil man im letzteren Falle mehr und mehr erbittert wird gegen einen Mann, in dessen Gewalt man sich befindet; und solche Gemüthserregungen sind für Gefangene von den schädlichsten Folgen.

Vom 7. April bis zum 7. Juni hatte ich, wie ich schon notirte, einen Ultramontanen zur Gesellschaft bei meinen Promenaden; zwei Mal in der Woche bildete *Majunke* den dritten im Bunde. Wie einst — zur Zeit der ersten französischen Revolution — Hebertisten und Legitimisten und später — unter der Regierung Louis Philipp's — Legitimisten und Republikaner in den Pariser Gefängnissen, zwangsweise unter einem Hute vereinigt, mehr oder weniger mit einander harmonirten, so herrschte auch hier eine gewisse Einigkeit. Nicht dass es an lebhaften Disputationen gefehlt hätte, bei denen schon die Grundverschiedenheit der prinzipiellen Standpunkte ein Einigwerden ausschloss — nein, Derartiges kam häufig auf die Tagesordnung; allein es gab Fragen genug, die eine Uebereinstimmung in der Beantwortung hervorriefen, namentlich sofern es sich darum handelte, Frau Themis zu nasführen. *Majunke* war zu diesem Geschäfte zwar wenig tauglich, wohingegen der Baron S. stets energisch zugriff, wenn sich Gelegenheit hiezu bot. Er eröffnete z. B. Nahrungsmit-

95

tel-Bezugsquellen, die den Direktor mit Entsetzen erfüllt hätten, wenn er im Stande gewesen wäre, deren Tiefe, Breite und Unversiegbarkeit kennen zu lernen. Wir brauchten es unter solchen Umständen gar nicht bis zur Zuspitzung einer sozialen Frage kommen zu lassen. Und was bewirkte solche Annehmlichkeiten? Es war das *Assoziations-Wesen* und der *Kommunismus!*. Mit vereinten Kräften wurde der Justiz ein Schnippchen ums andere geschlagen, und der Ertrag solcher Anstrengung wurde stets brüderlich getheilt.

So hatte also der Genuss der Sommerfrische am Plötzensee zur gedachten Zeit wenig Abschreckendes an sich. Selbst den Vorgeschmack einer Badereise liess ich mir beibringen, indem ich mir durch den Arzt wöchentlich 2—3 Douche- und andere Bäder verordnen liess. Die Anstalt ist nämlich mit Bade-Einrichtungen ganz gut versehen, wie ja überhaupt die hierorts beobachtete Reinlichkeitspflege nichts zu wünschen übrig lässt. Mit der Befriedigung meiner geistigen Bedürfnisse steht es im Allgemeinen immer noch wie früher, indem nur die bestimmten Zeitungen zugelassen werden; da ich aber aus der Reichstagsbibliothek Bücher bekommen kann und auch durch Freunde mit guten Werken versehen werde, so kann das Besserungs-Verfahren (diesmal bedarf es keiner Gänsefüsschen) ganz flott betrieben werden. Es erfüllt mich auch mit grosser Genugthuung, dass ich im Stande bin, hier nicht unwesentlich zur Vervollständigung meiner Bildung beizutragen. So muss der heutige Staat selbst die Kräfte reifen, welche ihm widerstreiten, und die er unschädlich zu machen wähnt. Ja, ich darf es offen bekennen: *Mein Wissen verdanke ich meinen Gefangenschaften!* Ohne die verschiedenen Jahre von Zwangsmusse, die man mir bisher auferlegte, wäre ich kaum im Stande gewesen, die nöthige Zeit zum Studiren

96

zu finden. Als *verlorene* Zeit darf ich also jene langen Perioden nicht betrachten, die ich hinter Kerkermauern verlebte. Ich wickelte da so manches Gehirnknäulchen auf, das später zu gutem Faden versponnen werden kann. Ich spitzte so manchen Pfeil für den ferneren Kampf!

VIII.

Die lustige Station.

Den 12. Dezember 1875.

Neuestens sind hier ganz wesentliche Kulturfortschritte gemacht worden. Vom Oberinspektor erhielt ich einen Rohrsessel, brauche also nicht mehr, wie bisher, auf einem viereckigen, vierfüssigen, hölzernen Brettchen mich krumm und lahm zu sitzen. Ferner giebt es jetzt endlich eine bessere Kost — an 4 Tagen. Die frühere Küchenordnung hatte ich aber auch dermassen satt, dass ich Anfangs Oktober beim Berliner Stadtgericht eine Beurlaubung forderte mit der Motivirung, dass ich mich endlich einmal ordentlich restauriren müsse, wenn ich nicht die Auszehrung bekommen solle. Die Zubussen etc., schrieb ich, seien zu meiner Ernährung nicht hinreichend und das Gefängnissfutter ekele mich an, selbiges möge allenfalls für Kulis, Negersklaven oder weltstädtische Vagabunden ein gewohnheitsmässiges Essen bilden, ein Zivilisationsmensch weise es mit Entrüstung von sich. Dies war der „Zufall" Nr. 1, welcher vielleicht den Vorläufer der Reform bildete. Dann trat der Reichstag zusammen; und eine verbesserte Auflage meiner vorjährigen Denkschrift warf ihre Schatten vor sich her — das dürfte der „Zufall" Nr. 2 gewesen sein, der bei der Kostverbesserung Geburtshülfe leistete.

97

Immerhin erregte es einiges Staunen, als im Lazareth eine
kleine Extraküche für „Mittelkost" u. dgl. eingerichtet wurde,
und als man zum ersten Male die neue Kost servirte. Dieselbe
darf als ausreichend bezeichnet werden. Es giebt jedesmal
Suppe, Fleisch und Gemüse, ordentlich gekocht und unter
Beobachtung ziemlicher Abwechselung. Die Fleischrationen
sind nicht sehr gross, aber meist in Bratengestalt und mit
Sauce versehen. Hoffentlich wird die neue Ordnung über
kurz oder lang auf alle sieben Tage ausgedehnt; denn der
Mensch hat doch nicht zwei verschiedene Magen, einen zivilisirten und einen unzivilisirten. Jene drei Schwerinstage sind
wahrscheinlich im Hinblick auf die Fleischfäserchen beibehalten worden, die an denselben im General-Suppen-Kessel ihre
Schwimm-Uebungen veranstalteten, wovon aber das Kraut
nicht fett wird. Ist auch die jetzt herrschende $^4/_7$-Zivilisation
besser als gar keine, so können gleichwohl die noch ausstehen-
den $^3/_7$ dem Kochlöffel der Justiz nicht geschenkt werden. Ich
für meine Person werde wenigstens vom Quäruliren nicht
ablassen, obgleich dasselbe unter den verbotenen Dingen in
den Verhaltungsvorschriften figurirt.

Ein weiterer Fortschritt, der seither gemacht wurde, besteht darin, dass die anständigsten Leute der ganzen Anstalt
auf eine Station zusammen gelegt wurden. Und zwar hat
man dazu eine Etage des sogenannten „alten" Isolirflügels
gewählt, wo eine bessere Heizung eingeführt ist, als im
„neuen", den ich früher bewohnte. Jetzt kann es doch nicht
mehr vorkommen, dass bald ein rechter Nachbar, der vielleicht Jemanden todtgeschlagen hat, bald ein linker Nachbar,
der etwa der Einbrecherzunft angehört, bei nächtlicher Weile
Uebungen in der Klopftelegraphie anstellt. Recht angenehm

98

ist es auch, dass mir nun die Scheuerarbeiten durch einen „Kalfaktor" besorgt werden. Und was das Allerwesentlichste ist: es fehlt nicht an Unterhaltung in den „Freistunden", die nun von allen Bewohnern der vornehmen Station gemeinsam in dem sehr geräumigen Lazarethhofe genossen werden. Man kann da jetzt jeden Vormittag und jeden Nachmittag zwei lebhaft debattirende Gruppen beobachten; die eine Gruppe besteht aus politischen „Verbrechern", die andere aus allerlei Pechvögeln. Gruppe Nr. 1 enthält zur Zeit drei Sozialisten (*Kapell, Klinkhardt* und mich), zwei Ultramontane und zwei „liberale" Reporter. Letztere spielen eine etwas schäbige Rolle. Der Eine verstand es, einen Ultramontanen um ca. 60 Mark (behufs Einzahlung für literarische Arbeiten, d. h. um die Zwangsarbeit zu umgehen) anzupumpen — zahlbar am St. Nimmerleinstag; der Andere, welcher eine Geldstrafe, die er nicht bezahlen konnte, absass, fand an dem Hiersein einen so grossen Gefallen, dass er sich ernstlich mit dem Gedanken trug, auch seine Gerichtskosten absitzen zu wollen; und es verursachte Mühe, ihm begreiflich zu machen, dass dies nicht angehe. Im Allgemeinen herrschte übrigens unter diesen bösen Sieben Friede und Eintracht. Platzten auch öfters die politischen Meinungen gehörig aufeinander, so erinnerte doch immer wieder irgend ein guter oder schlechter Witz an den Ort, wo man sich befand, an den gemeinsamen Hut oder vielmehr an die gemeinsame Pickelhaube, die Allem übergestülpt ist. Als gerade hoher Schnee lag, erlustigten sich die Politiker mit der Fabrikation eines riesigen Schneemanns, dem eine ziemliche Aehnlichkeit mit einem gewissen „Genie" von „europäischem Rufe" sofort anzusehen war. Und so wurde noch mancherlei Allotria getrieben. Von Traurigkeit war keine Spur zu sehen.

99

„Und es zeigten keinerlei
Busse und zerknirschte Reu'
Die verstockten Sünder!"

Die andere Gruppe, die jetzt sehr zusammengeschmolzen
ist, hatte vor einigen Wochen noch den Charakter einer *sehr*
gemischten Gesellschaft. Ein ehemaliger Polizeikommissär,
der Arrestanten geprügelt hatte, ein Zimmermeister, dem ein
regelwidrig gebautes Haus eingefallen war, und ein Junker,
welcher sich eine Beleidigung seines Gutsnachbarn zu Schulden kommen liess, leisteten einer Anzahl einfacher Bankerotteure Gesellschaft, während ein Rentner, der einen Schuldner
geohrfeigt hatte, Arm in Arm mit einem Restaurateur, welchen
ein übelverstandener derber Spass ins „rothe Schloss" brachte,
das Jahrhundert, namentlich aber die Polizei, in die Schranken
forderte. Ganz kurze Zeit lief auch noch ein Ehebrecher, ein
ziemlich alter Knabe, daneben her.

Die Zellenthüren in dem „alten" Flügel werden nur
Nachts gehörig geschlossen, während den Tag über ein einfacher Mechanismus einen leichten Verschluss bildet, der jedoch mit irgend einem starken Nagel oder dgl. leicht hinfällig
zu machen ist. Wir haben uns alsbald sammt und sonders
derartige Instrumente angeschafft und verkehren vermittelst
derselben mit einander nach Belieben. Mitunter werden förmliche Soireen veranstaltet! Der „Kalfaktor" ist instruirt, dass
er es meldet, wenn sich der Aufseher entfernt. Dann werden
schleunigst die Press- und Rede-,,Verbrecher" ganz leise in
einer unserer Zellen — gewöhnlich in der meinigen — zu-
sammenberufen. Da jetzt die Beaufsichtigung nicht streng
ist und wir die Thüren immer wieder abschliessen, so ist damit keine grosse Gefahr verknüpft. Sollte wirklich Jemand
durch die Augen des Dionysius Umschau halten, so sieht er

100

loch nicht ins Innere der Zellen, weil wir täglich Sand in
liese Augen streuen, nachdem wir sie zuvor mit Fett bestrichen
iaben. Und in der Nähe jener Zelle, wo gerade ein kleines
'est stattfindet, steht der „Kalfaktor" Posten und meldet durch
in eigenthümliches Scharren an der Thüre, wenn Jemand
ommt, auf welches Signal hin allgemeine Ruhe eintritt, bis
'er Ankömmling wieder von der Bildfläche verschwunden ist.
Jeber einer Petroleumlampe oder über der Gasflamme wird
ekocht. Ein Holzgestell, welches *Kapell* fabrizirt hat, und
as auseinander genommen und leicht versteckt werden kann,
ildet eine Art Zigeunerdreifuss. Und ein blecherner kleiner
{essel, der die Wege des Schmuggels kennen gelernt hat,
ient als Kochgeschirr. Wir kochen Kaffee und Chokolade,
nd manchmal riskiren wir sogar eine Bowle Punsch! Die
{ohstoffe und Halbfabrikate werden ohne Ausnahme ge-
chwärzt, ebenso viele andere magenerbauende Dinge, wie
Vürste, kalter Braten, Schinken, Obst u. s. w. Da wir jetzt
i so grosser Anzahl aufs Schmuggeln ausgehen, sind selten
ie „Kaboren" (Orte, wo verbotene Sachen aufbewahrt wer-
en) ganz leer. Einer oder der Andere hat fast jeden Tag
ielegenheit, irgend einen Fang zu machen. Was aber Einer
at, das gehört Allen; denn hier wird der Kommunismus förm-
ch als selbstverständlich aufgefasst. Die Unterhaltung, welche
ei den gedachten Zusammenkünften gepflogen wird, kann
ar nicht angenehmer gedacht werden. Der Eine erzählt eine
Mordgeschichte", wie hier alle Neuigkeiten benamst sind;
:r Andere geistreichisirt ein wenig, der Dritte bringt einen
oast aus, in den die ganze Gesellschaft mit gedämpfter
iimme einfällt; und so geht es fort, bis es Zeit und Gelegen-
eit wird, ganz sachte sich in den einzelnen Zellen zu ver-
riechen. Wenn der Direktor ahnen könnte, wie schändlich

101

auf solche Weise sein „Prinzip" geradezu auf den Kopf gestellt wird — ich glaube, er stellte sich selber in solch' umgekehrte Ordnung! Dabei ist unser Treiben durchaus nicht
so unerhört, wie es vielleicht im ersten Augenblicke zu sein
scheint. Im Literatenviertel des Wiener Landesgerichts geht
es schon seit je so zu; und das Gefängniss La Pelagie zu
Paris könnte von ungemein vielen „Bankets" erzählen, die
politische Sünder in seinen Räumen im Laufe der Zeit veranstaltet haben. Der Unterschied besteht nur darin, dass zu
Wien und Paris solche kleine Freuden *erlaubt* sind, und dass
man es nicht nöthig hat, Ess- und Trinkwaaren *heimlich* zu
beziehen. Einem politischen Gefangenen *mehr* als die Freiheit
zu entziehen, das bringt man eben nur im *preussischen* Staate
fertig. (Wie man es in England und Amerika in dieser Hinsicht treibt, war mir damals noch nicht bekannt.) Nur gut,
dass für die moderne Knute auch noch ein Kräutlein gewachsen ist — die Schlauheit der Knuten-Objekte.

IX.

Rück- und Vorblicke.

Den 4. April 1876.

Noch 14 Tage und die mir zudiktirte „Strafe" ist „abgesessen"; noch stehen freilich zwei Monate auf dem Kerb-
holze, die vom Leipziger Gericht eingeschnitten wurden, aber
ich weiss nicht, kann ich dieselben hier verarbeiten oder muss
ich dieserhalb nach Leipzig reisen, beantragt habe ich das
Erstere. Indessen, ob meine Sitzung hieselbst um zwei Monate länger oder kürzer·ausfällt, so viel steht jetzt schon fest,
dass ich mein Tagebuch — es sind ohnehin nur noch etliche

102

Blätter leer — mit der Schlussnotiz versehen kann. Denn ich wüsste wirklich nicht, was in den wenigen Wochen Besonderes passiren sollte, nachdem bereits seit Monaten keine Neuigkeiten mehr vorfallen. (Die fraglichen 2 Monate habe ich in der That am Plötzensee absitzen „dürfen", und es ist wirklich während derselben nichts Neues mehr vorgekommen.)

Wenn ich nun zurückblicke auf mein ganzes Leben in der Bastille am Plötzensee, so finde ich, dass es trotz aller Gefangenschaft, namentlich in der ersten Hälfte derselben, ein ziemlich kampfbewegtes war. Was hat man mir nicht alles am ersten Tage geboten?! Sogar von der Züchtlingsjacke war die Rede; und was geschah in der That ca. drei Monate lang, aller Beschwerden und allen öffentlichen, Deutschland schändenden Skandals ungeachtet! — Ich war Sechsgroschen-Kuli; damit ist Alles gesagt. — Und wie langsam ging's mit den Fortschritten; jeder Zoll der günstigeren Stellung musste speziell und systematisch erkämpft werden. Aber leider scheint der Erfolg meines Kulturkampfs sich nicht auf die Allgemeinheit zu übertragen, wie die neue Gefängnissordnung für Preussen deutlich genug zu erkennen giebt. Es *kann* nun wohl ein politischer Gefangener — nicht minder aber auch mancher „distinguirte" Lump — eine ähnliche Behandlung erleiden, wie ich; es *kann* ihm aber auch genau so ergehen, wie es mir Anfangs erging. Beides lässt die Gefängnissordnung zu, die man füglich hätte kürzer fassen können, ohne den jetzigen Sinn zu alteriren. Man brauchte nur zu ukasen: „Was in Zuchthäusern als Hausordnung gilt, das findet auch auf Gefängnisse Anwendung, jedoch kann jeder Gefängnissvorsteher nach Belieben diese oder jene oder alle lästigen Bestimmungen ausser Anwendung lassen." Denn in der That können nunmehr die Strafanstaltsverwalter thun, was sie

103

wollen. Und bei der superloyalen Gesinnung dieser Leute können sich die politischen Gefangenen nicht auf Gefängniss-, sondern auf Höllen-Strafen gefasst machen.

Selbstbeköstigung giebt es gar nicht mehr, eine sogenannte „bessere Kost" ex officio wird man aber auch nur schwer und jedenfalls nur unter fortwährendem Gebettel, wie z. B. hier, erhalten können. Und da hiebei gewöhnlich in erster Linie die soziale Stellung des Betreffenden und *nicht* die Art seines Vergehens in Betracht gezogen wird, so geniessen zunächst die Bankerotteure, Wechselfälscher oder dgl. das Vorrecht der besseren Beköstigung, während die politischen Gefangenen, im Falle sie Proletarier sind, an den allgemeinen Kraut- und Rüben-Kochlöffel gewiesen werden. In kleineren Gefängnissen wird man überhaupt eine „bessere Kost" gar nicht einführen, da für dieselbe auch nur ein solch geringer Betrag ausgeworfen wird, dass sie nur hergestellt werden kann, wenn man im Grossen einkauft und die Kocharbeit nicht zu rechnen braucht. Wo Gefangene als Köche fungiren, ist Letzteres möglich, nicht aber, wo die Kost durch Privatleute hergestellt wird, wie es in den kleinen Gefängnissen geschieht. Ich bin durchaus nicht dagegen, dass fakultativ eine bessere (aber ohne Gänsefüsschen) Kost in den Gefängnissen eingeführt wird, und dass der Staat hiefür einen hinlänglichen Betrag auswirft, um auch in kleinen Gefängnissen diese Reform durchführbar zu machen; aber ich muss daneben auch auf eine Bestimmung pochen, wonach vor Allem den *politischen* Gefangenen eine solche zukommt. Hält es der heutige Staat geboten, seine wackelige Existenz dadurch zu sichern, dass er seine Angehörigen, die ihm unbequem sind, weil sie seinen Abbruch erstreben, hinter Schloss und Riegel sperren lässt, so sorge er auch für deren kulturmässigen Un-

104

terhalt. *Will* er sie aber zu Tode schinden — etwa durch systematische Magen-Verunreinigung mittelst Schweinefutter — so heuchle er wenigstens keine Humanität und mache er die Sache kürzer, indem er die Guillotine aufstellt und den Schrecken proklamirt! Der heutige Staat blamirt sich, wenn er seine Opfer durch Gefängnisskost misshandelt und so seine eigenen Kinder aufzehrt, im höchsten Grade aber macht er sich lächerlich, wenn er es nicht dulden will, dass politische Gefangene seine gute wie schlechte Kost verschmähen und sich selbst freiwillig beköstigen! Der Staat ist also *verpflichtet,* seinen politischen Gefangenen eine bessere Kost zu verabfolgen, er ist aber *nicht* berechtigt, den *Verzicht* auf dieselbe unmöglich zu machen. Damit wären auch jene Gutmüthigen ad absurdum geführt, die da die bessere Staatskost lediglich deshalb der Selbstbeköstigung vorziehen wollen, weil die Letztere den Aermeren doch nichts nützen kann. Die Loosung sei: *Her mit der besseren Kost! Die Bahn frei für Selbstbeköstigung!* Es ist ja nicht ein einziges Argument denkbar, das sich gegen das gleichzeitige Bestehen beider Verpflegungs-Arten ins Treffen führen liesse. Im *Allgemeinen* verlangt man vom Staat, dass er seine inneren Kriegsgefangenen ordentlich füttern lasse, im Besonderen aber behält man sich für dieselben das Recht vor, dem Staat die Fütterung zu schenken. *Auf jeden Fall* aber muss dem politischen Gefangenen, selbst wenn er seiner geringeren Mittel halber die Staatsverpflegung benützt, erlaubt sein, von aussen diverse Lebensmittel, wie Backwaaren, Obst, Würste, Wein u. s. w. zu beziehen. *Denn ein Gefangener muss besser leben, als ein Freier, weil die Freiheitsentziehung an sich schon physische Schädigung verursacht.*

Wie wird es nun hinsichtlich der *Beschäftigung* politi-

105

scher Gefangener in der Zukunft aussehen? Nach der neuesten Verordnung *sehr trübe.* *Zwangsarbeit* wird *jedenfalls*
auf ihnen lasten; und *nur* der gute Wille der Gefängnissvorstände entscheidet, ob eine solche Gattung von Zwangsarbeit
für „angemessen" erachtet wird, die der Betreffende (freilich
unter Ablehnung des Wörtchens „Zwang") selbst wählt.
Wenn daher die Literaten literarisch beschäftigt werden, dann
müssen sie *froh* sein; und es ist der Fall nicht undenkbar, dass
ein Gefängnissvorsteher schriftstellerische Arbeiten *überhaupt*
nicht für „angemessen" erachtet. Wehe aber denjenigen
Schriftstellern, die je in ihrem Leben ein anderes Geschäft
betrieben haben und vielleicht obendrein Autodidakten sind!
Ein halbwegs „akademisch gebildeter" und juristisch-pedanti-
scher Gefängnissvorstand wird es ihnen nicht übel eintränken,
dass sie „eigentlich" das und das seien. Und nun vollends
diejenigen, welche überhaupt keine Schriftsteller sind! Mögen
sie noch so gebildet sein, schadet nichts, sie müssen sich an
irgend einen Unternehmer für etliche Groschen Tag für Tag
verpachten lassen; die Pensum-Peitsche saust ihnen um die
Ohren, wenn sie nicht wie ein Karrengaul arbeiten u. s. w.
u. s. w. Wie wäre es z. B. einem *Abraham Lincoln* ergangen.
wenn er hier eine Rede gehalten, dieserhalb verurtheilt und
in die Bastille gesperrt worden wäre? Man hätte ihm ohne
Zweifel gesagt, dass er ja „eigentlich" Holzhacker sei, im
öffentlichen Leben sich nur als Autodidakt bethätigt habe, und
dass es nur von „segensreichen Folgen" sein müsse, wenn man
ihn seinem „eigentlichen" Berufe dadurch zurückgiebt, dass
er zum Holzhacken angehalten wird. Die Sozialisten, welche
gegenwärtig als Sturmböcke dienen, sind fast durchgängig
von Hause aus Proletarier, ergo haben sie alle im Gefängniss
— und dieses blüht ja ihnen allen früher oder später —
106

Zwangsarbeiten zum Vortheil von Privatunternehmern zu verrichten und so dazu beizutragen, dass einzelnen Kapitalisten Staatshülfe zu Theil wird. Mit anderen Worten: sie werden zu Gefängniss verurtheilt und Zuchthausstrafe wird an ihnen vollstreckt. Denn derjenige muss noch geboren werden, der den Unterschied nachweist, welcher im Grossen und Ganzen gegenwärtig zwischen Gefängniss und Zuchthaus besteht.

Druck:
Customized Business Services GmbH
im Auftrag der KNV-Gruppe
Ferdinand-Jühlke-Str. 7
99095 Erfurt